의사국가고시 | 레지던트시험 | 전문의시험 | 준비를 위한

HANDBO

PO

Gynecology

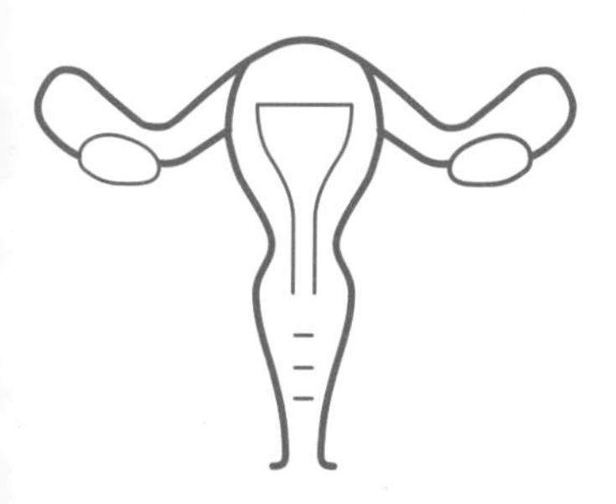

POWER MANUAL SERIES

부인과

군자출판사

머리말

의학이 발달할수록 의학 관련 지식정보는 눈덩이처럼 불어납니다. 다양한 국내·외 교과서들이 있고, 인터넷으로 방대한 의학지식을 접할 수 있지만 한정된 시간에 많은 과목을 공부해야 하는 학생 시기에는 잘 정리된 교재가 필요합니다.

지금도 대부분의 학교 수업은 슬라이드와 강의록을 중심으로 제각각 이루어지고 있습니다. 의사국가시험, 레지던트 임용시험, 전문의 시험처럼 전국 단위로 치러지는 시험에서는 전 단원이 일관성 있는 요약정리서가 필요합니다. '파워 시리즈'는 오랜 기간 국내 유일 의학 요약정리서로 자리매김해 왔습니다.

이번 개정판에서는 국내·외 새 교과서를 바탕으로 그동안 업데이트된 의학지식을 반영하였습니다. 새 교과서에서 내용이 사라졌더라도 이전 교과서의 내용 가운데 시험에 임하거나 환자를 만났을 때 도움이 될 수 있는 내용을 살렸습니다. 교과서마다 내용에 차이가 있는 부분도 함께 다루었습니다. 이 과정에서 전·현직 교수님, 전문의 선생님의 자문을 통해 완성도를 더욱 높였습니다.

이제 학교 수업의 진도에 맞춰, 임상실습을 하는 동안, 의사국가시험을 준비하면서 파워 시리즈를 활용하면 보다 효율적으로 고득점의 목표에 도달할 수 있을 것입니다. 레지던트 선생님도 수련 기간 동안 이 책을 서브노트로 활용하면 전문의 시험 대비에 훨씬 수월할 것으로 확신합니다.

이우석, 안지현

전북대학교 의학전문대학원 학술편찬위원회

Contents

목차

부인과적 진찰 및 수술

Power Gynecology

I. Gynecologic history

1. Chief complaint(주소)

- 내원 이유를 환자 자신이 표현한 말로 기록

2. Familial history

- 유전적인 질환이 의심스러울 때에는 가계도 조사

3. Social history

- 결혼 상태, 취업 유무, 교육 정도, 가정 상태, 생활 습관, 자녀, 가족들에 관한 사항

4. Past history

- 수술력, 병력, 감염, 최근 사용한 약물, 약물에 대한 알레르기 및 과민성 여부, 예방접종력

5. Menstrual history

- 주기, 기간, 주기에 따른 증상(월경통, Mood 변화, 체액 저류, 변비, 설사 유무)

6. History of contraceptive use

- 과거 및 최근에 사용한 모든 피임 방법

7. Obstetric history

- Full term pregnancy - Premature - Abortion - Living children

8. Sexual history

- 성교통의 유무, 성욕, 성감, 성교 횟수

9. Marital history

- 결혼일, 횟수, 결혼 기간

10. 비뇨기 및 위장관 증상

• 빈뇨, 배뇨통, 혈뇨, 요실금, 변비, 설사 유무

11. Present illness

II. Gynecological examination

1. General examination

2. Breast examination

1) Regular examination – asymmetric contour, dimpling, abnormal color, nipple change

2) Self examination의 시기

• mense 직후 3~4 일(patient 발견 85~90%)

3) High risk patient

유방암의 위험인자 ☆	
Major risk factor	**Minor risk factor**
1. Gender (male/female) 2. Age 3. Family history (mother, sister, daughter) 4. Contralateral breast cancer 5. Noninvasive carcinoma (DCIS, LCIS) 6. Benign prolifeative changes with atypia	1. Early menarche 2. Late menopause 3. Obesity 4. Low dose radiation

4) Hormone Treatment와 유방암의 관계(폐경 후 HRT를 15년 이상한 경우)

5) Screening mammography

6) 기타 thermography, biopsy, US, CT

3. Abdominal examination

4. Pelvic examination – voiding 후 lithotomy position

※ 쇄석위(lithotomy position) - m/c

똑바로 누운 자세에서 대퇴와 하지를 굴곡 및 외전을 시킨 상태에서 검사

※ 소아는 frog leg position

5. Rectal examination – Cancer patient & virgin

6. 기타

- X-ray (KUB, IVP, HSG), US, CT, MRI, Endoscopy

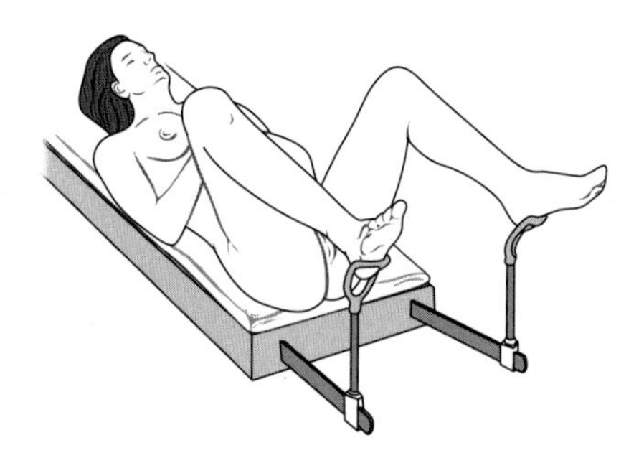

Lithotomy position for pelvic examination

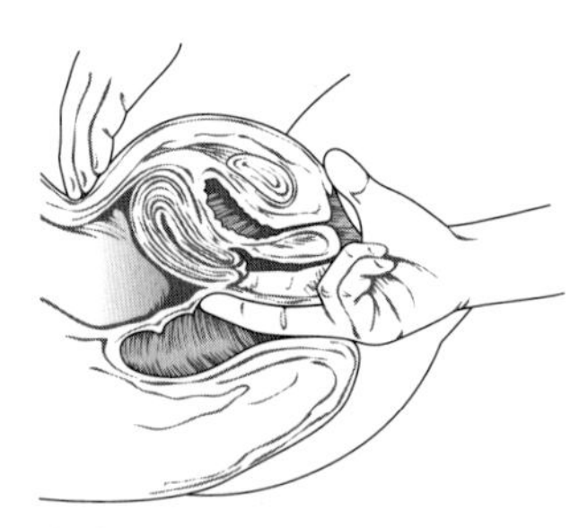

양손을 이용한 골반내진 (Bimanual examination)

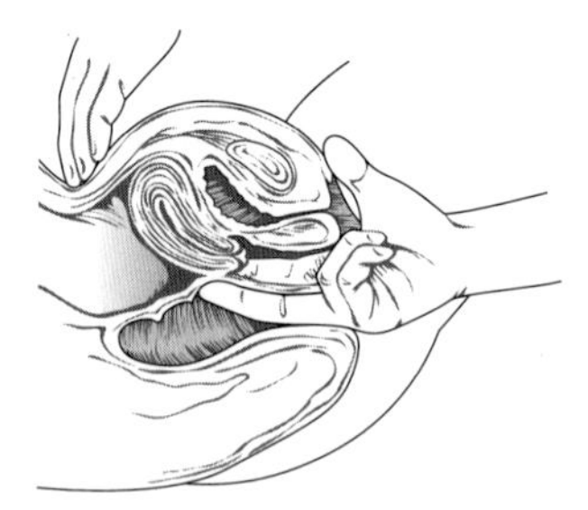

질직장 진찰 (Rectovaginal examination)

III. 보조 진단법

1. Pelvic ultrasound(골반 초음파)

1) 골반 내 여성장기 검사에 가장 좋은 방법

2) 진단에 유용한 경우 ☆

① Pelvic mass

② 자궁근종 및 근종의 2차성 변화

③ 자궁 내막증

④ 난관 및 난소 농양

⑤ 골반 농양

3) 골반종괴의 감별진단

골반 종괴의 감별 진단		
낭종형(Cystic)	복합형(Complex)	고체형(Solid)
1. 완전한 낭종형 생리적 난소 낭종 낭선종 난관 수종 자궁 내막종 부수 난소 낭종 2. 다발성 자궁 내막종 다발성 난포낭종 3. 분리형 낭선종(암) 장액성 유두성	1. 낭종 형태가 우세 낭선종 난관난소 농양 딴곳 임신 기형낭종 2. 고체 형태가 우세 낭선종(암) 배세포 종양	1. 자궁내 자궁 근종 (육종) 자궁내막암, 육종 2. 자궁외 고체형 난소종양

양성 종괴와 악성 종괴의 감별 진단		
	Benign	Malignancy
1. Size	<5~6 cm	Large (>6 cm)
2. Locules	Unilocular	Multilocular
3. Septa	Thin (<3 mm)	Thick (>3 mm)
4. Internal echo	Anechoic Homogenous	Mixed echogenicity Inhomogenous
5. Inner wall structure	Smooth-walled	Solid areas (Papillary growing)
6. Ascites		++
7. Calcification	++	
8. Blood flow pattern (Doppler)		Low-velocity, Very low resistance

2. Intravenous pyelography (IVP)

① 선천성 여성 생식기 기형 시 비뇨기계 기형 동반이 흔하므로 반드시 시행

3. Hysterosalpingography (HSG, 자궁난관조영술)

① 자궁근종, 종양 또는 난관 주위 유착 등으로 인한 자궁강과 자궁난관 연접점의 폐쇄 진단

② 난관의 Patency 검사

③ 선천성 여성 생식기 기형

4. CT, MRI

IV. Gynecologic operation

1. Laparoscopy(복강경)

1) 적응증 ★

(1) 진단 목적

① endometriosis

② adhesion

③ leiomyoma

④ small cyst in the ovaries

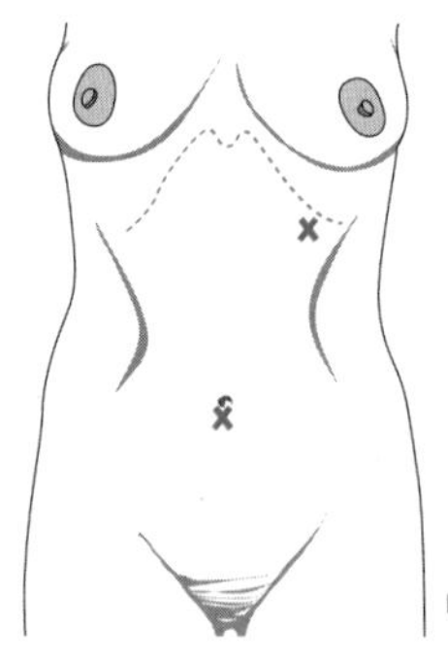

▶ Insufflation needle & Cannula insertion site ★

(2) 치료 목적

① tubal surgery-sterilization, ectopic pregnancy

② ovarian surgery-ovarian mass

③ uterine surgery-myomectomy, hysterectomy

④ infertility operation

⑤ endometriosis

⑥ pelvic floor disorder

⑦ gynecologic malignancies

2) 합병증

① anesthetic and cardiopulmonary complication

(CO_2 embolus, cardiovascular complication, gastric reflux)

② extraperitoneal insufflation

③ electrosurgical complication

④ vascular injury

⑤ needle & trocar injury

⑥ thermal injury

⑦ bladder, ureteral injury

⑧ neurologic injury

⑨ incisional hernia, wound dehiscence

⑩ infection

2. Hysteroscopy(자궁경)

1) 적응증 ★

(1) 진단 목적

① unexplained abnormal uterine bleeding

- premenopausal

- postmenopausal

② selected infertility case

- abnormal hysterography or transvaginal ultrasonography

- unexplained infertility

③ recurrent spontaneous abortion

(2) 치료 목적

① Foreign body

② Septum

③ Endometrial polyps

④ Leiomyoma

⑤ Heavy menstrual bleeding (Endometrial ablation or resection)

⑥ Sterilization

⑦ Synechiae (Asherman's syndrome)

(3) 합병증

① anesthesia

② distention media

③ perforation

④ bleeding

⑤ energy의 사용

3. Hysterectomy

1) 적응증

① leiomyoma (m/c, 약1/3)

② dysfunctional uterine bleeding

③ intractable dysmenorrhea

④ pelvic pain

⑤ cervical intraepithelial neoplasia

⑥ genital prolapse

⑦ obstetric emergency

⑧ PID

⑨ endometriosis

⑩ cancer

⑪ benign ovarian tumor

2) 방법

(1) Abdominal

(2) Vaginal

• 적응증 ☆

① Vaginal relaxation or Uterus descensus

② 적어도 1회 이상 분만

③ Uterus가 작은 경우

④ Cervix traction으로 uterus가 fornix까지 하강

• 장점

① Complication이 적다.

② 회복이 빠르다.

③ 입원 기간이 짧다.

• thromboembolism risk factor

① low risk

- minor surgery
- no other risk factor*

② moderate risk

- age >40 & major surgery
- age <40 & other risk factor* & major surgery

③ high risk

- age >60 & major surgery
- cancer
- DVT or pul. embolism의 history
- thrombophlebitis

(*risk : obesity, varicose veins, estrogens, tamoxifen, OC 사용중인 환자 DVT나 pul. embolism의 history)

4. Dilatation & Curettage (D&C)

1) 적응증

① Endometrial biopsy

② Abnormal uterine bleeding (for Dx&Tx)

③ Abortion

④ Study for Infertility

- 그러나 실제는 Termination목적

2) 금기증

① Pregnancy

② Acute infection

3) 합병증

① Early : Infection, Bleeding, Perforation

② Late : Intrauterine adhesion (Asherman's syndrome)

자궁경부 무력증(IIOC)

여성생식기 해부학

Power Gynecology

I. Pelvic structure

1. Pelvis, Ligament, Foramina

1) Bone – Ilium, Ischium, Pubis, Sacrum, Coccyx

(1) Inlet of Pelvis

- Linea terminalis, Sacral promontory
- Pelvic brim

① Sacral promontory

Ⓐ 복강경 삽입 시 중요지표

Ⓑ Common iliac artery의 분기점

Ⓒ Pelvic inlet의 diameter 측정 시 중요지표

② Linea terminalis

③ Pectineal line

④ Pubic crest

⑤ Upper margin of Symphysis pubis

- Linea terminalis를 중심으로

Ⓐ True pelvis (Minor pelvis)

Ⓑ False pelvis (Major pelvis)

(2) Ischial spine의 임상적 중요성★

① Pudendal nerve block 시행의 landmark → 분만 시 진통 효과를 얻을 수 있다.

② Sacrospinous ligament vaginal suspension 시행의 landmark

③ Fetal head의 descent 정도의 기준점

2) Ligaments

① Inguinal ② Sacrospinous ③ Cooper's ④ Sacrotuberous

3) Foramen

① Obturator foramen

② Greater sciatic foramen

③ Lesser sciatic foramen

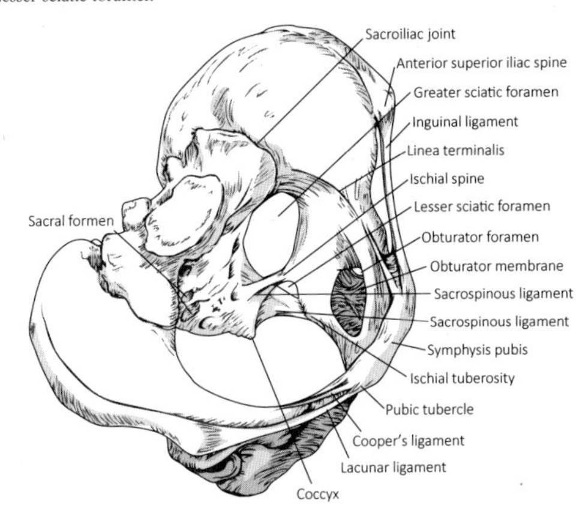

▶ The female pelvis

2. Muscles

1) Lateral pelvic wall
- ① Piriformis
- ② Obturator internus
- ③ Iliopsoas

2) Pelvic floor
- (1) Pelvic diaphragm
  - ① Levator Ani
    - Ⓐ Pubococcygeus
    - Ⓑ Pubovaginalis
    - Ⓒ Puborectalis
  - ② Coccygeus
- (2) Urogenital diaphragm
  - ① Deep transverse perineal
  - ② Sphincter urethrae

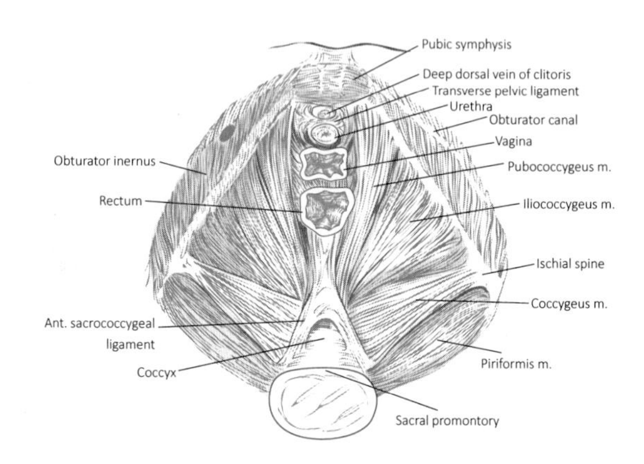

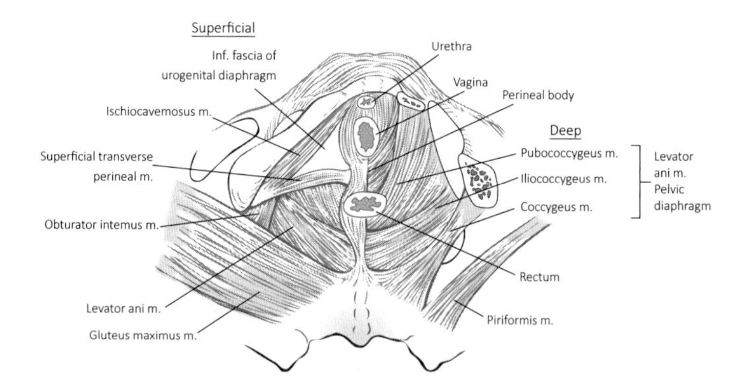

▶ The pelvic diaphragm

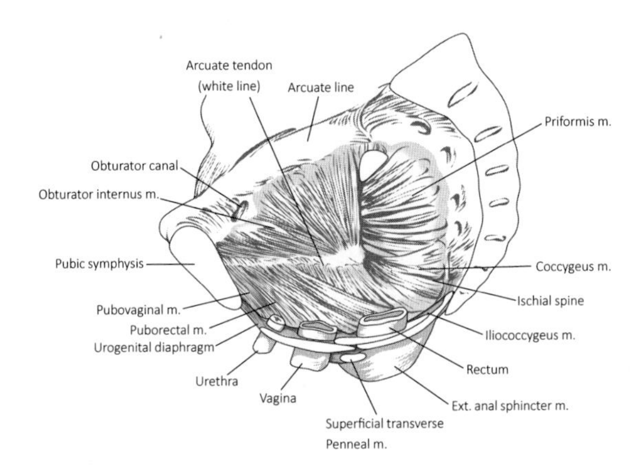

▶ Pelvic diaphragm

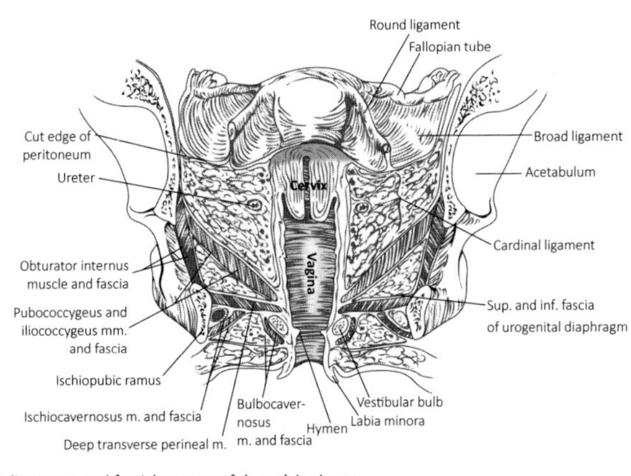

▶ The ligaments and fascial support of the pelvic viscera

3. Blood vessels

1) Ovarian vessel의 주행

Aorta → Cross common iliac v. → Infundibulopelvic (suspensory) ligament → Uterine a.와 문합

Ovarian vein → Pampiniform plexus 형성

Rt. → Rt. Inferior vena cava

Lt. → Lt. Renal vein

2) Aorta에서 직접분지

① ovarian a.

② middle sacral a.

③ inf. mesenteric a.

3) Internal iliac artery (Hypogastric artery)의 분지

Anterior division	Posterior division
Obturator artery Internal pudendal artery Umbilical artery Sup. .mid .inf vesical artery Middle rectal artery Uterine artery Vaginal artery Inferior gluteal artery	Superior gluteal artery Lateral sacral artery Iliolumbar artery

4. Lymphatics

Primary Lymph node groups providing Drainage to Genital structures	
1. Aortic / Para-aortic	Ovary, Fallopian tube, Uterine corpus (upper) Drainage from Common iliac nodes
2. Common iliac	Drainage from External and Internal iliac nodes
3. External iliac	Upper vagina, Cervix, Uterine corpus (upper) Drainage from Inguinal nodes
4. Internal iliac ① Lateral sacral ② Superior gluteal ③ Inferior gluteal ④ Obturator ⑤ Rectal ⑥ Parauterine	Upper vagina, Cervix, Uterine corpus (Lower)
5. Inguinal ① Superficial ② Deep	Vulva, Lower vagina ; (rare : Uterus, Tube, Ovary)

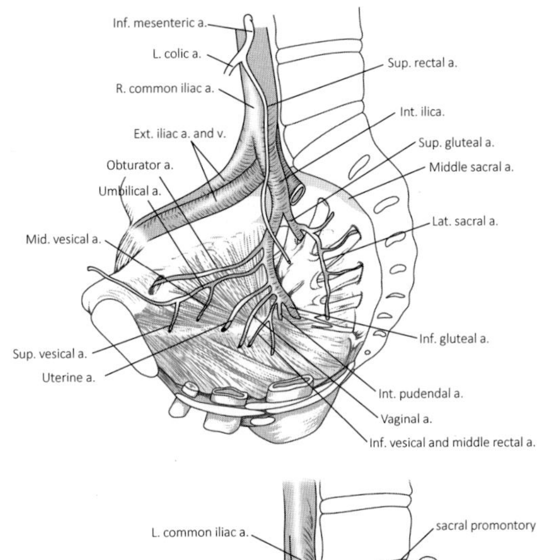

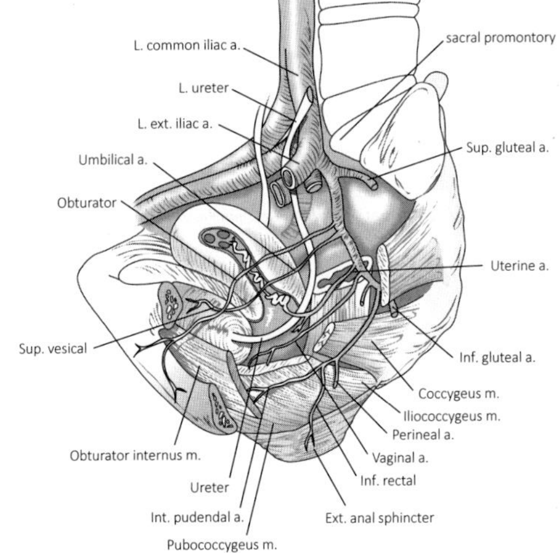

▶ The blood supply to the pelvis

A: The sagittal view of the pelvis without the viscera.

B: The blood supply to one pelvic viscera.

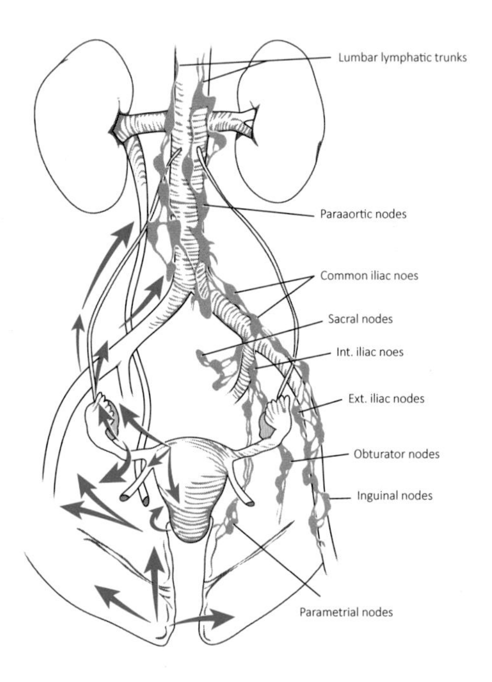

▶ The Lymphatic drainage of the Female pelvis

5. Nerves

1) Somatic innervaton

(1) Lumbosacral plexus와 이것에서 분지되는 신경들은 lower abdominal wall과 pelvic and urogenital diaphragms, the perineum, and the hip and lower extremity의 sensory somatic innervation을 담당한다.

① Ilioinguinal nerve : Sensory of upper medial thigh, mons, labia majora

② Genitofemoral nerve : Sensory of anterior vulva (genital branch), middle/upper anterior thigh (femoral branch)

③ Obturator nerve

: Motor of adductor muscles of thigh. Sensory of medial thigh and leg, hip and knee joints

④ Posterior femoral cutaneous nerve : Sensory of vulva, perineum, posterior thigh

⑤ Pudendal n.(음부신경)

: Sensory of perianal skin, vulva and perineum, clitoris, urethra, vaginal vestibule, 질식 분만, endometrial curettage 시술 등에서 고통을 줄이기 위해 pudendal nerve block시행

2) Autonomic innervation

(1) Pelvic visceral nervous system의 분지

① Vesical plexus

Ⓐ Innervation - Bladder & Urethra

Ⓑ Course - along Vesical vessels

② Middle rectal plexus (Hemorrhoidal)

Ⓐ Innervation - Rectum

Ⓑ Course - along Middle rectal vessels

③ Uterovaginal plexus (Frankenhauser's ganglion) ★

Ⓐ Innervation - Uterus, Vagina, Clitoris, Vestibular bulbs

Ⓑ Course - along Uterine vessels and through Cardinal and Uterosacral ligament

Ⓒ 임상적 의의 - Menstrual pain, Pelvic pain과 관계

(→ 통증제거 위해 Resection 하기도 함)

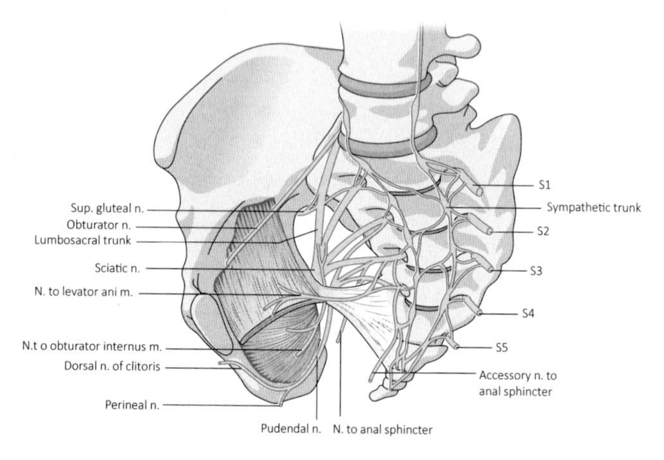

▶ The sacral plexus

II. Perineum

1. Urogenital triangle

1) Mons pubis

2) Labia majora

3) Labia minora

4) Clitoris

(1) Enlargement 될 수 있는 경우

① Congenital adrenal hyperplasia

② Adrenal tumor

③ Sertoli-Leydig cell tumor (Arrhenoblastoma)

④ Hilus cell tumor

⑤ Exogenous administration of Testosterone

5) Vestibule

(1) 6개의 openings

① 요도

② 질

③ 양측 Bartholin glands

④ 양측 Paraurethral glands (Skene's ducts)

• Bartholin gland의 의의

① 성적 흥분기에 이 선에서 점액물질이 분비
② 임질균이나 다른 세균들의 서식처가 될 수 있음
③ 화농(Suppuration) & Bartholin gland abscess 유발되는 장소

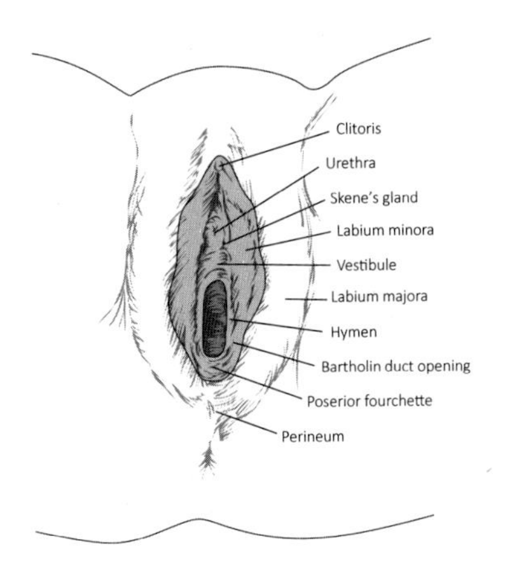

▶ Vulva and Perineum

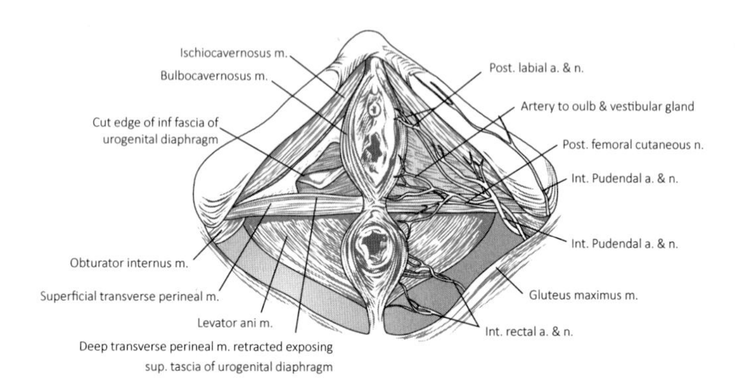

▶ Superficial perineal compartment

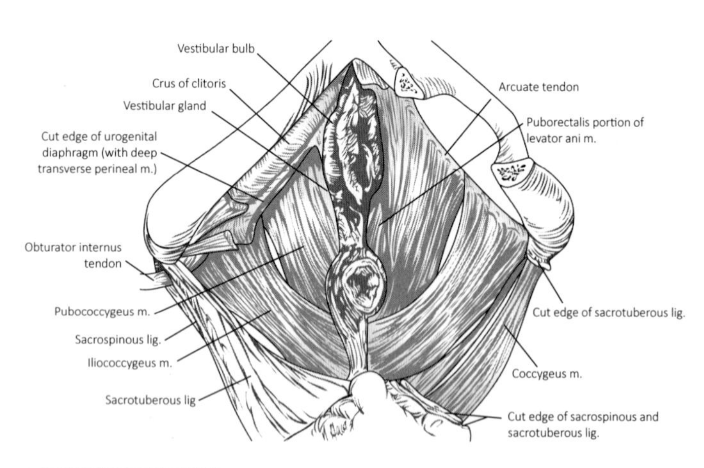

▶ Deep perineal compartment

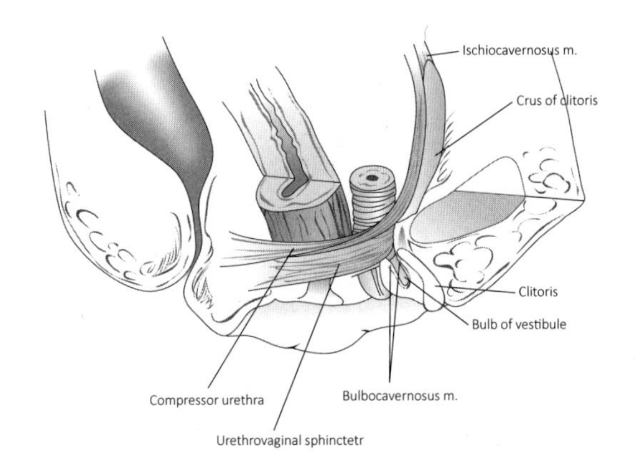

▶ The complete Urogenital sphincter musculature, Bladder, and Vagina

2. Retroperitoneum & Retroperitoneal spaces

1) Prevesical space (space of Retzius)

① 방광과 Symphysis pubis 사이의 지방으로 찬 잠재공간

② 임상적 의의

③ Combined abdominal & Vaginal bladder neck suspensory procedure시에 진입하게 되는 곳

2) Paravesical space

3) Vesicovaginal space

① 임상적 의의

② 경계를 이루는 Endopelvic fascia의 파열 시 Herniation과 Cystocele 유발

4) Rectovaginal space

① 임상적 의의

- Rectovaginal septum의 결손 또는 perineal body로부터 avulsion 되었을 경우 Anterior rectocele 발생

5) Pararectal space

6) Retrorectal space

7) Presacral space

(1) 임상적 의의

- Presacral neurectomy가 시행되는 부위

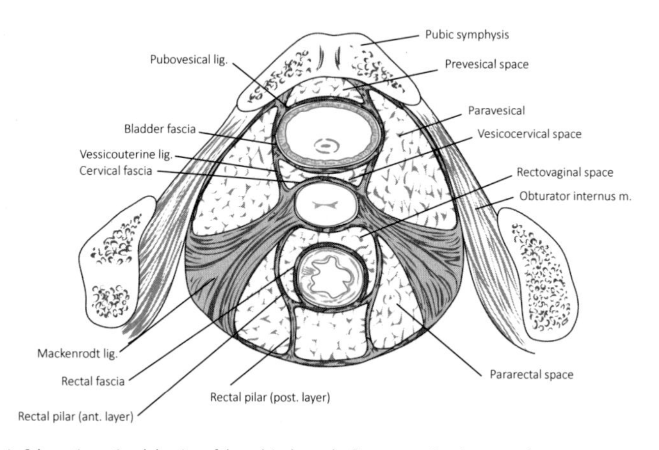

▶ Schematic sectional drawing of the pelvis shows the Firm connective tissue covering

3. Ureter

1) 주행

(1) Common iliac artery의 bifurcation 부위에서 Cross

① Ovarian vessel의 내측으로 주행

② Pelvic wall 측벽의 Peritoneum과 Broad ligament의 내엽에 붙어서 하행

③ Vagina 상부의 앞쪽에서 방광 저부로 진입하여 Bladder trigone에서 끝남

2) 해부학적 중요성을 갖는 부위 ★

① Ovarian vessel이 Pelvic brim 가까이 갈 때 Ureter를 Cross하게 되고 Pelvis 내로 들어갈 때 Ureter의 바로 외측에 위치한다.

② Ureter가 Pelvis 내로 하행할 때, Broad ligament 내에서 Uterosacral ligament의 바로 상외측

에 위치한다. 이 부위에서 Ureter에 의해 Uterosacral ligament가 Mesosalpinx, Mesovarium, Ovarian fossa로 나뉘어진다.

③ Ischial spine의 위치에서 Cardinal ligament를 따라 주행하는 Ureter는 Uterine artery 하부를 Cross하게 되는데, 이 부위에서 Ureter에 의해 Parametrium과 Paracervix로 나뉘어진다. 이 부위에서 Ureter는 Cervix의 2~3 cm 측방에 위치한다.

④ Uterine vessel을 지나 Cardinal ligament를 통과하는 Ureter는 전내측으로 주행하여 방광내로 들어갈 때 Vagina의 전상방을 Cross한다.

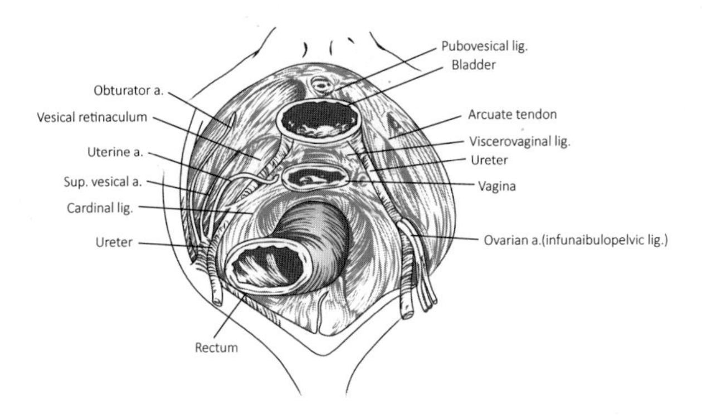

▶ The course of Ureter and its relationship to the Sites of Greatest vulnerability

III. Vagina

1) 발생학적 기원

① 상부 : 뮐러리안관(Müllerian duct=paramesonephric duct)에서 유래

: fallopian tube, uterus, upper 1/3 vagina

② 하부 : 비뇨 생식동(Urogenital sinus)에서 유래

2) 길이

후벽이 전벽보다 길이가 3 cm 정도 길다

3) Fornix(원개)

(1) Posterior fornix의 임상적 의의

① peritoneal cavity에 쉽게 도달할 수 있다.

② Posterior colpotomy시에 peritoneal cavilty로의 접근 경로이다.

4) pH

(1) 질산도의 유지 기전

- Estrogen 영향하에서 Vaginal epithelium에 Glycogen이 deposition

↓

- Desquamated vaginal epithelium으로부터 Glycogen이 release되어 질내 Glycogen 증가

↓

- Enzyme의 작용으로 Monosaccharide로 변화

↓

- Döderlein bacilli 의 작용으로 Lactic acid 생성 →

↓

- 3.5~4.5의 pH 유지

- 연령에 따른 산도의 변화 ★

① Newborn infant - 5~7 (at birth)

② 사춘기 전 - 6.8~7.2

③ 사춘기 후 - 4.0~5.0

④ Pregnancy - 3.8~4.4

- 임신중에는 정상적으로 떨어져 나간 상피세포와 세균으로 구성된 다량의 산성 질 분비물이 존재하며, 비임신부보다 유산균이 더 높은 농도로 발견된다.

5) Blood supply

- 질동맥은 Internal iliac artery에서 직접 분지

① 질상부 1/3 - 자궁동맥의 cervicovaginal branches

② 중간 1/3 - Inferior vesical arteries

③ 하부 1/3 - Middle rectal arteries & Internal pudendal artery

6) Lymphatics

① 질 상부 1/3 - 장골 림프절

② 중간 1/3 - 내장골 림프절

③ 하부 1/3 - 외음부의 림프관과 함께 서혜부 림프절

IV. Internal generative organs

1. 자궁 경부

1) 길이 : 정상적으로 2~3 cm

2) Two portion

① Portion on Pars vaginalis (Exocervix)

② Supravaginal portion (Endocervix)

3) Two os

① External os (=portion vaginalis)

② Internal os

4) 변형대(Transformation zone)

① Child birth 후나 trauma, infection후에 endocervical epithelium이 Vagina의 low pH에 expose되어 Squamous epithelium으로 변형된 부분

→ Squamous neoplasia가 호발

② Congential ectropion

- 선천적으로 squamocolumnar junction이 external os 밖의 vaginal portion에 존재하는 것

2. 자궁(Uterus)

1) 자궁위치

① 자궁체부는 거의 수평을 이루고, 자궁저는 약간 앞쪽으로 방광 위로 놓이게 되는 반면에 자궁경부는 천골의 끝을 향해 후방으로 향하게 되며, 경부외구는 거의 좌골극 수준에 있다.

2) 자궁내막

① 두께 : 0.5~5 mm

② 구성 : 표면상피, 선, 혈관, Interglandular mesenchymal tissue

③ 상피 : Dense tall columnar epithelium (Monolayer) → 엷은 alkali액 분비

폐경 후 → 위축되고 상피는 편평선은 사라지고 선간조직은 더욱 섬유화된다.

3) 자궁근층

① 내벽 - 비교적 근육이 많음(측면보다 전후벽에 더 많은 근육이 분포)

② 임신기간 중 자궁근층은 비후를 통해 크게 증가, 경부근층에는 변화가 없다.

4) 자궁인대(Ligaments of the uterus)

(1) 광인대(Broad ligaments)

① 자궁의 외측 경계로부터 골반벽까지 뻗어있는 두 개의 날개모양 구조물로서 골반강을 앞, 뒤 구획으로 나눈다.

② Superior border의 medial 2/3는 난관 간막을 구성, 이곳에 난관이 붙어있음

③ Superior border의 lateral 1/3은 난관채의 끝으로부터 골반벽까지 뻗어있음. 이것이 누두골반인대(Infundibulopelvic ligament) 또는 난소의 제인대(Suspensory ligament)를 이루고, 이곳으로 난소 맥관이 통한다.

(2) 자궁천골인대(Uterosacral ligament)

① Uterus의 posterior wall의 internal os level에서 나와 rectum을 돌아 second & third sacral vertebrae의 junction에 insertion한다.

② 기능 - Uterus와 Cervix를 support한다.

③ Dysmenorrhea와 관련

③ Elongation되면 cervix가 하전방으로 내려간다.

(3) 자궁원인대(Round ligament)

① Fundus의 lateral aspect에서 나와 broad ligament 사이로 가서 internal inguinal ring에 이르러 inguinalcanal을 지나 fan-like fashion으로 spread되어 groin의 connective tissue와 fusion된다.

② 기능 - prevention of Retrodisplacement

(다산부의 경우 Round ligament가 늘어나 Retroversion 됨 → Back pain 유발)

③ Pregnancy 때 Hypertrophy되어 Birth canal로 아기가 나오는 방향을 잡아줌

(4) Cardinal ligament

① Broad ligament가 Uterosacral ligament 하방으로 가면서 견고해진 구조

② 기능 - Uterus가 아래로 빠져나가지 못하게 함

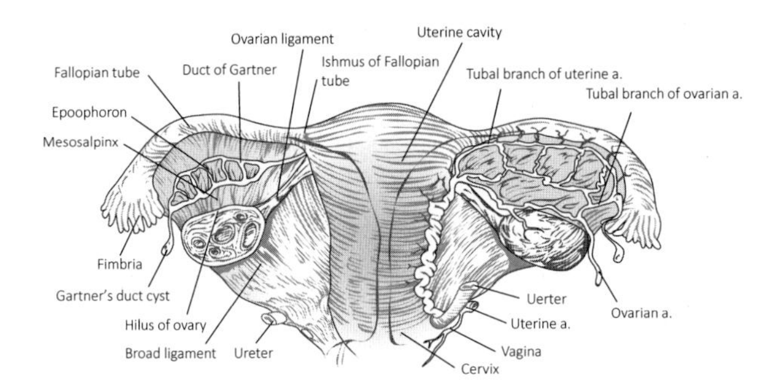

▶ The Uterus, Fallopian tubes and Ovaries

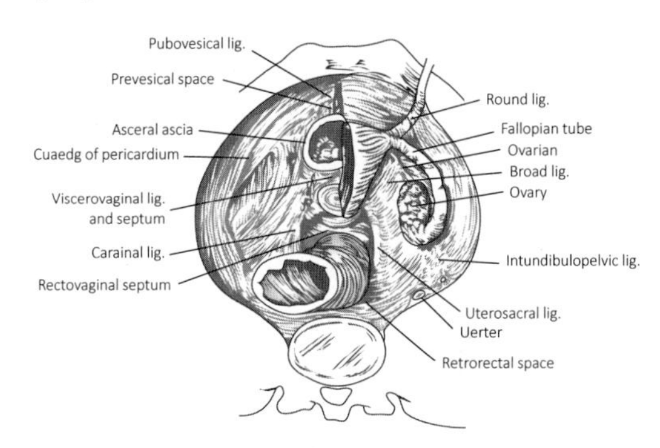

▶ The Fascial components of the Pelvic diaphragm

(5) 치골 자궁경부인대(Pubocervical ligament)

① 기능 - pubis의 posterior aspect에서 시작되어 cervix의 anterolateral portion에 부착된 ligament → 느슨해지면 cystocele 발생

(6) 연령에 따른 corpus Vs cervix

① 출생시 : corpus와 cervix 길이비는 1 : 1

② 성인 : corpus가 cervix 보다 2~3배 길다.

3. 난관(fallopian tube, oviduct, salphinx)

1) 길이 : 7~12 ㎝

2) 구성

① 간질부(Intramural or Interstitial portion)

② 협부(Isthmic portion) - 2~3 mm

③ 팽대부(Ampullar portion) - 5~8 mm

- 수정이 주로 이루어지는 곳

④ 난관채(Fimbria)

3) 기능

• Tubal peristalsis & Ciliary movement

① ovum을 흡입

② sperm을 transfer 시킴

③ 수정난을 transport 시킴

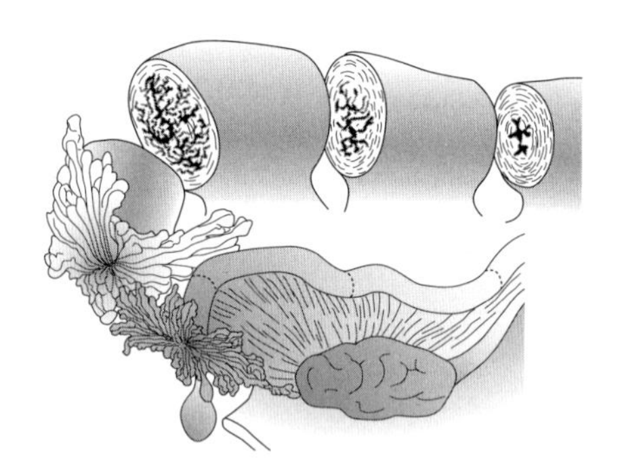

4. 난소

1) 기능

① 난자의 발달과 배출의 기능

② Steroid hormone의 합성과 분비

2) 크기

① 가임연령 - 길이×넓이×두께(5 cm×3 cm×3 cm) - Variable

② 폐경 이후 - 현저히 작아짐

3) 위치

① 난소와(Ovarian fossa of Waldeyer)

② Lining epithelium

Ⓐ salpinx : columnar epithelium

Ⓑ endocervix : columnar epithelium

Ⓒ exocervix : stratified squamous epithelium

Ⓓ vagina : stratified squamous epithelium

Ⓔ vulva : stratified squamous epithelium

Ⓕ urethra

㉠ proximal part : transitional epithelium

㉡ distal part : stratified squamous epithelium

03 월경과 임신의 생리

Power Gynecology

Section 1. Endocrinology of Menstrual cycle

- Oogenesis

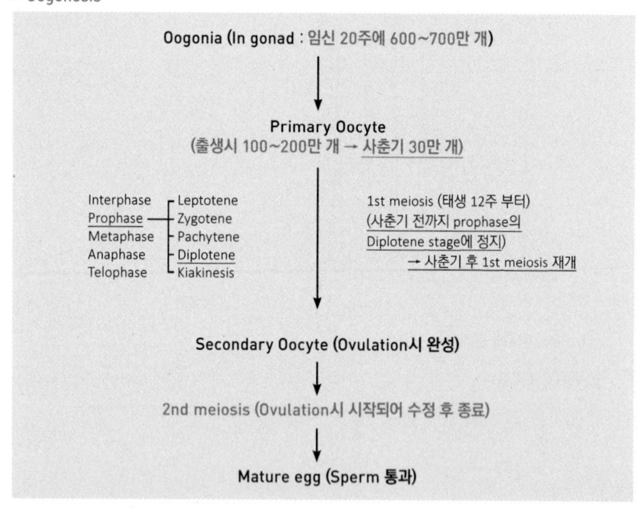

- 임신 5~7주 : fetus의 yolk sac에서 1000개의 배세포가 생식선(gonadal ridge)으로 이동 → 유사분열(mitosis) 시작

배란에 사용되는 난모세포 수는 400~500개 나머지는 대부분 자연 퇴화

I. Hypothalamic-Pituitary-Ovarian axis

1. Hypothalamus

1) GnRH의 분비

(1) 구조 : Peptide hormone (Decapeptide)

(2) 분비 양상 : 박동성(Pulsatile) 분비

① 60~90분당 1번

② 반감기 : 2~4분

(3) GnRH의 역할

① Gonadotropin의 합성과 저장

② Gonadotropin의 활성화와 이동

③ Gonadotropin의 즉각적 분비

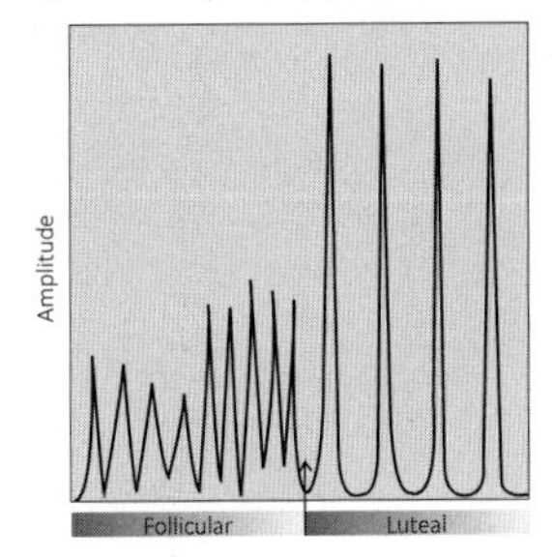

2) GnRH 분비에 관여하는 요소

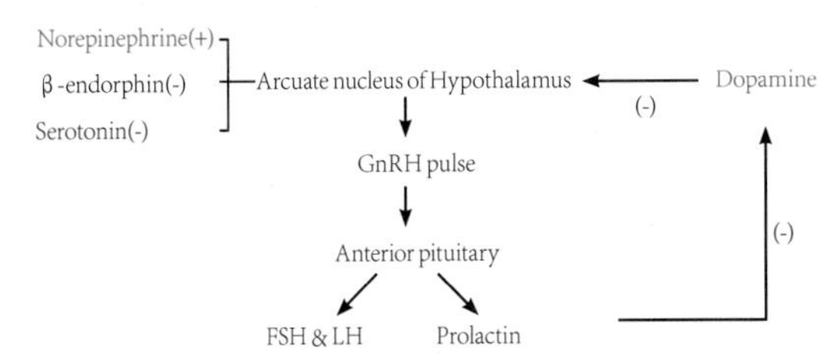

cf) Arcuate nucleus

- GnRH의 pulasatile secretion에 관여
- Olfactory groove 바로 위에 존재
- 문제 발생 시 ┌ constant GnRH 분비 → Down regulation → 무배란
  └ 후각장애

3) Cyclic and Tonic center

(1) Cyclic center(주로 LH)

① 기능 : Cyclic ovulatory LH surge center

② 위치 : Anterior suprachiasmatic nucleus

(2) Tonic center(주로 FSH)

① 기능 : Tonic baseline FSH & LH center

② 위치 : Posterior arcuate nucleus

4) Portal system

① Hypothalamus와 Pituitary gland 연결

5) Modulation of hypothalamic function

① Steroid feedback (Long loop feedback)

: Estrogen, Inhibin, Progesterone 등에 의한 Positive or Negative feedback

② Pituitary feedback (Short loop feedback)

: Pituitary에서 분비되는 Gonadotropin에 의한 GnRH 분비 억제

③ Ultrashort loop feedback

: GnRH가 직접 pituitary에서 자신의 receptor를 Desensitization

6) Negative & Positive feedback ☆

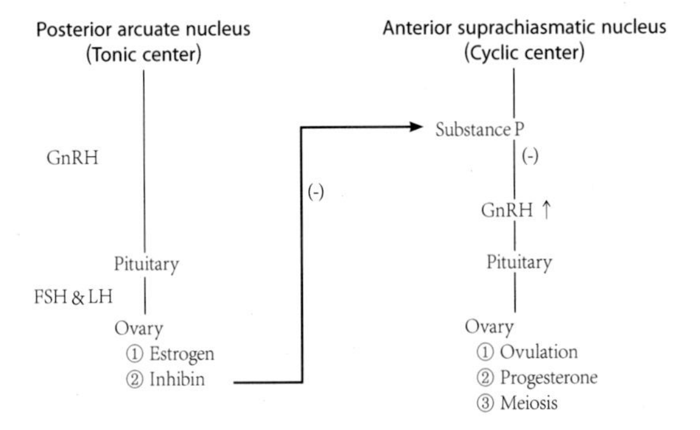

- Substance P
  - GnRH release를 억제
  - Estrogen ↑→ Substance P↓ •→ GnRH ↑→ LH surge → Ovulation

2. Menstrual cycle

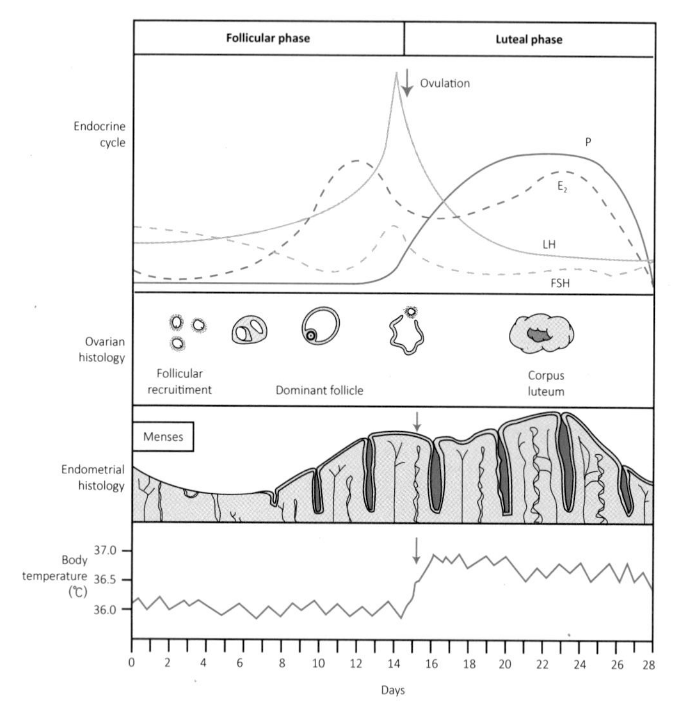

▶ The menstrual cycle

1) 9~10세에 FSH, LH 분비 시작되고, 11~16세에 월경주기 시작

2) 정상주기 ≒ 28±7일

(1) Follicular phase

① Development of Single dominant follicle

② estrogen 증가에 의한 자궁내막 증식

③ 평균 기간 - 10~14일(Total cycle length 결정)

(2) Luteal phase

① progesterone 증가로 분비기 유도

② 평균 기간 - 14일(대부분 일정)

※ Ovarian cycle : Ⓐ preovulation

Ⓑ ovulation phase

Ⓒ postovulation phase

Ⓓ menstrual phase

※ Endometrial cycle : Ⓐ postmenstrual phase

Ⓑ proliferative phase

Ⓒ secretory phase

Ⓓ premenstrual phase

Ⓔ menstrual phase

3. Anterior pituitary hormone

1) Gonadotropin (FSH & LH)

(1) 구조

① α-subunit - 동일(FSH, LH, hCG, TSH)

② β-subunit - 서로 다름

(2) 월경 주기동안에 Gonadotropin의 분비 양상

① FSH

Ⓐ Late luteal phase와 Early follicular phase에 증가

Ⓑ 최하점 - LH surge 2일전

Ⓒ Midcyclic peak - LH peak와 일치

Ⓓ Luteal phase < Follicular phase

② LH

Ⓐ Follicular phase 때 서서히 증가

Ⓑ Midcyclic peak - Ovulation 10~12시간 전

→ Ovulation을 trigger 24~72시간 유지

Ⓒ Luteal phase 때 일정 농도 유지

→ Corpus luteum에서 Progesterone 분비 자극

(3) Gonadotropin의 분비 조절 인자

① GnRH

② Feedback mechanism

(4) Gonadotropin의 기능 ★

① LH(배란유도와 황체 형성)

Ⓐ Theca cell(난포막 세포)에 작용

→ Steroidogenesis 유발

Ⓑ Granulosa cell(과립막 세포)에 작용

→ Progesterone 생성

Ⓒ estrogen과 함께 theca cell 증식

Ⓓ Oocyte의 성숙과 Meiosis 유발

② FSH(난포의 발육과 성장)

Ⓐ Granulosa cell내에서 Estrogen을 농축

Ⓑ Granulosa cell에서 inhibin 생성 → FSH feedback

Ⓒ Granulosa & Theca cell 내에서 LH receptor 형성

(즉, FSH가 먼저 올라가서 LH receptor 형성)

Ⓓ Mucopolysaccharide 분비 촉진

- Basement membrane, Follicular fluid 구성 물질

(5) 연령에 따른 Gonadotropin의 분비 양상 ★

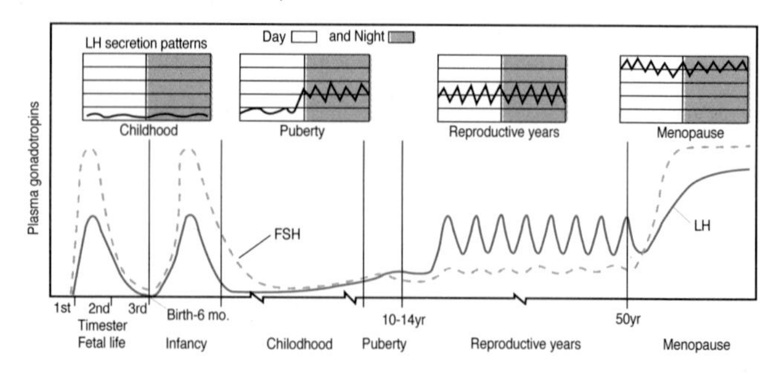

2) Prolactin (PRL)

(1) 생성 장소

① Anterior pituitary

② Decidualized endometrium

③ Placenta

(2) 기능

① Lactation 자극

② Antigonadotropic activity - GnRH 분비억제에 의해

(3) 분비 조절 인자

① Prolactin inhibitory factor (PIF) - 시상 하부에서 문맥계로 유리

Ⓐ Dopamine　Ⓑ endothelin　Ⓒ calcitonin

② Prolactin releasing factor

Ⓐ TRH　Ⓑ Serotonin

Ⓒ Histamine　Ⓓ Opioid

4. Ovary

1) 기능

① Folliculogenesis (Production of Ovary)

② Steroidogenesis

2) Two morphologically discrete structure of Ovary

① Preovulatory follicular complex

② Postovulatory corpus luteum

3) Steroidogenesis

① Estrogen - Follicle

② Progesterone - Corpus luteum

③ Androstenedione (ADD) - Stroma

·Two cell, Two gonadotropin theory ☆

① LH → Theca cell에서 ADD, Testosterone 생성 촉진
② FSH → Granulosa cell에서 ADD, testosterone을 E_1, E_2로 전환 촉진 (방향화)
③ FSH → Granulosa cell 표면의 FSH-receptor ↑
→ Granulosa proliferation & Estrogen production ↑
④ E_2 + FSH → Granulosa cell 표면의 LH receptor 증가
⑤ LH → Granulosa cell을 Luteinization → Progesterone production

· ADD ┌ 낮은 농도: 방향화 활동 ↑
　　 └ 높은 농도: 방향화 억제(∵ 5α-reductase의 활성을 지님)

→ ADD를 방향화 불가능한 물질로 전환

→ FSH receptor 발현 ↓

→ 난포퇴화

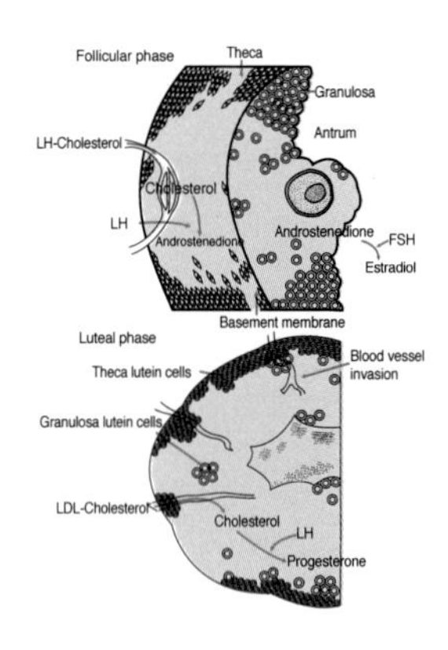

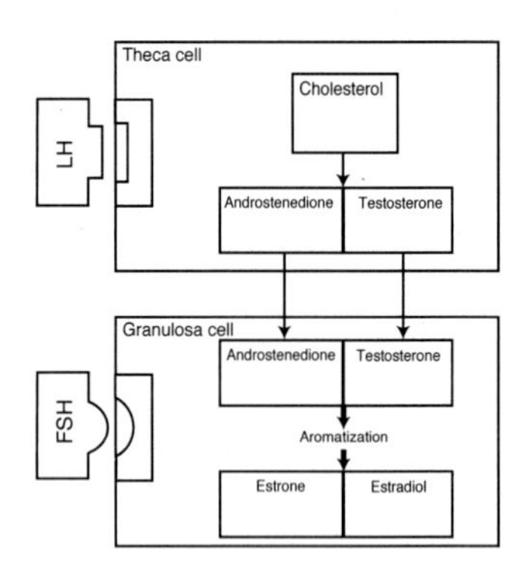

4) Ovulation

(1) Timing

① 24 hrs after E_2 peak

② 34~36 hrs after initial rise of LH

③ 10~12 hrs after Peak of LH in serum

(2) Mechanism

• LH surge → Follicle내의 Prostaglandin과 Proteolytic enzyme ↑.

→ Follicle wall perforation & Ovary contraction

→ Ovulation

• LH surge

① completion of reduction division in the oocyte

② luteinization of the granulosa

③ synthesis of P4 & PG

• P4 → proteolytic enzyme 증진 → PG digestion and rupture of follicular wall

• midcycle rise in FSH

① free the oocyte from the follicle

② induce LH recepter → P4 production in luteal phase

5) Corpus luteum

① Progesterone (자궁내막을 분비기 내막으로), estrogen, inhibin을 분비

② 최대발달 : 다음 월경의 4~5일 전

③ 퇴화(지방변성, 섬유화) → corpus albicans

6) Normal menstruation

① length of cycle : variable (21~36 day)

② follicular phase : 10~20 day

③ luteal phase : 11~16 day (14day)

④ normal duration of menstruation : 3~7 day

⑤ normal blood loss : 20~80 mL, if >80 mL → hypermenorrhea

5. Endometrium

1) Endometrial cycle

• decidua functionalis의 증식과 탈락을 반복

decidua basalis는 증식과 탈락에 무관하지만 탈락후 내막의 재생에 관여한다.

• Under the control of E_2 & Progesterone

① Proliferative phase: Growth

Ⓐ 월경 직후 약 4~5일(월경후기): 가장 얇음(1~2분).

Ⓑ 배란전기 : 초기 원주세포의 pseudostratification

Ⓒ 간질 - 밀집되고 치밀한 모양, 내막선 - 곧고 좁다.

② Secretory phase: Differentiation

※ MCD : Menstrual Cycle Day

Ⓐ Subnuclear vacuole (MCD 16일)
- 배란 48시간 후 lipid와 glycogen이 풍부한
- vacuole이 상피세포의 기저부에 나타남
- 배란이 일어났다는 1st sign

Ⓑ 배란 후 6~7일 : 착상을 위한 준비 완료

Ⓒ MCD 21일 : 간질에 부종이 증가하고, MCD 22일에 최고조 도달

Ⓓ MCD 23일 : spiral artery 현저

Ⓔ MCD 25일 : 백혈구 침윤이 나타난다.

Ⓕ MCD 26~27일 : 간질의 탈락막화 현상이 광범위하게 진행

③ Menstrual phase : Regression

Ⓐ 황체의 퇴화 → hormone 감소

Ⓑ Hormone 감소
- spiral artery의 경련 → 자궁내막의 국소빈혈
- lysosome의 파괴
- protease 분비

Ⓒ PGF2 α
- 생리주기 전체에 걸쳐 생산되며, 생리시 최고조
- 강력한 혈관수축
- 자궁 수축(→ 자궁혈류량 ↓, 탈락된 자궁내막조직의 배출)
- Dysmenorrhea와 밀접한 관련

2) Menstruation

3) Endometrial dating

- Luteal phase defect - 내막발달과 월경주기가 2일 이상의 불일치
- 조직의 채취시기 - 배란 후 10~12일(late luteal phase)

Section 2. Endocrinology of Pregnancy

1. Protein hormone

1) Human chorionic gonadotropin (hCG) ★

(1) 생성 : Syncytiotrophoblast

(2) 구조 : α-subunit와 β-subunit로 된 glycoprotein 월경과 임신의 생리

(3) 혈중 농도

① 배란 후 8~10일경에 maternal blood에서 처음 발견

② 임신 10주경 50,000~100,000 mIU/mL에 도달(임신 60~90일에 Peak)

③ 임신 20주경 10,000~20,000 mIU/mL에 도달(최저치)

④ 분만 후 2주경 소실

(4) 기능

① 임신 중 황체 유지 기능(Progesterone 생성을 가능하게 함)

② Adrenal cortex의 Inner fetal zone에서 Steroidogenesis 촉진

③ Fetal testis에서 Testosterone 생산 촉진 → 성분화

④ Immunosuppression- Fetus의 rejection 방지

⑤ TSH receptor에 작용(cross reaction) → 모체 갑상선 자극

⑥ Ovulation 유도 - LH 역할

(5) 임상 응용 ★

① Pregnancy test

② 임신 초기의 태아 발육상태의 지표

- Spontaneous abortion의 예후 예측

③ Trophoblastic disease의 진단 및 추적 관찰

④ Ectopic pregnancy의 감별 진단

2) Human placental lactogen (hPL, Chorionic somatomammotropin)

Conditions that showing High or Low hCG titer during Pregnancy ☆	
Significant High titer	**Low titer**
1. Multiple fetus 2. Erythroblastosis fetalis 3. Pregnancy-induced hypertension 4. Diabetes mellitus 5. Gestational trophoblastic disease 6. Down syndrome	1. Threatened Abortion 2. Ectopic Pregnancy 3. Fetal Death 4. Edward syndrome

(1) 생성

: Syncytiotrophoblast

(2) 혈중 농도

① 태반의 양과 관계가 있다.

② 임신 5주에 처음 발견

③ 임신 34~36주에 최고치(35주 이후에는 6 ㎍/mL 정도로 유지)

④ Fetal circulation, Amniotic fluid, Urine에서는 거의 발견 안됨

(3) 기능

① Lactogenic activity

② Lipolysis & Free fatty acid ↑& Ketone ↑

→ 임신부에서 glucose 대사 및 이용을 억제하고, 대신 Fatty acid를 사용하게 함

→ 태아가 많은 glucose와 amino acid 이용

③ Antiinsulin effect- Glucose uptake 및 Gluconeogenesis 억제

→ 태아에 많은 glucose와 amino acid를 사용할 수 있게 함

(4) 임상 이용

① Maternal blood level은 Placental mass, Fetal weight와는 관계(+)

② But, Placental function과는 무관

3) Human chorionic thyrotropin (hCT)

4) Human chorionic adrenocorticotropic hormone (hc-ACTH)

① Maternal adrenal activity↑ → Placental steroidogenesis에 기여

→ Cholesterol, Pregnenolone 제공

5) Hypothalamic-like release hormone

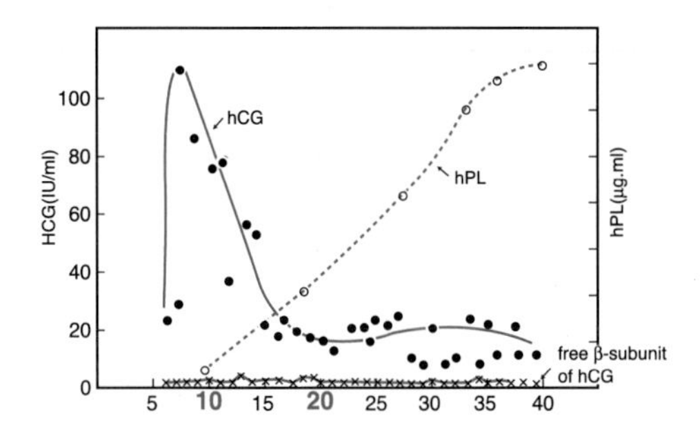

6) Inhibin

① Placental inhibin → FSH 억제 → 임신 중 Folliculogenesis 억제

7) Prolactin

① Decidual endometrium에서 생성 분비

② Amniotic fluid의 Fluid & Electrolyte 조절, 면역기능조절

2. Steroid hormone

1) Estrogen

(1) 합성

① 그림 참조

② Estrogen 합성 장소 ★

Ⓐ Ovary (Granulosa cell) → 주로 E_2(비임신시) (estradiol)

Ⓑ Placenta → 주로 E_3(임신시) (estriol)

Ⓒ Extragonadal source → 주로 E_1(폐경) (estrone)

㉠ Adrenal cortex

㉡ Adipose tissue에서 ADD의 peripheral conversion

(2) Physiologic role of Estrogen

① 낮은 농도 → LH 분비 억제(negative feedback)

높은 농도 → LH 분비 자극(positive feedback)

② 단백 합성을 증가시켜 Uterus의 성장 촉진

③ Lactation에 대한 준비

(3) Estriol(E_3)의 임상적 이용

① 임신부의 혈청, 소변에서의 Estrogen의 양

② Fetal well-being, Fetal & Placental enzyme activity와 관련

③ 특히 임신부의 E_3의 90%가 Fetal precursor로부터 생성되므로 E_3가 이용됨

④ E_3 assay의 적응증

Ⓐ DM

Ⓑ Hypertension

Ⓒ Erythroblastosis fetalis

Ⓓ Prolonged gestation

Ⓔ FGR

2) Progesterone

(1) 합성

① 안드로겐, 에스트로겐과 달리 progesterone은 호르몬 계열의 이름이 되기도 하고 단일 호르몬의 이름이 되기도 한다.

② Progesterone의 유도체는 progestin이라고 부르며 progesterone과 progestin을 합쳐 progestogen이라 한다.

(2) Physiologic role

① 착상을 위한 자궁내막 변화 유발

② 자궁 이완 유지

③ 분만과 수유 준비

④ Fetal antigen에 대한 임신부의 면역 반응 억제

⑤ Fetal adrenal corticosteroid의 기질 준비

3) 안드로겐; DHEA, ADD, testosterone과 dilydrotestosterone (DHT)

(1) 합성, 구조

① 일차적으로 생식샘(난소, 고환)과 부신에서 합성된다.

② 안드로겐을 합성하기 위해서는 CYP17이라는 유전자에서 만들어지는 17α-hydroxylase와 17, 20-desmolase가 활성화되어야 한다. 생식샘(난소, 고환)에서는 이들 효소는 LH에

의해 활성화되고 부신에서는 ACTH에 의해 활성화된다. 즉 내분비샘이 달라도 합성효소는 같지만 자극하는 호르몬은 다르다.

③ 스테로이드 합성경로에 나타나 있지 않은 DHT는 내분비 샘에서 만들어지지 않는다. Testosterone을 DHT로 전환시키는 5 α-reductase는 안드로겐 의존 부위(외부 생식기, 겨드랑이, 남자들에게서 털이 나는 곳)의 조직에 분포한다. 즉 내분비샘에서 만들어진 testosterone이 조직으로 이동해서 DHT로 바꾸어 작용하므로 혈중 DHT 농도는 매우 낮다.

(2) 작용

①생물학적 강도 : DHT>testosterone>ADD>DHEA

② 안드로겐은 약 2/3가 성호르몬결합 글로불린(SHBG)에 결합한 형태로, 1/3은 알부민에 결합한 형태로 혈액 내에 존재하고 생물학적으로 활성을 가지는 자유형(free form)은 1~2% 밖에 되지 않는다.

③ 혈중 SHGB의 농도 변화에 따라 안드로겐의 작용은 크게 달라진다. 그에 반해 에스토로겐과 프로게스테론은 1/3정도만이 SHBG에 결합해 존재하고 자유형도 5% 수준이므로 SHBG의 농도 변화에 영향을 적게 받는다.

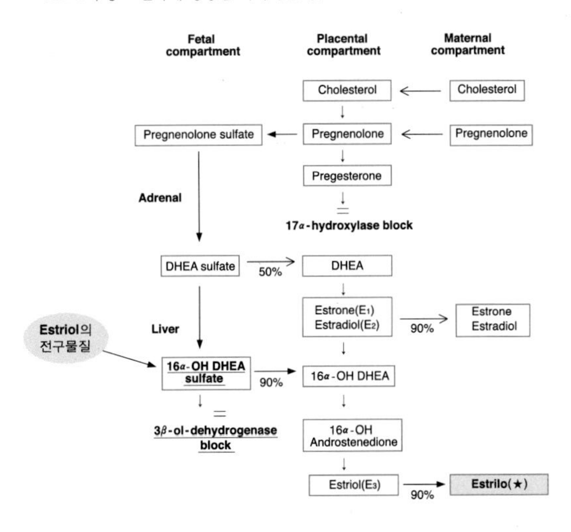

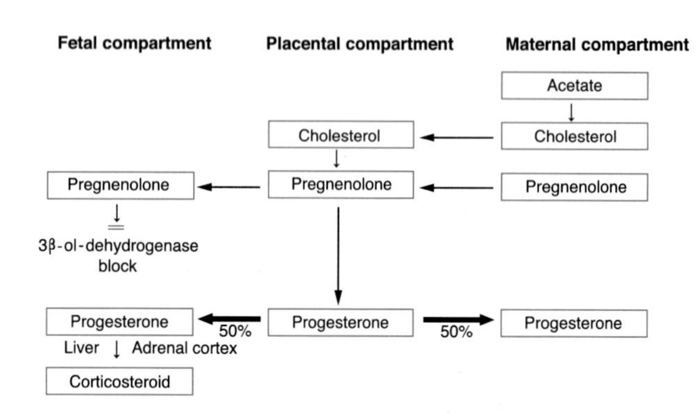

▶ Progesterone Biosynthesis

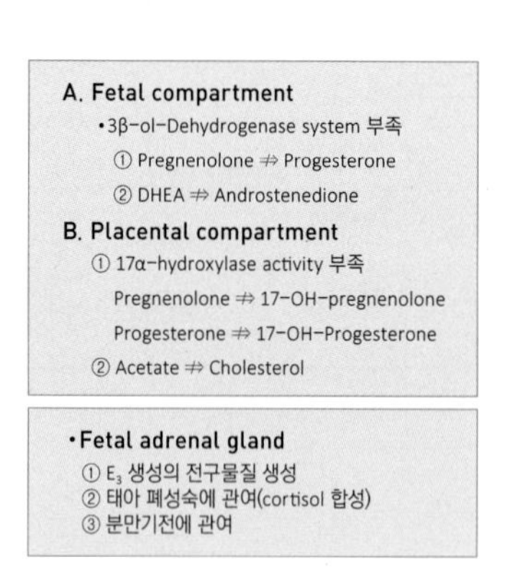

A. Fetal compartment

- 3β-ol-Dehydrogenase system 부족
  - ① Pregnenolone ⇏ Progesterone
  - ② DHEA ⇏ Androstenedione

B. Placental compartment

① 17α-hydroxylase activity 부족
Pregnenolone ⇏ 17-OH-pregnenolone
Progesterone ⇏ 17-OH-Progesterone
② Acetate ⇏ Cholesterol

• Fetal adrenal gland

① E_3 생성의 전구물질 생성
② 태아 폐성숙에 관여(cortisol 합성)
③ 분만기전에 관여

Estrogen과 Progesterone의 Effect ☆		
Effect organ	**Estrogen**	**Progesterone**
1. Vagina	각질화	전각화 세포 ↑
2. Uterus	Cervical os opening 점액 증가, 비세포성 변화 Spinnbarkeit 증가 자궁내막과 자궁근층 두께 ↑ 자궁근 수축력 증가	Cervical os closure 점액 감소, 혼탁화 자궁근 수축력 감소
3. Fallopian tube	수축 증가	수축 억제
4. Ovary	난소성장 및 배란 촉진	Ovum의 감수분열 촉진
5. Breast	Duct 발육 촉진 유두의 탄력성 및 색소침착 ↑	Gland 발육 촉진
6. Hypothalamus	GnRH에 대한 (+) or (−) feedback neurophysin ↑ Oxytocinase & L−cystine arylamidase 활성 ↑	
7. Pituitary	Pituitary LH, FSH ↓	
8. Systemic effect	**〈Bone〉** Epiphyseal closure Osteoporosis 예방 **〈Protein〉** TBG, Transcortin, SHBG, transferrin, Angiotensin, Aldosterone−binding protein, Clotting factor, Fibrinogen ↑ **〈Vessels〉** HDL ↑, LDL ↓, TG ↑, cholesterol ↑ RAA system 활성화 **〈Blood〉** Hemodilution Platelet adhesiveness ↑ Factor 2, 7, 9, 10↑ (Thrombotic tendency) **〈Skin〉** Androgen에 대한 길항 작용	**〈Endocrine〉** basal insulin ↑, ketogenesis ↑ Lipoprotein lipase activity ↑, glycogen storage ↑ **〈Brain〉** CO_2에 대한 ventilatory 반응 ↑, depressant & hypnotic effect **〈anti−mineralocorticoid〉** aldosterone과 경쟁적으로 작용하여 Na^+ 배설 ↑ 기초체온 ↑ 진통 작용 **〈Skin〉** Androgen에 대한 길항 작용

04 여성생식기 조직 및 세포의 주기변화

P o w e r G y n e c o l o g y

I. Vagina와 Cervix의 주기적 변화

• Vagina와 Cervix의 표층 세포는 Estrogen의 영향을 반영

• 표층세포의 채취 장소

① Cervix (→ Papanicolaou's stain)

② Posterior vaginal pool

③ Vaginal lateral wall

1. 세포의 형태적 반응

1) Maturation index(성숙 지수)

① 내분비적 환경을 평가하는데 간편하고 주관적인 방법

② Lateral vaginal wall의 Stratified squamous epithelium의 3가지 Cell type을 알아내어 Percentage로 표시

③ Parabasal cell / Intermediate cell / Superficial cell

④ 세포 형태의 특징

	Cytoplasm	Nucleus	Chromatin	Color
Parabasal	세포질이 두껍다			
Intermediate	세포질이 얇다	볼록, 수포성	존재	Blue
Superficial	세포질이 얇다	농축, 과염색상	없음	Yellow

시기에 따른 Maturation index ☆			
시기	P / I / S	시기	P / I / S
1. 출생시	0 / 95 / 5	5. 임신	0 / 100 / 0
2. Childhood	80 / 20 / 0	6. Postpartum	100 / 0 / 0
3. Ovulation	0 / 40 / 60	7. Menopause	0 / 100 / 0
4. Menstruation	0 / 70 / 30		

2) Hormone의 영향

① Estrogen - Superficial cell↑(shift-to-Right)

② Progesterone - Parabasal or Intermediate cell↑(shift-to-Left)

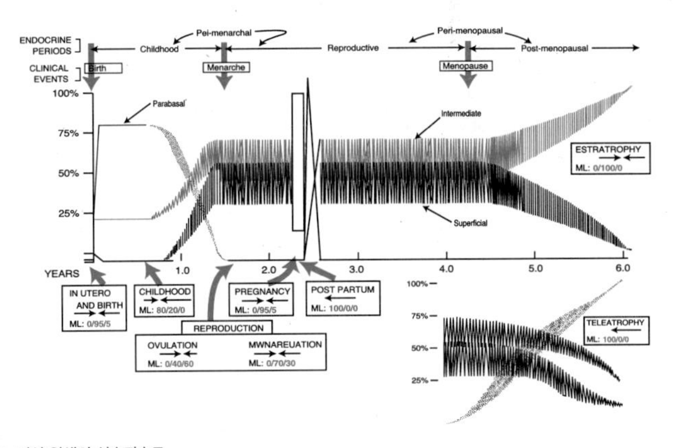

▶ 여성 일생의 성숙지수도

2. Cervical mucosa

• 약간의 hormone에 반응하지만, 월경 주기와 분명한 연관은 없다.

1) 경관 점액의 결정화

① Fern-like crystal (Palm leaf reaction) ☆

② Cervical mucus를 Slide 위에 spread & dry 시킬 때 나타남

③ 시기 - 월경주기 7~18일 사이

④ 원리 - Estrogen ↑→ Cervical mucus 내 NaCl↑(≥ 1%)

→ Crystalization

⑤ 임상적 응용 - 배란의 진단에 이용

2) 임신 중 경관의 변화

① Endocervical gland - Adenomatous(커지고 굴곡화)

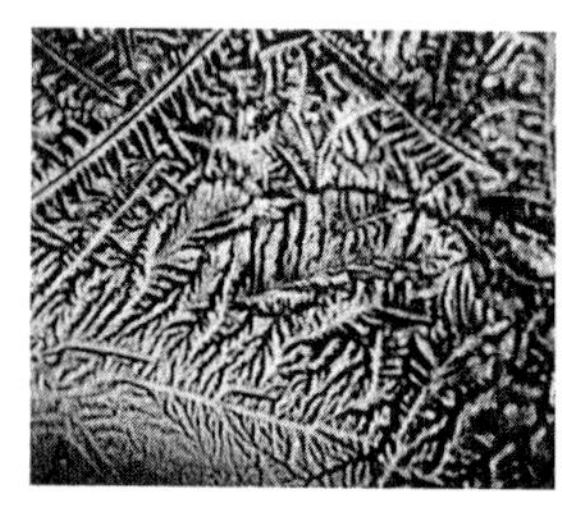

▶ 전형적인 Palm-leaf reaction

3) cervical mucus의 변화

(1) 배란 전기 및 주변기(7th~21st MCD) : estrogen의 영향 받음

① increases in quantity

② 8~10 cm 이상의 spinnbarkeit (spinnbarkeit: 경관 점액을 실처럼 늘일수 있는 능력)

③ ferning pattern

④ clear and watery

(2) 황체기(21st MCD~) : progesterone의 영향 받음

- scanty, thick, cloudy, highly cellular, beading pattern

II. Endometrium의 주기적 변화

1. Endometrial biopsy

• 배란 여부, 배란 시간, Endometrial dating

2. 조직학적 변화

- Estrogen, Progesterone 영향하에 주기적으로 변화

1) 자궁내막 증식기

(1) Postmenstrual phase

① 월경 직후 4~5일(초기 난포기 6~8일)

② 내막이 가장 얇은 시기(1~2 mm)

③ Gland - 곧고 좁으며, 붕괴된 모습(Narrow & Straight)

④ Stroma - 밀집되고 치밀(Dense, Compact)

(2) Proliferative phase

① Estrogen ↑, Progesterone ↓

② Estrogen의 영향 → 자궁 내막이 점차 두꺼워진다.
세포 분열 ↑

③ Epithelium은 키가 크고 원주형

2) 자궁내막 분비기

(1) Secretory phase

① Proge sterone의 영향

② 조직학적: PAS (+), glycogen containing vacuole

③ Stroma → Slightly edematous & Vascularity↑

④ 배란 후 gland의 상피세포에서 분비 기능의 현저한 증가

⑤ Subnuclear vacuole - Secretory activity를 반영하는 초기 조직상

⑥ pseudodecidual pattern : menses 2일 전에는 호중구, 림프구가 vascular system으로 이동하기 시작한다. 이는 menstrual flow를 예고한다.

(2) Premenstrual phase

① Endometrial thickness - 4~5 mm, 6~7 mm

② 완전히 성숙된 황체 기능에 의한 최고도의 분비 기능

③ Epithelium - Tall columnar

④ Gland - 세포 크기는 낮으며 핵이 기저부로
세포질 → Lumen 내로 분비되는 양상
Tortuous → Spongiosa & Compacta에 형성(Corkscrew pattern)

⑤ Stroma - Edematous

세포는 비대해지고 세포질의 양 증가

Pseudoinflammatory appearance - PMNL infiltration

⑥ Endothelium - 부드럽고 Edematous, 두껍다. 3층의 구분 뚜렷

치밀층 + 스펀지층(기능층: 출혈 관여)

기저층 : 다음 주기에 내막의 성장과 증식을 책임지는 층

⑦ 혼합성 내막 - 분비기의 내막에 간혹 미성숙 내막의 부위가 나타나는 것, can be seen in endometriosis

(3) Menstrual phase

① corpus luteum과, 여기서 나오는 estrogen과 progesteron이 shedding의 요인이 된다.

② 나선형 소동맥 수축, 섬유소 용해 활동↑

→ 조직의 괴사, 출혈

③ 조직 파편, 혈관 파열편 → Bleeding↑

④ Sponge & Compact layer → 탈락

⑤ Basal layer → 재생 시작(gland epithelium에서)

⑥ lysosome의 파괴, proteolytic enzyme의 분비

⑦ $PGF_{2\alpha}$: 강력한 혈관 수축제로서 endometrial ischemia 유발, myometrial constriction에 의해 endometrialtissue를 밖으로 밀어낸다.

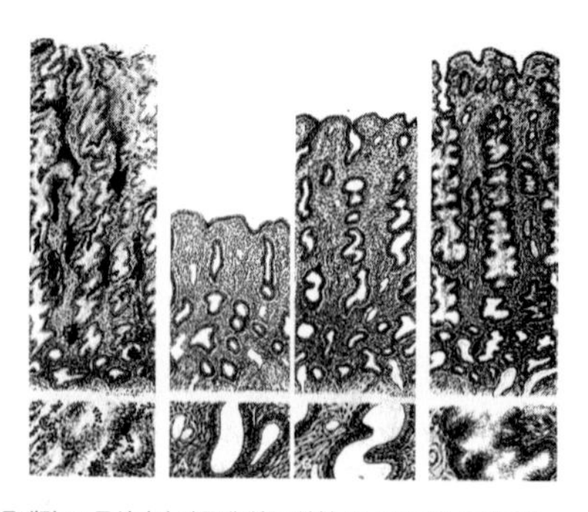

▶ A. 월경기의 자궁내막 B. 증식기의 자궁내막(초기/후) C. 분비기의 자궁내막

3. 임신 시 Endometrium(Decidua)의 변화

① Gland : Saw-tooth convolution & Scalloping

② Epithelium : Low, Pallor, Actively secretory

③ Stroma : Large, Polygonal, Pink cytoplasm

4. Arias-Stella reaction

1) 나타나는 경우 ★

① Normal pregnancy

② Ectopic pregnancy

③ Gestational trophoblastic disease

④ Oral contraceptives 사용

⑤ Varied foci of Endometriosis

2) 특징

- 과분비 반응을 보여 Adenoma 양상

① Mitotic activity 증가

② Hyperchromatic nucleus

③ 비정상 세포 모양

5. Progesterone 치료시 자궁 내막 변화

1) 특징

<Gland-Stroma disparity>

: Stroma는 secretory phase 양상을 보이지만, Gland는 이에 따라가지 못함

Stroma - 전형적인 Decidual reaction

Gland - 억제되어 완전히 atrophy 양상

- Functional zone에만 변화

(Basal layer는 estrogen에만 반응)

6. Clomiphene 치료시 자궁 내막의 변화

1) 특징

<Sequential disparity>

① Stroma - Progesterone 효과에 의한 현저한 Decidual reaction

② Gland - 배란의 초기 증상인 Subnuclear vacuole이 보임

→ 배란은 잘되지만 착상되기 어려운 상태로 됨

7. 폐경기의 내막 변화

1) Estrogen 감소 효과

자궁내막 - 위축

→ Gland - Narrow → Senile endometritis

Stroma - fibrotic

2) 폐경기 때의 Unopposed estrogen

→ Endometrial hyperplasia 유발 위험

III. Ovary의 주기적 변화

1. Follicle, Ovulaton, Corpus luteum

1) Single layer of Follicular epithelium에서 Cuboidal, Multiplication, Stratification 됨

2) Antrum, Cumulus oophorus 형성 – Antral follicle

3) Theca interna : 풍부한 lipoid → Granulosa cell에 영양 공급

Theca externa : 난소의 stroma와 혼합되어 있다.

4) Ovulation : Follicle의 rupture

(1) 배출 되는 물질

① Egg

② Zona pellucida

③ Corona radiata

④ Cumulus oophorus

⑤ Liquor folliculi

5) Corpus luteum의 발달

(1) 형태 : 10~20 mm, Yellow color

(2) 최대 발달 시기 : 다음 월경 4~5일전

(3) Dating of Corpus luteum

① Proliferation - Theca cell에만 Vessel 도달(Unluteinized granulosa cell)

② Vascularization - Granulosa cell에 vessel 도달

③ Maturation

④ Retrogression - Ⓐ Fatty degeneration

Ⓑ Fibrosis

Ⓒ Hyalinization

⑤ Corpus albicans

(6) Atresia folliculi

① Follicular cyst

② Cystic ovary

③ Corpus fibrosum

2. Corpus luteum in Pregnancy

1) 수정이 되면 황체는 퇴화하지 않는다.

- 유지시키는 hormone - hCG

2) 최대 발달 - 임신 10~12주

3) 기능 - Estrogen & Progesterone 분비 → 임신 유지 및 배란 억제

4) 10~12주 이후(leuteal-placental shift)

- 태반 성숙 → Estrogen & Progesterone 분비 → 황체 퇴화, hCG↓

5) 7주 전에 황체 제거하면 프로게스테론↓, 유산 유발

- 임신 10주 이전에 황체 제거 시 프로게스테론 요법 실시하여 유산 방지

05 가족 계획

Power Gynecology

Percentage of Women Experiencing a Contraceptive Failure During the First Year of Use and the Percentage Continuing Use at the End of the First Year			
	Women Experiencing Accidental Pregnancy within the First Year of Use %		Women Continuing Use at 1 Year (%)
Method	Typical use	Perfect use	
No method	85	85	
Spermicides	29	18	42
Periodic abstinence	25		67
Calendar		9	
Ovulation method		3	
Symptothermal		2	
Postovulation		1	
Withdrawal	27	4	43
Cap			
Parous women	32	26	46
Nulliparous women	16	9	57
Sponge			
Parous women	32	20	46
Nulliparous women	16	9	57
Diaphragm	16	6	57
Condom			
Female (Reality)	21	5	49
Male	15	2	53
Combined pill and progestin-only pill	8	0.3	68
Patch (EvraTM)	8	0.3	68
NuvaRing	8	0.3	68
Intrauterine devices			
ParaGardTM (Copper T 380A)	0.8	0.6	78
Myrena (levonorgestrel T)	0.1	0.1	81
DepoProvera	3	0.3	70
Lunelle	3	0.05	86
Norplanta and Norplant II	0.05	0.05	84
Female sterilization	0.5	0.5	100
Male sterilization	0.15	0.10	100

만성 질환에서의 피임 방법 ☆

1. Psychiatric disorders
   1) Oral contraceptives, Implants, DMPA, Cooper IUD are Good choice.
   2) Use of Barrier methods should be encouraged to decrease risk of STDs.
2. Coagulation disorders
   1) Hemorrhagic disorders
      • OCs may be indicated to prevent hemorrhagic ovarian cysts and menstrual hemorrhage
   2) Thrombotic disorders
      • Avoid Estrogen-containing OCs
3. Dyslipidemia
   1) May use low-dose if Lipid abnormality successfully managed by Diet or Drug therapy, But Lipids should be monitored at 3~6 months.
   2) Avoid OCs if Triglycerides are elevated.
   3) Select Less androgenic OCs.
   4) Progesterone-only OCs, DMPA, IUDs are acceptable.
4. Hypertension
   1) Young women with No other risk factors with well-controlled hypertension may use Low-dose OCs under close supervision.
   2) Older women, smoker, and those with Poorly controlled hypertension should probably avoid combination OCs.
   3) DMPA, Norplant, IUDs, and Progestin-only OCs are good alternatives.
5. Diabetes
   1) Young diabetic women without Vascular disease can use Low-dose OCs.
   2) Older women or women with vascular disease probably should not use combination OCs.
   3) DMPA, Norplant, IUDs, and Progestin-only OCs are good alternatives.
6. Headache
   1) Migraine without aura, without Neurologic symptoms, does not rule out OCs if use if closely supervised.
   2) Norplant and DMPA may be used safely.
7. Epilepsy
   1) OCs do not increase the risk of seizure, but Antiseizure drugs reduce efficacy of OCs and Norplant.
   2) OCS with 50㎍ estrogen can be used, as can DMPA, IUDs, are not contraindicated.

+ POINT!

가장 낮은 피임 실패율

Mirena®(levonogestrel T): 0.1%

Ⅰ. 내과적 방법

1. 질외사정(Coitus interruptus)

: 실패율 약 4%로 높은 편

2. 수유부의 피임

1) 수유 → prolactin ↑ → GnRH ↓ → amenorrhea (Lactation amenorrhea)

2) 미수유부 : 복합경구피임약을 출산 후 3주에 시작.

3) 피임 방법 – 경구 프로게스테론 피임제, norplant, DMPA, 차단 피임법, IUD

(Estrogen은 유즙 분비를 감소시키므로 금기)

① 경구피임약(progestin only) : 모유 수유 시 출산 후 6주 이전, 혼합 수유 시 3주째부터.
(수유의 양과 질에 영향을 미치지 않으므로 DOC이다.)

② depot medroxy progesterone acetate : 분만 후 6주에 시작

③ 호르몬 임플란트 : 분만 후 6주에 삽입

④ 복합 에스트로겐-프로게스테론 제제 : 수유하지 않는 경우 출산 3주후에 시작, 수유 시 6개월 이후에 사용(∵에스트로겐은 모유량 감소 가능). 유산 시 유산 직후부터 복용
(단, 수유와 신생아의 영양상태 감시 필요)

4) prolactine의 amenorrhea(anovulation 기전)

① reduction in granulosa cell number and FSH binding

② inhibition of granulosa effect

③ inadequate luteination and reduced progesterone

④ the suppressive effect pf prolactin on GnRH pulsatile release

3. 주기적 금욕법 또는 자연 피임법(방법 복잡, 실패율 높음: 3.1%)

- Phase I (relatively infertile phase) : 월경 시작~preovulation
- Phase II (fertile phase) : preovulation~배란 후 48시간
- Phase III (absolutely infertile phase) : 배란 후 48시간~월경 시작

1) 달력주기법(Ogino method)

(1) 세 가지 사실에 근거하여 피임방법으로 유용하게 이용되고 있다.

① 난자의 수정 능력 - < 24시간

② 여성 생식기내에서의 정자의 생존기간 - < 5~7일

③ 배란 시기 : 차기 월경초일로부터 14일 전이 되는 날에 일어남

(2) 방법 → 지난 6개월간의 월경 주기 중 가장 짧은 주기에서 18일을 뺀 날짜로부터 가장 긴 주기에서 11일을 뺀 날짜까지가 수태 위험이 높은 기간으로, 월경 주기가 28~30일인 여성은 적어도 월경주기 10일부터 19일까지가 이에 해당한다.

2) 기초 체온법

배란 후 황체 호르몬(Progesterone) 분비 증가 → 체온 상승

월경 시작일로부터 배란 전기의 전 기간과 기초체온 상승 후 3일까지 금욕

3) 자궁경관점액 주기법

미끈거리는 점액이 처음 촉지되는 날로부터 점액이 최고조에 달한 후 4일까지가 수태위험 기간

(1) Estrogen 영향 → 점액 더욱 elastic, 양 증가

(2) Progesterone 영향 → 점액 더욱 dry, 양 감소

4) Symptothermal method(달력주기 + 점액 주기법)

4. 호르몬 피임제(Hormonal contraception)

1) 경구 피임약

- 복합 스테로이드 제제
- 미량의 황체 호르몬 제제

- Estrogen - Ethinyl estradiol, Mestranol
- Progestin - Norethindrone, Norgestrel, Norethindrone acetate, Ethynodiol diacetate, Levonorgestrel

(1)작용기전 ★

① 시상하부의 GnRH 분비 억제 → 뇌하수체의 FSH, LH↓ → 배란 방지

② 자궁경관점액을 끈끈하게 만들어 정자의 통과를 막음

③ 자궁내막 위축 → blastocyte의 착상 억제

④ 난관의 운동성 변화: fallopian tube의 cilia의 운동성이 감소되어 ovum transport가 느려짐

(2) 투여 방법과 시작시기

① 복합 경구 피임제 - 약의 종류에 따라 21/28일을 복용

	Combined oral contraceptives (COCs)	Progestin - only pill
적응증	• 대부분의 여성 • Anemia, dysmenorrhea, 딴곳 임신 metrorrhagia, menorrhagia 의 Hx • 출산 6개월 된 수유여성	• Estrogen의 금기증 • Estrogen을 원하지 않는 경우 • Anemia가 있는 여성 • 출산 6주 된 수유여성
장점	• Antifertility effect가 더 강하다. • Vaginal bleeding기간이 짧고, 규칙적 • Menstrual cramp가 적다. • 유즙분비를 감소 • Breast tenderness • 난소암, 자궁내막암 예방효과 • 딴곳 임신, 철분 결핍성 빈혈 감소	• 효과가 빨리 발현(《 24시간) • 복용중지 후 빠른 fertility의 restore • Anemia 호전 • Breast-feeding에 영향을 끼치지 않는다. • Breast tenderness 없다. • 유방암, 자궁내막암 예방효과 • Thromboembolic disorder의 Hx가 있는 환자에서도 사용가능 • Liver tumor를 일으키지 않는다.
단점	• Hepatic / peripheral effect 높다. ∴ 부작용이 많다. • 약물 간 상호작용 (rifampin, phenytoin , carbamazepine, barbiturate과 같이 복용시 효과 감소) • Liver tumor (eg. heamngioma, adenoma) 발생 가능	• Antifertility effect가 COCs 보다 약함 • Breakthrough bleeding ↑ • Intermenstrual bleeding ↑ • Amenorrhea • 딴곳 임신의 빈도 증가

Ⓐ 21일 : 중단 시 7일 이내 월경을 시작함.

월경 시작 후 5일 이내에 다시 복용

Ⓑ 28일 : 마지막 4일치를 먹을때 혹 새로운 약을 복용시 월경시작

Ⓒ 맨 처음 복용 후 1주일 동안은 다른 피임법을 병행하는것이 권장됨

② 프로게스테론 단독 경구제제 - 매일 복용

③ 시작시기
- 월경시작 후 5일 이내 - 배란 촉진 효과와 초기
- 임신 중의 약제 복용을 피하기 위해
- 수유를 하지 않는 경우 출산 후 2~3주에 시작

④ 유산 후 바로 경구 피임을 시작해도 좋다.

⑤ 경구 피임약 빼먹었을때의 지침

Ⓐ 1~2일 빼먹거나 1~2일 늦게 복용시

㉠ 가능한 빨리 빠진 날수만큼의 피임제 복용 후 이후 한알씩 복용

㉡ 추가 피임은 권장하지 않음

Ⓐ 3일 이상 빼먹거나 3일 이상 늦게 복용시

㉠ 가능한 빨리 빠진 날수만큼의 피임제 복용 후 이후 한알 씩 복용

㉡ 피임제를 먹는 7일동안 콘돔이나 금욕 권장

㉢ 복용 3주째 빼먹었다면 이번엔 호르몬 피임제를 중단하고 새로운 경구피임약을 다음날부터 새로 복용

㉣ 복용 1주째 빼먹고 다른 피임을 하지않고 성관계를 했다면 응급피임법 고려

(3) 금기증

금기	주의
• known pregnancy • 35세 이상의 heavy smoker • Breast cancer, uterus cancer 등 estrogen dependent malignancy의 존재, 의심, 병력 • Impaired liver function • Hx of CVA, 관상동맥질환, 폐색전증, thrombophlebitis • Hx of cholestasis during pregnancy • Hx of hepatic adenoma • Undiagnosed abnormal ut. Bleeding • Hyper TG	• Hypertension • Epilepsy • DM, gestational DM • Oral pill 시작 후 migraine 발생한 Hx • Planned elective major surgery • 50세 미만의 가족에서 hyperlipidemia, MI의 F.Hx • Undiagnosed genital bleeding • Sickle cell disease

(4) 저용량 및 고용량 경구 피임제의 대사효과와 안정성

대사 효과	저용량	고용량
1. Venous thrombosis	발생 위험도가 매우 낮다.	발생위험도 증가 (dose-related)
2. Heart disease and Stroke	발생 위험도가 매우 낮다.	전색증, 뇌혈관장애, 심장발작↑
3. 혈압	영향은 미미하다. (정기적인 혈압 측정 바람직)	약 5%에서 증가
4. Glucose metabolism※	영향은 미미하다.	언급없음 (임신성 당뇨병에서도 사용가능)
5. Lipid metabolism	영향을 거의 끼치지 않는다.	지질대사에 좋지 않는영향을 준다.

cf) 경구피임제 내의 Estrogen 양 - ERT에 사용하는 양보다 고용량(4배)

※ Gestational DM
Overt DM & heathly & nonsmoker] 안전하게 사용가능

(pill 사용 첫 주동안 매일 glucose monitoring, 그 다음 HbA1C가 권장)

(5) 경구 피임제와 암

① 복합 경구 피임제의 경우 자궁내막암 & 난소암의 발생위험 감소 ★

(난소암의 경우 피임 중단 후 15년 이상 감소 효과 유지)

② 자궁경부암 - 발생위험 증가(아직 확실한 결론은 없음)

③ 간종양 - 발생 위험 증가

고용량의 복합 경구 피임제의 경우 간세포선종 발생

간암과의 관계는 없다고 볼 수 있다.

저용량의 경우 비교적 안전하다.

④ 유방암 - OCs가 유방암 risk의 전반적 증가를 일으키지 않는다.

• OCs

위험증가	위험감소
•자궁경부암, 간샘종	•자궁내막암, 난소암

(6) 피임효과외의 이점(Noncontraceptive benefit) ☆

Established and Emerging Noncontraceptive Benefits of Oral Contraceptives	
Established Benefits	**Emerging Benefits**
Menses-related Increased menstrual cycle regularity Reduced blood loss Reduced iron-deficiency anemia Reduced dysmenorrhea **Inhibition of ovulation** Fewer ovarian cysts Fewer ectopic pregnancies **Other** Reduced fibroadenomas/fibrocystic breast changes Reduced acute pelvic inflammatory disease Reduced endometrial cancer Reduced ovarian cancer	Increased bone mass Reduced acne Reduced colo-rectal cancer Reduced uterine leiomyomata Reduced rheumatoid arthritis Treatment of bleeding disorders Treatment of hyperandrogenic anovulation Treatment of endometriosis

(7) 부작용

① 파탄 출혈, 점상 출혈

Ⓐ 보통 4개월 후 감소

Ⓑ spotting이 소실될 때까지 estrogen 용량 증가시키고, 그 다음 다시 용량 낮춘다. ☆

Ⓒ 다시 나타날 경우 estrogen 용량을 증가시킨다.

Ⓓ progestin 용량을 낮추고, cycle control에 대한 효과를 관찰하는 방법도 가능

② Thromboembolism

Ⓐ superficial venous thromboembolism에는 큰 영향을 미치지 않는다.

Ⓑ Dose와 관련이 있지만, duration과는 관계없다.

Ⓒ medication 중단 후 risk는 감소

③ Vascular headache, migraine

Ⓐvascular headache과 stroke의 association

∴ medication 중 두통 악화되면 중단하여야 한다.

④ Myocardial infarction

Ⓐ ┌ 35세 미만
└ 35세 이상, 다른 risk factor 없음] MI의 risk는 minimal

⑤ Hypertension

Ⓐ progestin-only pill 또는 nonhormonal contraception으로 전환

Ⓑ ┌ Systolic pressure ≥ 160 mmHg (on 2 visit)
├ Diastolic pressure ≥ 110 mmHg (on 1 visit)
└ Diastolic pressure ≥ 90 mmHg (on 3 visit)

⑥ Amenorrhea

Ⓐ 임신여부와 약 복용을 제대로 하는지 확인

Ⓑ estrogen 용량 ↑, progesterone 용량↓을 고려

Ⓒ medication 중단 후 6개월 이상 지속되거나, galactorrhea가 있으면 diagnostic investigation 필요

⑦ 오심, 유방압통, 성욕 감퇴, 우울증, 체중 증가

Ⓐ estrogen에 의한 effect로 첫 수주에 소실

Ⓑ estrogen의 용량을 낮추거나 다른 종류로 바꿀 수 있다.

⑧ 갈색반(Choasma) : hyperpigmentation으로 중단 후에도 지속 가능

⑨ Milk production ↓, milk 내 protein과 fat의 함량 ↓

Ⓐ estrogen에 의한 효과

⑩ Cholestasis

(8) 기타 고려사항

① 배란은 경구 피임 중단 후 4~6주 이내에 회복된다.

Ⓐ 수개월간 월경이 없을 수도 있으나, 만약 6개월 이상 월경이 없으면, 다른 무월경에 대한 평가가 필요

② 임신과 경구 피임약의 관계는 무관

③ 경구 피임약이 Prolactin-secreting adenoma를 악화시키지는 않는다.

2) Implants (Norplant system, Jadelle, Implanon)

- 팔의 피하에 넣는 levonorgestrel, desogestrel을 함유한 flexible capsule
- 장점 : 효과가 빠름, long term protection (3~5년), capsule 제거 후 즉가적인 fetility의 회복

- 단점 : surgical procedure가 필요

3) Progestin-only injectable contraceptives(Depo-Provera)

- 주로 35세 이상의 여성에서 사용
- 매 3개월마다 150 mg, I.M. (Noristerat의 경우는 200 mg, every 2 month)
- 단점 : fertility의 회복이 느림(5~7개월), irregular bleeding

5. 성교 후 피임(Postcoital contraception)

1) 고용량 estrogen, 복합 경구 피임제, mifepristone (RU486), Danazol, copper IUD

2) 작용 기전

- 고용량 estrogen → 난관 운동성 & 자궁내막 변화, 황체 기능 방해 → 임신방지

3) 사용 방법

① Ethinyl estradiol 5 mg (high dose) or premarin 30 mg or stilbesterol 50 mg을 성교 후 72시간 이내에 시작

② 복합 경구 피임제는 ovral 2정을 72시간 내에 복용하고 12시간 후 다시 2정 추가

③ mifepriston (RU486) 600 mg : 가장 효과가 높고, 17일 후에 투여하여도 가능

④ 다나졸 600 mg

⑤ copper IUD : 72시간 내에 삽입

II. 외과적 방법

1. 자궁 내 장치(Intrauterine device)

1) 작용기전

① 화학적 불활성(Lippes loop) - 착상방해

② 화학적 활성체인 구리

Ⓐ 국소적 염증

Ⓑ 전신적인 blastocyte의 발육장애

Ⓒ 자궁내막 세포의 cytolysis

Ⓓ sperm이 자궁강을 통과하는 것을 방해(copper) : 수정 방해

- Levonogestrel-T와 Copper IUD의 차이

	Levonogestrel-T (mirena)	Copper IUD
작용기전	Blood 내 호르몬 양 감소시켜 자궁내막 atrophy 시킴	metal을 조금씩 내보내서 자궁내막에 약한 염증반응 일으킴(sperm 통과 못함)
수명	5년 정도	4~10년 정도
월경	월경량, dysmenorrhea 감소	pain, bleeding 호발

2) 삽입 시기 ★

① 정상월경이 끝나갈 무렵(임신이 아님을 확인하고 자궁경관이 개대되어 있어 삽입이 쉽기 때문)

② 분만 후에는 분만 8주 후

③ 유산 후에는 염증만 없으면, 유산 수술과 동시에

3) 교환 기간

① Cu-T, CU-7 : 매 3년마다 교체

② progestasert-T : 매 1년마다 교체

③ cupper T380A : 매 10년마다 교체

4) 부작용

① Perforation of uterus

② Septic abortion

③ PID : 설치 당시, 설치 후 첫 3주, 제거 시 risk ↑

④ Ectopic pregnancy

⑤ Menstrual complication

Ⓐ Period prolongation

Ⓑ Irregular bleeding

Ⓒ Menorrhagia

⑥ Abdominal discomfort

5) 자궁 내 장치 시술의 금기증

① 자주 재발하는 골반 염증

② 최근에 골반염증을 앓은 경우

③ 무증상의 임균감염증

④ 자궁경관 협착증(Cervical stenosis)

⑤ 자궁강 형태이상

⑥ 월경과다증 및 빈혈

⑦ 임신 가능성

⑧ 비정상 uterine bleeding

⑨ Cervical carcinoma

⑩ 심한 월경통

⑪ 혈액응고 장애

⑫ 과거 딴곳 임신력

⑬ Wilson's disease, copper allergy

6) 자연 탈출

• 자연 탈출은 삽입 후 첫 달에 많이 생긴다.

7) 임신시 IUD의 처치

• 즉시 제거하는 것이 원칙

(1) IUD string이 보이는 경우

→ 즉시 제거하여 Septic abortion 방지 ★

(2) IUD string이 보이지 않는 경우 ★

→ 초음파를 시행하여 IUD의 위치를 찾고, 배출 여부를 파악

① IUD가 자궁 내 존재시의 처치

Ⓐ Fundus 이외의 부위에 있는 경우

→ Ultrasound-guided removal using Small alligator forceps

Ⓑ Fundus에 있는 경우

→ IUD를 그대로 두고 임신을 지속하되 환자에게 Intrauterine infection의 증상을 설명한 후 Feveror Flu-like symptom, Abdominal cramping or bleeding이 있으면 즉각 내원하도록 한다.

→ Infection의 초기 징후가 보이면 High-dose IV antibiotic therapy를 시행하고, Therapeutic abortion 실시

2. 차단 피임법(Barrier method)

1) 콘돔(condom) : 실패율 3~4%(당뇨병 환자에서 Choice)

• 장점

- 성병도 동시에 방지 가능
- 조기 사정하는 남자에게 효과

2) 질내살정제(spermicide)

① 정자의 자궁경관 통과 차단

② 정자를 죽이는 효과

3) 피임 스폰지(contraceptive sponge)

4) Diaphragm

5) 경부 캡(cervical cap)

III. 영구 피임 방법

1. 불임시술(Surgical sterilization)

1) Laparoscopy

① "Band-Aid surgery"

② 복강경하에서 loops, clips, electrocauterization을 이용

③ Tube를 transection 하지 않을 수도 있음

④ 대부분 술후 몇 시간 후에 퇴원 가능

⑤ electrocauterization은 tube의 large segment를 파괴하므로 surgical reversal이 종종 불가능하며, 딴곳 임신의 빈도 증가

∴ 25세 이하나 low parity 여성에서는 추천되지 않음

Reversal Pregnancy Rate by Tubal Occlusion Method used		
Technique	Tubal Damage (cm)	Reversal Pregnancy Rate (%)
Clip	1	88
Thermal cautery	2	No studies
Rin g	3	75
Pomeroy	3~4	59
Electrocauterization※	3~6	43

※딴곳 임신의 risk 증가

2) 난관 결찰술(Tubal sterilization)의 방법

① Irving procedure

- 실패율이 가장 낮지만, 제왕절개술 시에만 시술이 가능하다.

② Pomeroy procedure ★

- 가장 많이 사용되는 방법, 가장 간단, 복원율 가장 높음(75%)

③ Flaopian ring

④ Bipolar electrocoagulation tubal sterilization

Ⓐ 장점 : mechanical device에 비해 피임 성공률 높음

Ⓑ 단점 : Ectopic pregnancy 확률 높음, 복원율 가장 낮음(49%)

⑤ Parkland procedure

⑥ Madlener precedure

⑦ Kroener procedure (Fimbriectomy)

※Laparoscopic tubal ligation의 금기증

Ⓐ abdominal or pelvic surgery의 과거력

Ⓑ Hx. of previous pelvic infection

Ⓒ obesity

Ⓓ DM

Ⓔ severe cardiopulmonary disease

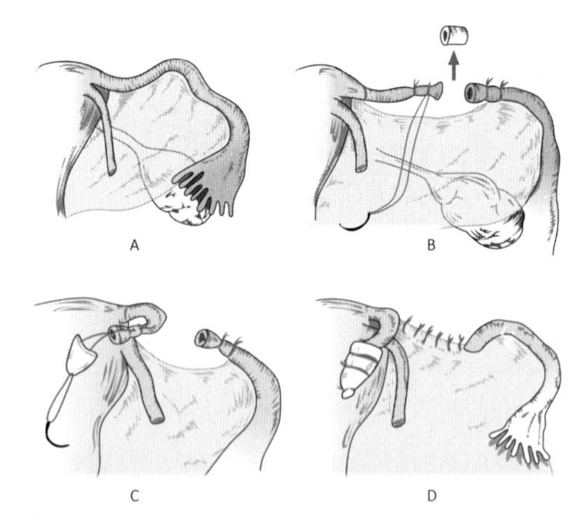

▶ Irving procedure

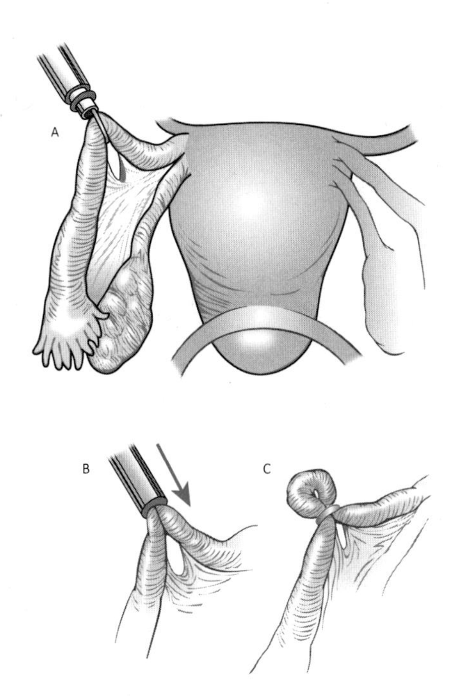

▶ Placement of the Falope ring for tubal sterilization

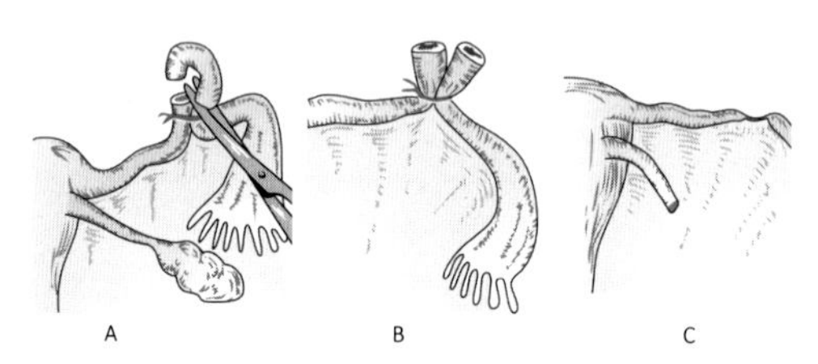

▶ Pomeroy procedure

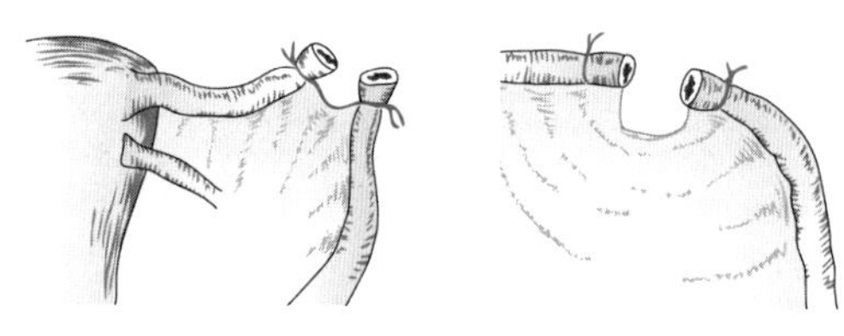

▶ Modified Pomeroy precedure

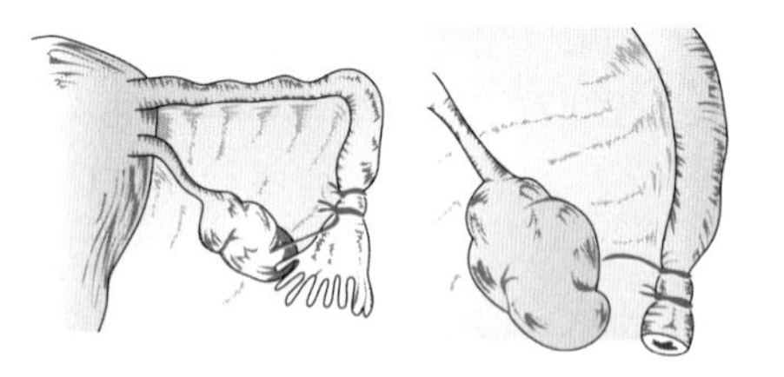

▶ Kroener procedure

3) 산후 난관 결찰

① 출산직후 24시간 이후 72시간 내에 시행

② analgesia should be provided by meperidine 50~75 mg IM during first 24 hours

③ within 8 hours- can ambulate

4) 난관결찰 증후군 ★

① pelvic discomfort

② ovarian cyst formation

③ menorrhagia

5) 난관복원 시술

① 현미경 미세수술 : 성공률 50~70%

② 직경의 차이가 적을수록 임신율 ↑

③ 시행 시기 - 증식기에 주로 시행

참고) 대부분의 부인과적 시술 : Early proliferative phase에 시행

6) 자궁 적출술

7) 남성 불임술

(1) 정관절제술(Vasectomy)

① 방법 : 정관(vas deferens)을 절단한다. 국소마취로 20분 이내에 시행

② 단점 : 피임 효과가 즉시 나타나지 않고 13~16회 남아있는 정자를 완전히 사출한 후에 나타나므로 그 사이에는 다른 피임 방법을 써야한다.

③ 연속적으로 2회 정액 검사하여 정자가 발견되지 않아야 한다.

④ 실패율 : 1%

⑤ 수태 복원율 : 50%

⑥ 수태 복원술의 성공 인자

Ⓐ 관 연결시 현미경적 미세 수술 기술

Ⓑ 정관 시술 후부터 복원시까지의 기간

∵ 정관의 장기간 폐쇄시 정자에 대한 항체 형성으로 정자 생산 능력이 점진적으로 감소된다.

Ⓒ 정자의 육아종(Granuloma) 유무

(2) 남성 피임약

IV. 응급피임법

- 성교 후 수일 이내 임신을 예방할 수 있는 방법
- 이론적으로 수정 후 착상 6일까지 피임가능
- 원치 않는 임신으로 인한 여성들의 모성 사망률과 이환율 감소

1) 적응증

① 방어할 수 없는 성관계를 경험한 경우 치료목적(콘돔 파열, 성폭력 등)

2) 효과

① 임신의 위험성을 75%까지 감소

② 성교 후 24시간 이내가 가장 좋으며 72시간 이내에 복용시 효과 기대함

3) 종류 및 사용법

① 주로 응급피임약 & 구리자궁내장치

Ⓐ 고용량 에스트로겐

Ⓑ 복합 응급피임약(에스트로겐+프로게스틴)

Ⓒ 프로게스틴 단일응급피임약

Ⓓ 구리자궁내장치 : 호르몬 피임약보다 효과적이며 예방효과 99%

성병에 노출될 위험이 높은 여성의 경우 골반염증 or 불임증 까지 유발가능

4) 부작용 및 안정성

① 24시간 동안 가장 흔함 : 오심, 구토, 두통, 어지럼증, 피로, 유방통

06 성폭행(Sexual violence)

Power Gynecology

1. 성폭행(Sexual violence)

1) 강간의 정의(강간 = 성폭행)

: 사정의 유무와는 관계없이 남성 성기가 여성의 동의 없이 강제적인 힘으로 질 속으로 삽입됨을 뜻한다.

2) 동의서

: 동의서는 의학적인 진료가 시작되기 이전에 병력을 문진 하는 것, 법적인 증거를 확보하는 것, 사진촬영, 얻어진 증거를 관계당국에 넘겨주는 것, 치료를 받는 것 등의 내용을 포함하여야 하며 이러한 동의서를 서명에 앞서서 향후치료의 다양화와 진료의 법적인 함축성 등을 자세히 설명하여야 하며 또한 피해자의 동의 없이는 진료를 통한 정보가 다른 사람들에게 전달되지 않는다는 것을 확실히 납득시킬 필요가 있다. 왜냐하면 피해자는 본인의 동의 없이 행하여진 성폭행을 이미 경험하였기 때문에 이러한 서면상의 동의서를 얻는 것은 치료의 목적을 이루는데 중요한 과정이기 때문이다.

3) 성폭행 피해 처치 계획

(1) 진료의사가 노력할 점들

① 동의서 확보 → 가장 먼저 시행

② 피해자의 동의를 얻은 경우에는 경찰에 연락

③ 보호자 혹은 증인의 참관하에 피해자의 언어로 피해 당시 상황을 기록

④ 보호자 혹은 증인의 참관하에 진찰

⑤ 피해자의 의류를 보존

⑥ 검사를 위한 검체의 채취

⑦ 다른 질환, 임신, 정신적인 충격으로부터 피해자를 보호

(2) 성폭행 피해자 진료 팀의 구성

(3) 상황 청취

- History taking 시에 얻어야 할 정보 ★

① General medical history & Gynecologic history

- Last menstrual period, Prior pregnancies, Past gynecologic infection, Contraceptive use, Last voluntary intercourse prior to the assault

② 목욕, 좌욕, Urination, Defecation, 칫솔질, 폭행 후 의복 변화 여부

③ 성폭행에 대한 자세한 묘사 - 시각, 사람수, 무기 사용 여부 등

④ Sexual contact 형태에 대한 자세한 기술

⑤ Emotional state

(4) 피해 상황 검사

① 사진

② 연관된 의류품의 수집 및 보관

③ 진찰

(5) 검체 채취

① 다음 검체는 꼭 채취하여야 한다.

Ⓐ 회음부을 빗질하여 모인 체모는 가해자로부터 온 것이 섞여 있을 수 있으므로 따로 보관한다.

Ⓑ 질액 채취

: 자궁경관구에서 채취된 검체는 도말검사하여 운동성의 정자 유무를 확인한다. 다른 하나의 슬라이드는 고정하여 염색하여 정자의 유무를 확인한다. 자궁경관내구로부터의 도말은 *Neisseria gonorrheae를 배양*하기 위하여 Thayer-Martin 혹은 Transgrow 배양액에 넣는다.

: 질, 회음부, 직장 혹은 구강 및 비강에서 채취된 도말은 Acid phosphatase, ABO항원, sperm precipitins를 측정하기 위하여 보관한다.

Ⓒ 손톱 밑의 내용물 채취

Ⓓ 체모에 붙은 건조물 및 피부에서 박리된 검체는 Acid phosphatase 및 ABO항원을 확인하기 위하여 보관한다.

Ⓔ 채혈을 하여 매독혈청검사는 피해 당시와 4~6주 후에 다시 반복하며, 혈중 β-hCG 측정, 알코올 및 약물농도, 혈액형 검사를 하도록 한다.

Ⓕ 소변검사를 하여 정자의 유무 및 외상의 유무를 확인한다.

Ⓖ 타액 : 피해자가 주요혈액형 항원 분비양성자인지 확인한다. 인구의 80%가 분비 양성인데, 만일 피해자가 분비양성자가 아니고 질의 분비물에서 혈액형 항원이 발견된다면 가해자의 정액에서 나왔을 가능성이 높다.

② 하기 부위의 검체 채취시에는 주의를 요한다.

Ⓐ 검체나 의류를 플라스틱 백에 넣을 경우에는 상할 수 있으므로 피하도록 한다.

Ⓑ 검체는 실내에서 완전히 건조시켜서 검체끼리 상호 오염되지 않도록 해야 한다.

Ⓒ 수분이 있는 검체를 봉투에 넣지 않도록 하여야 한다.

Ⓓ 검체를 수집할 시에는 항상 같은 형태 혹은 상표의 면봉을 사용하여야 하며 항상 대조군의 될 수 있는 면봉을 동시에 채취하여야 한다.

Ⓔ 슬라이드에 도말시에는 슬라이드 홀더를 사용하여 검체가 소실되는 것을 방지하여야 한다.

Ⓕ 모든 검체는 피해자의 성명, 병록번호, 인지번호, 검체면, 검체 체취 부위, 검체 채취자 성명 등을 기재하여야 한다.

Ⓖ 피해자의 뒷물, 배변, 소변을 보았거나, 뱉아내었거나, 함수제를 사용하였거나, 목욕을 하였더라도 검체를 채취하여야 한다.

Laboratory studies in the Evaluation of Sexually assaulted adults

1. Culture of the Cervix, Mouth and Rectum for
   a. Neisseria gonorrhoeae
   b. Chlamydia trachomatis
   c. Herpes simplex
   d. Cytomegalovirus
2. Serologic test for Syphilis
3. Wet preparation for Trichomonas
4. Hepatitis B surface antigen
5. HIV antibody
6. Pregnancy test

③ 정액 채취 방법

Ⓐ Posterior fornix에서 채취

Ⓑ ┌ motile sperm : 성교 후 4시간 이내
　 └ 형태 구분 가능한 sperm : 성교 후 72시간 이내

Ⓒ Sperm이 발견되지 않는 경우

㉠ azospemia, oligospermia : 남성의 10%

㉡ ejaculatory dysfunction : 강간범의 1/3

㉢ vasectomy

㉣ Douche(세척)

4) 치료 및 성병 임신 예방

(1) 치료의 목적

① 성폭행으로 인한 신체적 손상 부위의 치료

② 성병, 임신, B형 간염 및 파상풍에 대한 예방조치

③ 피해자 및 가족에 대한 정신적 안정을 이룰 수 있는 조치

(2) 전염병의 예방

- 성매개질환에 감염될 확률 43%

• 임질 : 6~12%, 트리코모나스 12%, 클라미디아 2~12%, 매독 5%

① 임질, 클라미디아, 트리코모나스, 매독에 대한 예방조치 필요.

② 많은 수의 성폭력 피해자들은 병원을 재방문하기를 꺼리기 때문에 첫 방문때 시행하는 것이 중요.

③ 구강, 질, 항문 성교를 당했다면 B형 간염에 대한 예방접종 시행.

④ 깊은 상처, 물린 상처가 있다면 파상풍(0.5 mL IM).

⑤ 질, 항문을 통한 성기의 접촉이 있고, 72시간 이내 병원에 내원한 모든 성폭행 피해자는 HIV 접종을 받는다.

(3) 임신에 대한 예방 조치

• 강간 생존자 5%에서 임신

① 응급 피임을 한다

② 고용량 프로게스테론 : 0.75 mg 한알, 12시간후 다른 한알 추가 복용 / 1.5 mg 한번 복용

③ 경구 복합 피임약 사용

④ Mifepristone 사용 : 10mg single dose

⑤ 자궁내장치 삽입

(4) B형 간염에 대한 예방 조치

- HBIG 0.06 mg/kg를 IM 후에 1개월 뒤 동량을 IM or B형 간염에 대한 예방접종 실시

(5) 파상풍 예방이 필요한 경우에는 Tetanus toxoid 5 mL를 IM

(6) 산부인과 의사의 역할

① 피해자의 심리적 안정 도모

② 피해자의 자발적 진술 참여 유도

③ 다른 부위의 상처에 대한 조사

④ 법적 증거 확보

⑤ 18세 미만의 청소년 혹은 소아의 경우 내과 및 소아과 의사의 진료 요청

(7) 정신과 치료

① 정신과적 문제(정신과 질환의 과거력, 현 병력, 자살에 대한 과거력 및 현재 위험도)에 대해 평가

② 지속적인 정신과 추적 진료 권유

③ 첫 진찰 후 퇴원 시, 현재 환경이 안전한지 검토, 보호자 확인

④ 심하게 불안한 환자 : 항불안제 또는 진통제(Diazepam 5 mg Oral, Atiban 1 mg Oral)

▶ 성폭행 환자의 검사 지침

검사항목	첫 방문 시	nPEP 도중	4~6주	3개월	6개월
HIV 항체 검사	E, S				
성병 검사 자궁목/생식기, 구강, 항문에서 배양검사 임질균(*Neisseria gonorrhoeae)* 클라미디아(*Chlamydia Trachomatis)* 헤르페스(herpes simplex)	E, S	E‡	E‡		
트리코모나스에 대한 젖은펴바른 검사	E, S	E‡	E‡		
매독에 대한 혈청학적 검사	E, S	E‡	E‡		
B형 간염 검사	E, S		E‡	E‡	
C형 간염 검사	E, S			E	E
임신 검사	E	E‡	E‡		
CBC with differential	E	E			
간 효소	E	E			
BUN/Cr	E	E			
HIV viral load	S		E†	E†	E†
HIV resistance testing	S		E†	E†	E†
CD4+ T형 임파구 수	S		E†	E†	E†

E : 피해자 S : 감염원
‡: 임신 검사, B형 간염 감사, 성병 검사는 임상적으로 시행할 필요가 있을 때 시행한다.
†: 피해자에서의 추적검사는 HIV에 감염 되었을 경우에만 시행한다.
nPEP : 비직업적인 노출 후 예방(Nonoccupational Postexposure Prophylaxis)

▶ Berek & Novak. 15판, p.295~301, 부인과학, 5판, p.1108.

07 비정상 자궁 출혈

Power Gynecology

1. 분류 및 정의

1) Abnormal Uterine Bleeding

: 정상적인 월경의 양상을 벗어난 경우

(1) 배란성

① 대개 기질적 원인

② 일부 내분비학적인 원인- Dysfunctional uterine bleeding (DUB)

(2) 무배란성

① 대개 내분비학적인 원인 -DUB

② 일부 기질적 원인

2) 정상 월경의 특징

① Interval : 24~38일

② Duration : 4.5~8일

③ Amount : 5~80 mL- 전체 양의 ¾이 첫 2일간

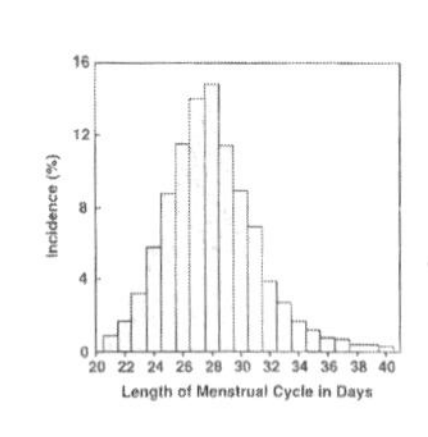

용어☆	간격	기간	양
월경과다(menorrhagia)	규칙적	연장	과다
부정자궁출혈, 불규칙월경(metrorrhagia)	불규칙	± 연장	정상
불규칙과다월경(menometrorrhagia)	불규칙	연장	과다
과다월경 = 월경과다증(hypermenorrhea)	규칙적	정상	과다
과소월경(hypomenorrhea)	규칙적	정상 혹은 적음	적음
희발월경(oligomenorrhea)	드물게 혹은 불규칙	가변적	소량
다발월경(polymenorrhea)	< 21일	정상	정상
무월경(amenorrhea)	없음	90일간 무월경	없음

Ⓐ Menorrhagia : duration > 5일, amount > 80 mL

Ⓑ Oligomenorrhea : interval이 35일 이상

Ⓒ Polymenorrhea : interval이 21일 이하

2. 원인

비정상 자궁 출혈의 기질적 원인	
1. 임신 합병증	유산, 딴곳 임신, 융모성 질환
2. 생식기의 양성 종양	자궁근종, 자궁경부의 polyp, 난소의 양성 종양
3. 생식기의 악성 종양	자궁경부암, 자궁내막암, 융모상피암, 난소암
4. 생식기 염증	자궁내막염, 자궁경부염, 골반염, 질염(특히, 위축성)
5. IUD	
6. 혈액 응고 이상	ITP (m/c), von Willebrand's ds., 백혈병, 혈소판 감소증, 항응고제 사용
7. 생식기 이상	
8. 질 내 이물	

1) 비정상 자궁 출혈의 원인 진단시 고려사항

① 출혈 부위가 자궁인가 자궁 이외의 부위인가?

② 자궁출혈이면 배란이 동반되며 기질적 병변이 원인인가?

③ 기질적 병변이 없다면(DUB), 무배란성 자궁출혈인가 또는 배란성 출혈인가?

2) Estrogen과 Progesterone이 자궁내막에 미치는 영향

Estrogen	Progesterone
• Endometrial proliferation 촉진 • Menstrual flow 중지	• Endometrial growth & differentiation 촉진 • Structural support

3) 내분비학적 관점에서 본 자궁 출혈의 종류 ★

(1) Estrogen breakthrough bleeding (Estrogen 파탄 출혈)

① excess estrogen에 의하여 자궁내막이 분화되지 않은 상태로 증식

→ endometrial glandular and stromal breakdown

② Insufficient progesterone

→ ┌ structural support의 상실
  └ vasoconstriction과 platelet plugging이 발생하지 않음

→ Irregular, Profuse bleeding

(2) Estrogen withdrawal bleeding (Estrogen 소퇴성 출혈)

① estrogen의 갑작스런 감소

(eg. bilateral oophorectomy, HRT의 중단, 배란 직전)

② 보통 self-limited, estrogen level이 낮게 유지되면 재발하지 않는다.

(3) Progesterone breakthrough bleeding (Progesterone **파탄 출혈**)

① progesterone / estrogen ratio가 높은 경우(eg. 프로제스테론만 함유한 피임제)

② estrogen의 부족으로 atrophic, ulcerated endometrium

③ frequent, irregular bleeding

(4) Progesterone withdrawal bleeding (Progesterone **소퇴성 출혈**)

• **배란성 및 무배란성 자궁 출혈의 원인**

Table 1. A. Ovulatory abnormal uterine bleeding(배란성 자궁출혈 원인) ☆

1. 선행 임신의 합병증 태반잔존, 태반용종 2. 딴곳 임신 3. 기질성 골반질환 종양 감염 - PID, 결핵 자궁내막증 4. 빈발 월경 5. 배란 출혈	6. 황체기 결손 7. 부정 자궁내막 탈락 Premenstrual staining Prolonged menses 7. 지속성 황체 8. 혈액 질환 ITP, von Willebrand's disease Leukemia, 간경화, 신부전 9. 의인성 Drug - Anticoagulants Progesterone agent Intrauterine device

Table 2. B. Anovulatory abnormal uterine bleeding(무배란성 자궁출혈 원인)

1. 중추성 (1) Functional and Organic causes 외상성, 독성 및 감염 Polycystic ovarian syndrome 시상하부 기능의 미성숙 (2) 신경성 난소 증후군 불안, 공포, 감정 정서장애 (3) 신경성 (4) 항신경제제, 약물 중독 (5) Steroid hormone 투여[A]	2. 중간인자성 (1) 만성 소모성 질환 간경화, 신부전 (2) 대사성, 내분비성 질환 갑상선 기능항진증 또는 저하증[B] Cushing syndrome, 비만[C] 당뇨병[D] (3) 영양장애 영양불량, Vitamin 결핍 3. 말초성 • 난소 기능성 또는 염증성 낭종 기능성 종양 (esp. Estrogenic) 4. 생리적 초경기 주변, 폐경기 주변

A. Exogenous steroid → 정상 adrenal gland 기능↓, Pituitary action↓
B. Primary hypothyroidism, Chronic renal failure, Liver cirrhosis
→ Prolactin↑ → GnRH 억제 → 무배란
C. Obesity → peripheral aromatization of circulating androgen ↑→ Estrone↑
D. DM → Hyperinsulinemia → ① LH 작용↑ → Androgen 생성↑
② Liver에 작용 → Sex hormone binding globulin
& IGF-1 binding protein 생성↓

3. 진단

1) History

(1) 배란성 자궁출혈 vs 비배란성 자궁출혈

배란성	비배란성
• Regular cycle length • Premenstrual symptom의 존재 • Dysmenorrhea • Breast tenderness • Cervical mucus의 변화 • Mittleschmertz • Biphasic temperature curve • Luteinizing-hormone predictor kit 사용시 positive result • Weight gain • Emotional labile	• Unpredictable cycle length • Unpredictable bleeding pattern • Frequent spotting • Infrequent, heavy bleeding • Monophasic temperature curve

(2) 연령층에 따른 원인 고려 ★

Causes of bleeding by approximate frequency and age group					
Infancy	Prepubertal	Adolescent	Reproductive	Perimenopausal	Postmenopausal
	Vulvovaginitis Vaginal foreign body Precocious puberty Tumor	Anovulation Exogenous hormone use Pregnancy Coagulopathy	Exogenous hormone use Pregnancy Anovulation Fibroids Cervical and endometrial polyps Thyroid dysfunction	Anovulation Fibroids including cancer Cervical and endometrial polyps Thyroid dysfunction	Exogenous hormone use Endometrial lesions, Atrophic vaginitis Other tumor vulvar, vaginal, cervical

① Prepubertal age group

Ⓐ 시진 또는 직장 검진

Ⓑ 마취하에서 내시경 : 질내부, 경관 확인

Ⓒ 골반 초음파: 난소, 질 종괴가 의심되는 경우

② Adolescent age group

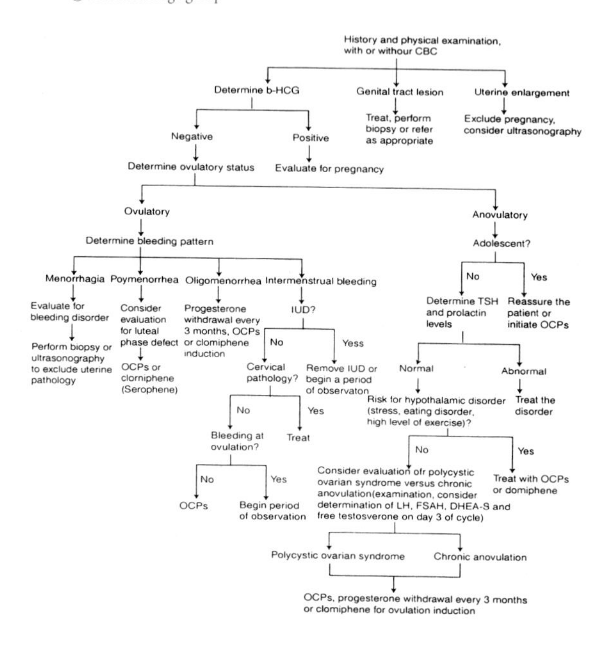

Ⓐ examination

Ⓑ Laboratory testing

㉠ 임신 반응 검사 - 성관계 병력 여부에 관계없이 반드시 시행

㉡ CBC with platelet count, screening test for coagulopathies, platelet dysfunction

㉢ Thyroid study

㉣ Testing for STDs

Ⓒ Imaging study

㉠ Ultrasonography - 임신 여부 및 임신 합병증 유무 조사

㉡ CT, MRI

③ 폐경 전후(Perimenopausal)

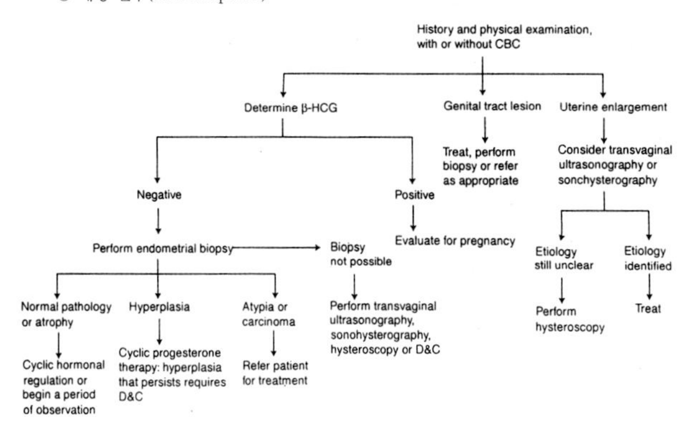

Ⓐ cycle 짧아지고, intermittent하게 무배란

Ⓑ follicles 수 감소 → E_2↓→ 배란에 필요한 FSH level ↑

㉠ 부인과적 진찰, Endometrial Bx, 자궁경부 세포진 검사를 먼저 시행(폐경후에는 종양성 병변을 먼저 생각)

㉡ Hysteroscopy(자궁내막 assessment에 gold standard)

㉢ Transvaginal ultrasonography

: endometrial Bx가 불가능한 경우, uterus enlargement가 있는 경우, 치료에 반응을 보이지 않는 경우시행(hysteroscopy도 가능)

㉣ Hormone 검사(LH, FSH)

㉤ 임신 반응 검사 - 폐경이 안된 경우

④ 폐경 이후(postmenopausal)

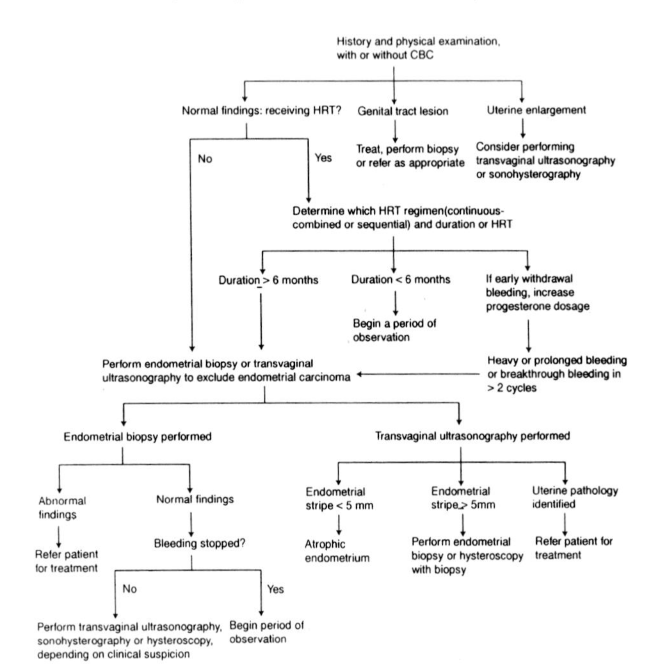

(3) Hypothalamic anovulation

- Stress, Anxiety, weight loss, eating disorder, chronic illness, 과도한 운동 → 배란 장애

(4) 약물 투여 여부

- Glucocorticoid, Oral contraceptive, Estrogen or Progesterone

(5) Obstetric history

(6) Chronic illness

- Hypertension, CHF, Nephritis, Liver cirrhosis등에 의한 약물복용 여부

(7) Blood dyscrasia

- von Willebrand's disease (menorrhagia 있는 청소년의 20%)
- liver cirrhosis, CRF등에 의한 bleeding disorder

2) Physical examination

3) Pelvic examination

- 기질적 병변을 발견(FUB)

Organic causes of Abnormal uterine bleeding
1. Cervical polyp 2. Endometrial polyp 3. Retention of gestational products 4. Chronic endometritis 5. Uterine cancer 6. Uterine myoma 7. Ectopic pregnancy 8. Tumor of ovary and tube

4) 선별 검사 및 특수 검사

① 혈액검사(CBC with diff. count, PB smear, BT, CT, PT, PTT)

② 세포진 검사(Pap smear)

③ Serum β-hCG

④ Endometrial biopsy

Ⓐ perimenoause, postmenopause 여성

Ⓑ unopposed estrogen에 노출된 경우 ┌ 초기 치료에 반응하지 않는 경우
└ 35세 이상

⑤ Hormonal assay (TFT, prolactin, FSH, LH)

⑥ US, Laparoscopy, *Hysterosalpingography, Hysteroscopy*

⑦ Culture (Neisseria gonorrhea, Chlamydia trachomatis)

I. 배란성 비정상 자궁 출혈

1. 원인

- '배란성 자궁출혈 원인' 표 참조

2. 배란의 진단

1) Progesterone의 측정

2) Progesterone의 영향 관찰

① 자궁 경관 점액

② 질세포진 검사 : Estrogen → Shift-to-Right → Superficial cell↑(ovulation = 0/40/60)
Progesterone → Shift-to-Left → Parabasal or
Intermediate cell↑

③ Basal body temperature (BBT) : 양면성

④ 자궁내막 검사 : 분비기 조직상

⑤ 소변 pregnanediol

⑥ 혈중 progesterone

⑦ 배란을 동반하는 월경의 전구 증상(진단, history 참고)

3. 치료 ★

① 원인 질환 치료

② Oral contraceptives

③ 때로는 진단 목적의 자궁내막 소파술이 치료 방법이 되기도 함

④ Drug

Ⓐ Sex hormone (Estrogen, Progesterone)

Ⓑ Antiestrogens (Clomiphene citrate)

Ⓒ Antifibrinolytics

Ⓓ Ergot

⑤ Laser photovaporization of Endometrium

⑥ Hysteroscopic endometrial cauterization (endometrial ablation)

- medical Tx에 반응없고, 임신을 원하지 않으나 자궁을 보존하고 싶은 경우

4. 배란시 출혈(Kleine Regel)

① 원인 : 일시적인 estrogen 저하

② 증상 : 경미한 출혈이 전구 증상없이 월경전에 발생(midcycle spotting)

약간의 복통을 동반하기도 함(Mittelschmerz)

③ 내막 소견 : Proliferative phase or Subnuclear vacuole

④ 치료 : 불필요(자연소실)

5. 월경 과다(Menorrhagia)

① 원인

Ⓐ Bleeding: von Willebrand's disease, liver cirrhosis, renal failure

Ⓑ Structural lesion: uterine leiomyoma, adenomyosis, endometrial polyp

6. 빈발 월경(Polymenorrhea)

1. Follicular shortening	2. Luteal shortening
원인	① 황체에서 Progesterone 생성 부족 ② Prolactin↓ 또는 TSH ↑
치료 ① Estradiol ② DES ③ Clomiphene citrate	① Progesterone supplement ② Norlutin (배란후 10일간) ③ OCS ④ hCG

7. 희발 월경(Oligomenorrhea)

① 원인 : Follicular phase의 연장(Luteal phase는 정상 또는 단축)

② 증상 : 월경량이 많고, 무배란일 수도 있다.

③ 치료 : Ⓐ 무배란인 경우 → 배란 유도

Ⓑ Hormonal therapy (OCs 포함)

8. 부정 자궁내막 박리에 의한 출혈(Irregular endometrial shedding)

① 원인 : 황체 퇴축의 지연 → P_4 ↑→ 자궁내막 탈락 기간 연장(Prolonged mense)

② 증상 : Regular cycle with hypermenorrhea

③ 진단 : 월경 제 5~6일에 Biopsy → 증식기 + 분비기

④ 치료 : Ⓐ Suction curettage

Ⓑ Low dose estrogen

9. 지속성 황체(Persistent corpus luteum, Halban's disease) ★

① 원인 : Corpus luteum이 지속적으로 존재

② 증상 : Delayed onset of hypermenorrhea

③ 진단 : Ⓐ Endometrial biopsy

Ⓑ Diagnostic laparoscopy

Ⓒ β-hCG (radioimmunoassy)- 임신과 감별

④ 치료 : 관찰(Self-limiting, Not recurrent)

10. 황체기 결손(Luteal phase defect or Inadequate corpus luteum)

① 원인 : 배란 후 P_4가 생성되는 기간 짧으면 황체기 단축

P_4 분비기간이 정상이지만 양의 감소

Ⓐ Hypothalamic-pituitary axis의 기능 이상 : LH, FSH의 자극이 비정상

Ⓑ Androgen의 증가 : Gonadotropin에 의한 난포자극 방해

Ⓒ 배란 후 LH 자극이 부적절

Ⓓ Luteal phase의 자궁내막이 P_4의 작용을 받아들이지 못할 때

Ⓔ 배란 유도제에 의한 여포자극의 부적절

: 다량의 clomiphene citrate- Antiestrogenic effect on follicle or endometrium

• Progesterone의 생산이 부적절한 경우 ★

㉠ 초경 후 1년간

㉡ 분만 / 유산 후 첫배란 주기

㉢ 35세 이상

㉣ clomiphene citrate에 의한 배란 유도

㉤ Hyperprolactinemia

㉥ 운동 선수

② 치료

Ⓐ 임신을 원하는 경우

㉠ clomiphene citrate, hCG, hMG (→ Normal folliculogenesis 촉진)

㉡ Natural progesterone vaginal tablet(→ P_4 보충)

Ⓑ 임신을 원하지 않는 경우

㉠ 관찰

㉡ Synthetic progesterone

㉢ Oral contraceptives

11. 혈액 질환(Blood dyscrasia)

① 원인

Ⓐ Thrombocytopenic purpura

Ⓑ Leukemia

Ⓒ von Willebrand's disease

12. 의인성 원인

① 원인 : Steroid hormone, Anticoagulant, Intrauterine device(IUD)

II. 무배란성 비정상 자궁 출혈(Anovulatory uterine bleeding)

1. 원인

① '무배란성 자궁출혈 원인' 표 참조

② Dysfunctional uterine bleeding의 가장 흔한 원인 → Anovulatory

③ 대부분의 난소 기능 이상 또는 무배란(anovulation)과 연관되어 있으나, 배란주기에서도 발생할 수 있다.

2. 특징

① 기간이 길고 양이 많거나 자주 발생한다.

② 초경, 폐경 무렵에 주로 발생(주로 일시적)

③ 생식 연령기에도 많은 인자에 의해 무배란성 자궁 출혈 초래(Central, Intermediate, End-organ, Physiologic)

3. Pathophysiology

① 지속적인 Estrogen의 영향을 받고 있는 자궁내막에서 Estrogen withdrawal bleeding 유발

Ⓐ Continuous & Uninterrupted Estrogen stimulation

→ Fluctuation in E_2 output during Follicular development

→ Estrogen withdrawal

→ Uterine bleeding

4. 진단

• Endometrial hyperplasia 또는 Endometrial cancer의 위험을 먼저 배제하여야 한다.

→ Endometrial biopsy를 먼저 시행

• Endometrial biopsy 함으로서

- 출혈 중단
- Estrogen 양 추정
- 임신 여부 확인

1) Pubertal age

• 대부분 unopposed estrogen 환경(progesterone deficient state)

(1) Perimenarchial period bleeding

① 80% menarche 후 첫 1년은 무배란성 자궁출혈이 있다.

(평균적으로 menarche 후 20주가 지나야 배란이 시작)

② 원인 : 시상하부 미성숙에 의한 일시적 현상

(몇 주기 가지 않으며, 월경 주기가 과도하게 길거나 양이 많지 않으면 곧 규칙적으로 된다.)

③ 치료 - 일상생활에 심한 지장이 있거나, 1년 이상 지속되는 경우에 치료

Ⓐ 관찰

Ⓑ Ovulation induction

Ⓒ Hormonal therapy (eg. Oral contraceptive)

(2) Polycystic ovarian syndrome

① TFT와 prolactin level이 정상이고, H-P-O axis의 기능이 정상인 경우에 chronic idiopathic anovulation과 함께 고려

→ 무월경 참고

(3) **원발성 난소 부전증**

① 진단

Ⓐ Karyotype

Ⓑ Transient or Persistent elevation of FSH

Ⓒ Open ovarian biopsy

2) Reproductive age

• 대부분 unopposed estrogen 환경(progesterone deficient state)

(1) **정신적 요인**

(2) Polycystic ovarian syndrome

(3) **영양 불량, Vitamin 결핍증, 체질적 원인**

① 대사 장애, 간장애, 신장 장애, 만성 질환, 갑상선기능항진증 또는 저하증, Cushing syndrome, Obesity

(4) Primary ovarian defects

① Hormone producing ovarian tumor

② Functional ovarian cyst

③ Chromosomal mosaicism

④ Impending ovarian failure or Premature menopause

3) Perimenopausal woman

① Failing ovarian function 때문

② 월경 - 단축, 불규칙(가장 첫 증상)

③ FSH ↑, LH는 normal

5. 치료 ★

• 원인이 다양하므로 원인적 진단이 중요

• 치료 목표

- 급성 우발적 자궁출혈의 조절

- 재발성 자궁 출혈의 예방

※ 심한 혈액손실이 있는 경우, 우선 수액 요법 및 수혈요법 실시

1) 급성 우발적 출혈의 처치

(1) IV route 확보

CBC, Blood smear, Blood cross matching (for Transfusion),

Foley catheterization, Central venous line 확보

(2) Physical & Pelvic examination

① 임신 합병증

② 종양

③ Blood dyscrasia 등의 원인 질환 감별

(3) Dilatation & Curettage

① 임신 합병증, 종양, Blood dyscrasia가 원인이 아니면 D/C로 지혈 가능

(4) Hormonal therapy

① 급성 출혈 시 24~36시간 내 지혈 가능

② 강력한 Progesterone 제재가 최선책

③ 급성기의 치료

Ⓐ Progesterone in oil (IM)

Ⓑ 이어서 Progesterone medication (Provera, Norlutin)

(→ 치료 중단 후 3~10일 이내에 소퇴성 출혈)

또는 Estrogen medication

④ 급성 출혈 중지 후

→ 규칙적이고 예측 가능하도록 Bleeding 유도

- 임신을 원하는 경우 - 배란 유도

- 임신을 원하지 않는 경우 - Progesterone 제제,

Oral contraceptive

Ⓐ Oral medication

㉠ Proliferative or Mildly hyperplastic endometrium인 경우 - Provera or Norlutin

㉡ More hyperplastic or Mildly atypical endometrium - Megace (40 mg for 10days)

㉢ Atypical hyperplasia- Megace (40 mg, continuously)

Ⓑ IM drug

㉠ Delalutin (17α-hydroxyprogesterone caproate)

2) 만성 무배란성 자궁 출혈의 치료

(1) 관찰

① 임신 목적이 아니며 출혈이 과다하지 않은 경우

(2) Hormonal therapy

① 임신을 원하지 않을 때 사용

Ⓐ Progesterone의 주기적 사용(3개월 마다)

Ⓑ Oral contraceptives

(Pituitary LH ↓ & FSH ↓, SHBG ↑, Ovarian steroidogenesis ↓, Adrenal DHEA-S ↓)

(3) 배란유도(Clomiphene citrate)

① 임신을 원하는 경우

(4) Hysterectomy

① 보존적 치료가 부적절한 경우

② 보존적 치료에 효과가 없고, 재발하는 고령자

3) 사춘기 비정상 자궁출혈의 치료

(1) anovulation에 의한 bleeding시: mild

① mild bleeding, normal Hb: reassurance, F/U, iron 공급

② mild bleeding, mildly anemic: 호르몬 제제

Ⓐ low dose combination OCs 21일 + placebo 7일 → 3~6 cycle 동안 준 후 재평가

Ⓑ medroxyprogesterone (Provera®) 1~2 개월마다 10~13일씩

Ⓒ unexposed estrogen에 의한 endometrial build up과 irregular shedding을 방지

(2) acute bleeding시: moderate

: combination monophasic OCs (4~7일간 매 6시간마다) → regular withdrawal bleeding이 되면 combination low dose OCs를 하루에 한번씩 3~6cycle

(3) acute bleeding: emergency management

① 안정, 입원

② conjugated estrogen IV or PO

③ 효과 없으면 다른 원인이 있는지 검토

④ intrauterine clot이 있으면 suction currettage or D&C

4) 가임기 비정상 자궁출혈의 치료 ★

(1) 내과적 치료

① NSAIDs : 출혈량을 30~50% 감소시킬 수 있다.

② 호르몬 치료

Ⓐ 젊은 여성이 다량의 급성 출혈로 왔을 때

: combined OCs 하루 4알× 5~7일

→ 72 시간 내에 출혈이 멈추고, 투약을 중지하면 소퇴성 출혈. 소퇴성 출혈 5일부터 3주간을 1cycle로 하여 1일 1알씩×3개월

Ⓑ 출혈량이 과다하지 않은(Hb으로 확인할 수 있다)불규칙한 비정상적 출혈로 왔을 때

→ combined OCs를 주기적으로 투여

cf) medroxyprogesterone acetate : estrogen이 금기일 때

→ 규칙적 월경을 유도. 긴 무월경을 줄여서 예측 불가능의 시점에 발생하는 과다출혈을 예방

(2) 외과적 치료

: 내과적 치료에 실패하였거나, 내과적 치료가 금기인 경우 시행

치료목적의 D&C, 흡입 소파술, myomectomy, endometrial ablation, hysterectomy

※ Progesterone이 기본치료(급성, 만성 모두)

단, massive bleeding일 때 estrogen이 지혈 효과가 있음(progesterone은 지혈효과가 없음)

08 자궁 근종(Uterine Leiomyoma)

P o w e r   G y n e c o l o g y

I. 일반적 특징

1. 특징

1) 자궁에서 가장 흔한 종양

2) 호발 연령 : 30~40세(35세 이상 여성의 40~50%)

3) 백인 〈 흑인

(1) Estrogen effect를 시사하는 소견 ☆

① 난소의 기능이 왕성할 때 근종이 잘 자람

② 초경 이전이나 폐경기 이후에는 발생이 드물며, 특히 폐경기 이후에는 근종의 크기가 감소

③ Estrogen이 포함된 경구 피임약을 사용한 여성에서 근종의 크기가 증가

(2) Menopause 후에 기존 Size보다 증가시 의의

① Secondary degeneration

② Sarcomatous change

4) 악성화의 가능성은 매우 적다(0.5% 미만). ☆

2. 위치 ☆

자궁의 해부학적 위치에 따라	자궁벽과의 관계에 따라
1. Corpus : m/c 2. Cervix : 5% 미만 (평활근의 함량이 낮다)	1. Interstitial or Intramural : 80% 2. Subserosal : 10% 3. Submucosal : 5%

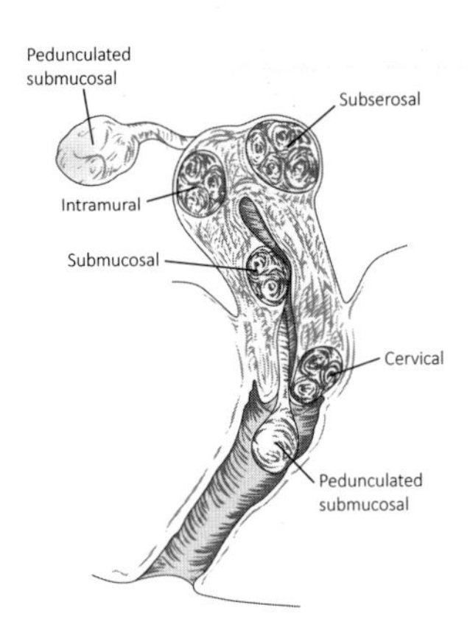

▶ Uterine leimyomas in various anatomic location

II. 위험인자

1. 월경력 : 초경이 빠를수록 자궁근종 위험 높아진다.

2. 산과력 : 출산력이 있는 경우 20~50% 위험도가 감소한다.

3. 호르몬 투여

: Estrogen와 Progesterone 모두 발생을 증가시키는 것으로 나타남.
경구피임약과 폐경 후 호르몬 치료는 자궁근종 증가시키지 않음.

4. 식생활과 운동

: 과체중 여성은 3배 이상의 위험 요소를 가지며 육류를 주로 섭취하는 군에서 채식을 주로 섭취하는 군에 비해 2배 이상의 위험 요소를 가진다(운동선수는 자궁근종 유병률 감소).

5. 흡연 : 자궁근종 위험도 20~50% 정도 줄인다.

6. 기타

① 비만 : 과체중일 경우 3배이상의 위험

② 가족력 : 위험도가 약간 증가

③ DM, HTN, PID

III. 종류

1. 간질 또는 근층 내 근종(Interstitial or Intramural myoma)

1) 빈도 : 80%(m/c site)

2) 주위 조직과 Pseudocapsule에 의해 경계가 분명하며, 침윤성은 나타내지 않는다.

2. 장막하 근종(Subserosal myoma)

1) 빈도 : 15%

2) Subserosal myoma의 특수 형태

(1) Intraligamentary myoma

① Broad ligament fold 사이에 존재

② 임상적 의의 ★

Ⓐ Ureter와 iliac vessel을 압박

Ⓑ 수술시 문제가 발생하기 쉽다.

(2) Parasitic myoma (Wandering myoma)

① 장막하 근종이 자궁에서 떨어져 Omentum에 부착되는 것으로 Omentum에서 혈액 공급을 받는다.

3. 점막하 근종(Submucosal myoma) ★

1) 빈도: 5%

2) 특징 ★

① 합병증이 가장 많다(poor prognosis).

② 출혈이 많다.

③ Sarcomatous change의 위험이 많다.

④ Infection, Suppuration, Necrosis가 많다.

⑤ Radiation resistant type

3) Pedunculated myoma (Delivered myoma)

: 점막하 근종이 pedunculate되어 Uterine muscle의 action에 의해 Cervix로 돌출된 것

IV. 임상 증상

• 일반적으로 무증상이며 25% 정도에서 증상을 나타낸다.

1. Palpable mass

2. Abnormal uterine bleeding(m/c)

1) 임상적으로가장 흔한 증상(menorrhagia-월경과다 or metrorrhagia-부정자궁출혈)

2) 기전

① 자궁내막 표면적의 증가

② 자궁으로의 혈류와 혈관의 증가

③ 정상 자궁 수축력 방해

④ 점막하 근종 위의 자궁내막 궤양

⑤ 자궁근층내 정맥총 압박

3) 치료 ★

• Endometrial curettage biopsy 해야 함

(1) 목적

① Bleeding control

② Submucous myoma의 진단

③ Myoma와 동반되는 질환과의 감별

(2) 동반되는 질환

① Adenocarcinoma

② Polyp

③ Endometrial hyperplasia

④ Ovarian dysfunction

⑤ Incomplete abortion

3. Pain

1) 원인

① Circulatory disturbance with Local necrosis

② Inflammatory change

③ Pedunculated subserosal myoma의 torsion

④ Mass enlargement → Nerve compression

4. Pressure effect

1) 방광 및 요관 압박 증상

→ Frequency, Dysuria, Bladder retention, Hydroureteronephrosis

(빈뇨, 절박뇨 증상으로 나타난다. 복압성 요실금과 감별 주의)

• Right ureter가 Left보다 더 흔히 압박

2) Rectum 압박 증상

→ Constipation, Pain on defecation

3) Upper abdomen 압박 증상 → 소화 장애

4) 혈관 압박 증상 → 하지 부종

5. 일차성 불임 및 임신 합병증

1) 임신 합병증 : 임신시에 일반적으로 자궁근종의 크기가 증가

2) 일차성 불임 : 드물다(3%)

V. 근종과 임신

1. 자궁 근종이 임신에 미치는 영향 ★

• 임신과 자궁 근종과의 관계

1) 임신 전

① 불임(드물다)

2) 임신 중

① 임신동안 다양한 합병증을 야기하며, 자궁 근종의 성장은 예측할 수 없다.

② 임신 중에는 Myomectomy를 하지 않는다(Bleeding이 심함).

(Tumor가 Discrete pedicle을 가져 쉽게 Clamp & Ligation 되는 경우만 시행한다)

Ⓐ 1st trimester

㉠ Abortion 증가

㉡ 모든 크기의 자궁 근종은 변화가 없거나 증가된 에스트로겐에 대한 초기의 반응으로 크기가 증가한다.

Ⓑ 2nd trimester

㉠ Red degeneration, Rapid growth

㉡ 2~6 cm 정도의 작은 자궁근종은 크기의 변화가 없거나 증가한다. 반면 더 큰 자궁근종은 receptor down regulation의 영향으로 좀더 크기가 작아진다

Ⓒ 3rd trimester

㉠ Dystocia, Abruption

㉡ 자궁근종의 크기와 관계없이 크기의 변화가 없거나 receptor down regulation에 의해 크기가 감소한다.

3) 자궁근종과 태반착상이 접촉되어 있든지 근종위에 부착되어 있으면 태반조기박리, 유산, 조기진통, 산후출혈등의 경향이 증가된다.

① 다수의 자궁근종들은 태아 위치이상과 조기진통 빈도의 증가와 연관성이 있다.

② 자궁근종의 변성은 특징적인 초음파 소견과 연관되어 있다.

③ 제왕절개 분만의 빈도가 증가한다.

④ 자궁경관 근종과 분만과의 관계

: 임신 초기에 산도에 인접해 있는 자궁근종은 자궁이 커지면서 위로 이동할 수 있어 질식분만시 폐쇄를 완화시킬 수 있다.

⑤ 근종절제 후 임신이 되는 빈도: 40~50%

cf) 임신 시의 자궁 근종은 Estrogen receptor가 감소하므로 큰 자궁 근종은 오히려 임신 후반기로 갈수록 크기가 감소되거나 변화없는 경우도 있다.

4) 분만 시

① 출혈, 자궁무력증, 산도의 기계적 폐쇄

5) Vaginal delivery 후

① Postpartum hemorrhage → Uterine atony

② Infection of Endometrium & Adjacent myoma

2. 임신 중 자궁근종이 커지는 원인

1) Hormonal effect (Estrogen ↑)

2) Blood supply ↑

3. 임신 중 자궁 근종의 적색 변성의 치료

1) **진통제(codeine)를 투여하면서 관찰**

VI. 자궁 근종의 2차 변성 ★

1. Hyaline degeneration(초자성 변성)

- m/c

2. Cystic degeneration(낭포성 변성)

- Hyaline degeneration의 액화

3. Calcification(석회화 변성)

4. Infection and Suppuration(감염과 화농)

- 점막하 근종에서 흔함

5. Necrosis(괴사)

- 혈액공급 장애, 감염, Pedunculated myoma의 torsion

> - **Red degeneration – m/c in pregnancy**
>   - 원인 : Local ischemia 또는 hemolysis 에 의한 Aseptic degeneration
>   - 증상 : 심한 복통, 열, 백혈구 증가
>   - 치료 : 보존적 요법(진통제-codeine 투여하며 통증 조절)

6. Fatty degeneration(지방 변성)

7. Sarcomatous change(육종성 변성)

• 빈도 : 0.1~0.6%
• 의심할 수 있는 경우
- 폐경기 이후에 자궁 근종이 갑자기 커지는 경우
- 자궁 근종을 가지고 있던 여성이 출혈이 일어나는 경우
• 증상 : 통증, 압통은 없다.

VII. 진단

1. History

2. Abdominal palpation

3. Bimanual pelvic examination

• 가장 중요하며 대부분 진단 가능하다.
• Uterine surface에서 hard, nodular mass 촉지

4. Endometrial curettage

• 동반 질환의 발견 및 악성 질환이나 다른 양성 질환과 감별 진단 가능

5. Laboratory data

• 가임기 여성- 임신반응 검사, 자궁경부 세포진 검사, CBC, 대변 검사
• 골반 내 종양 감별- CA-125 이용

6. X-ray

7. Imaging study

① 초음파
② Hysteroscopy
③ Laparoscopy - 골반 내 종양의 감별하고 양성과 악성을 가려내는 데 도움이 되며, 종양의 원천(origin)을 알기 위해 사용
④ CT, MRI - 악성 종양 의심시만

• **감별진단**
① 자궁에 유착된 난소의 염증성 종괴
② 자궁에 유착된 난소의 난소의 종양
③ 장의 자궁유착
④ 정상이지만 후굴된 자궁

VIII. 치료

1. 기대 요법

• 6개월 간격으로 Pelvic examination, 초음파로 추적 관찰

• **적응증** ★
① 자궁 근종의 크기가 Small size(임신 3개월크기 이하)
② 무증상일 때
③ Perimenopausal age 일 때(단, rapid growing myoma면 수술)

2. 내과적 치료

1) GnRH agonist ★

(1) 적응증 ★

① 큰 자궁근종을 갖고 있는 여성에서 임신을 원하는 경우 또는 자궁 근종을 절제하기 전에 전처치가 필요한 경우

② 수술 전에 있었던 빈혈 상태를 정상 혈중 Hgb 수치까지 교정하는데 소요되는 기간 동안 투여

③ 수술을 피하고자 하는 폐경기에 가까운 여성

④ 커다란 자궁 근종을 가지고 있는 여성 중 Vaginal hysterectomy를 받고자 하거나 Laparoscopy를 이용하여 hysterectomy 받고자 할 때

⑤ 건강 상태의 이상으로 인하여 수술 요법이 부적합한 경우

⑥ Delayed surgery의 적응증인 여성의 치료

(2) 효과 : 자궁 근종 부피를 40~60% 감소

(3) 부작용

① 폐경 증상 - 가역적 골다공증, 안면홍조

② 치료받은 여성의 50% 이상에서 크기가 다시 커짐

2) Progesterone 제제

3. 외과적 치료

1) 근종 절제술(Myomectomy)

(1) 향후 임신을 원할 때(불임의 원인이 될 때)

2) 자궁 절제술(Hysterectomy)

(1) 적응증 ★

① 호르몬 치료에 반응이 없는 빈혈을 동반한 부정질 출혈

② 월경통, 성교통 혹은 아랫배 압통을 동반한 만성 골반통 있을때

③ pedunculated 근종 혹은 점막하 근종의 탈출로 인한 급성 통증

④ 신부전증을 동반하는 비뇨기계 증상

⑤ 불임 조사에서 자궁근종 이외의 다른 원인이 없을때

⑥ 갑자기 자궁 크기의 증가로 인한 압통 및 통증의 증가

⑦ 자궁강 모양의 변형을 동반하는 반복 유산력이 있을때

자궁선근증(Uterine Adenomyosis)

Power Gynecology

I. 정의 ☆

- 자궁내막증이 자궁근층에 발생한 질환
- 자궁근의 비후가 동반(전반적으로 둥글게 커진 소견을 보임)

> • **조직학적 정의**
> 일반적으로 자궁내막의 기저부로부터 광학현미경 1고배율이상 떨어져 자궁내막선과 간질이 존재하는 경우

II. 빈도

- 호발연령 : 40대의 다산부

III. 증상 ☆

1. 월경 과다(Menorrhagia)

- Dysfunctional uterine bleeding
- 원인
  - 자궁내막의 양적 증가

- Prostaglandin
- Estrogen↑

2. 월경 곤란증(Dysmenorrhea)

• 원인 : 팽창된 자궁내막이 자궁근 수축으로 인해 동통 유발(Prostaglandin과 연관)

• 산통의 성격

3. 연관통(Referred pain)

• Rectum, Lower sacral region

• 동반 질환

- 약 80%에서 다른 질환과 동반 : 자궁근종, 자궁내막증식증, 자궁내막증, 자궁내막암 등

IV. 진단

1. 임상 증상

① Abnormal uterine bleeding + 월경 후 출혈이 오래 지속

② 내진 소견 - 자궁의 Diffuse enlargement ★ & Uterine tenderness

③ 월경곤란증, 월경과다

④ dyspareunia, chronic pelvic pain

⑤ endometriosis가 동반된 경우

- referred pain to lower sacral region or rectum

2. 병리소견

① 육안적 소견 : diffuse uterine enlargement, 특히 involvement in posterior wall

② 현미경적 소견

EM tissue scattered throughout the muscle

EM island should be noted at least one/HPF

3. 초음파 검사

: 경질초음파검사를 통해 자궁비대정도, 자궁의 비대칭성, 자궁근육층내의 낭종 유무, 색도플러를 이용한 혈류속도 측정 등을 통해 진단

4. MRI

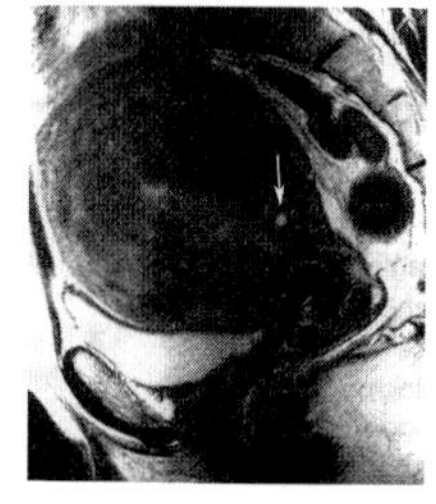

▶ T_2-weighted sagittal MR, enlarged uterus with effacement of normal zonal anatomy & Scattered myometrial cysts(arrow)

5. CA-125↑

6. 자궁근육층 세침 생검

자궁근육층 내의 침윤 깊이에 따라 grade Ⅰ~Ⅲ 결정

7. 수술 이후 병리조직학적 검사로 최종 진단

• Differential diagnosis

	Endometriosis(자궁내막증)	Adenomyosis(자궁선근증)
1. Age	25~45세	40대 이상
2. Parity	Nullipara	Multipara
3. Social class	High class, White	Low class
4. Symptom		
1) Dyspareunia	Very severe	(-)
2) Dysmenorrhea	Severe	Mild
3) Infertility	75%	20%
5. Uterus size	Normal size	Diffuse enlargement
6. Endometrium	Functional (Intermenstrual)	Non-functional (Menstrual)
7. Diagnosis	Laparoscopy	조직학적 진단
8. Treatment	Conservative	Hysterectomy

V. 치료

- 환자의 증상과 나이를 고려하여 결정

1. 대증 요법

① NSAID로 증상이 완화되거나

② 폐경기 직전의 나이로 곧 난소기능의 소실이 기대되는 환자의 경우

2. 자궁 적출술(Hysterectomy)

① 증상이 아주 심함

② 폐경이 아직도 많이 남아 있는 경우

3. 내과적 치료

① GnRH agonist

② Danazol

③ RU-486 (Mifepristone)

④ Oral contraceptive

⑤ Progestin

4. Levonorgestrel-releasing IUD (Mirena®)

: 성경험이 없는 여성에서는 다른 치료를 우선적으로 시행

VI. Stromal adenomyosis of endometriosis (Stromatosis, Stromal myosis)

1. 정의

- Endometrial tissue의 gland element없이 stroma만 myometrium내로 invasion된 경우

2. 종류

1) Benign stromal tumor

2) Low grade stromal sarcoma

① Local lymphatic or venous invasion(+), Distant metastasis(-)

② 1 HPF상 mitotic figure <10

3) Malignant stromal sarcoma

① 1 HPF상 mitotic figure > 10

Tumor	Malignant potential	Cytologic atypia	Mitoses/10 HPF
1. Stromal nodule	None	Mild~Moderate	<10 (usually 0~3)
2. Low grade stromal sarcoma	Low~Intermediate	Mild~Moderate	<10 (usually 1~3)
3. Stromal sarcoma	High	Moderate~Marked	>10

3. 치료

- (2) & (3) : Total hysterectomy with Bilateral salpingo-oophorectomy

10 자궁 내막 폴립

Power Gynecology

1. 빈도 및 원인

- 호발 연령 : 40~49세
- 원인 : endometrial hyperplasia의 원인과 유사

2. 병리

- 일반적으로 단일 종괴
- 다발성 - 20%
- 대부분 Uterine fundus에 발생(특히 cornus 부분)

3. 증상

1) 무증상

- m/c

2) 출혈

- 증상이 있는 경우 가장 많은 증상

3) 악성화 ☆

① Polyp 자체가 Malignant change 할 수 있다(0.5~1.0%).

② 폐경 후 자궁내막암의 10~34%가 폴립과 연관

→ 반드시 Endometrial curettage biopsy하여 자궁내막암의 동반여부 확인 필요

4. 진단

1) sonohysteroscopy, hysterosalpingography, 자궁경 검사 - Choice

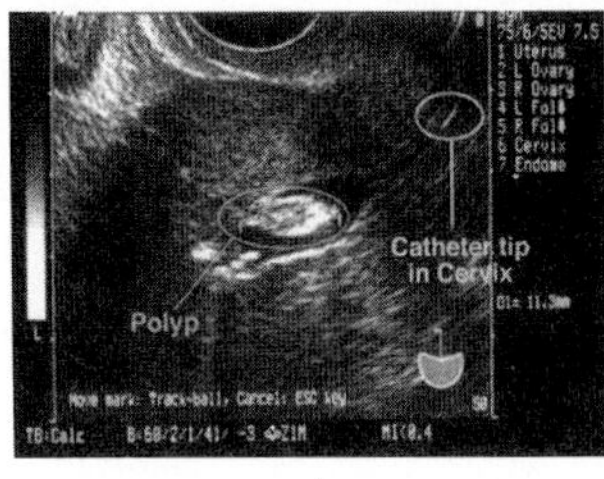

A

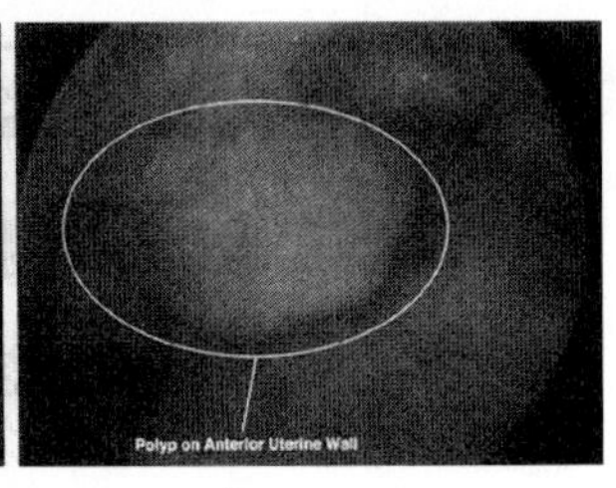

B

▶ A: Sagittal view of the uterus during sonohysterography , B: Hysteroscopy

2) 자궁 내막 생검

3) 자궁 내막 소파술 - 진단 및 치료

5. 치료

1) 악성화가 없을 때

① Cervical dilatation & Curettage

② Hysteroscopy로 제거 후 laser ablation (polypectomy)

2) Adenomatous, Recurrent, Atypical polyp 일 때

→ Total hysterectomy

11 난소 낭종, 종양 및 자궁 부속기 종괴

● 골반종괴의 감별진단

골반 종괴의 감별 진단		
낭종형 (Cystic)	복합형 (Complex)	고체형 (Solid)
1. 완전한 낭종형 생리적 난소 낭종 낭선종 난관 수종 자궁 내막종 부수 난소 낭종 2. 다발성 자궁 내막종 다발성 난포낭종 3. 분리형 낭선종 (암) 장액성 유두성	1. 낭종 형태가 우세 낭선종 난관난소 농양 딴곳 임신 기형낭종 2. 고체 형태가 우세 낭선종 (암) 배세포 종양	1. 자궁내 자궁 근종 (육종) 자궁내막암, 육종 2. 자궁외 고체형 난소종양

I. 연령에 따른 Pelvic mass의 특징

1. Children & adolescents (Prepubertal)

1) Ovarian mass

① Malignancy - 35% (9세 이하 경우 80%가 악성)

② m/c type - Germ-cell tumor (60%)

(Epithelial tumors는 드물다)

③ 주증상 - Abdominal or Pelvic pain (∵ Rapid growing)

④ 감별 질환 - Wilms' tumor or Neuroblastoma

2. Adolescent age group

1) Ovarian mass

① Functional cyst가 빈발하며 악성의 위험확률은 낮음

② 나이가 증가함에 따라 상피성 난소종양 증가

m/c type - Mature cystic teratoma (50% 이상)

③ Dysgenetic gonad - 25%에서 악성종양 발생(Gonadectomy 요함)

2) Inflammatory masses

① PID의 유병률이 가장 높은 연령

② Tubo-ovarian complex, Tubo-ovarian Abscess, Pyosalpinx, Hydrosalpinx

3) Pregnancy

① Ectopic pregnancy - β-hCG 정량 검사로 진단

3. Reproductive age group

1) Uterine mass

① Uterine myoma가 m/c(생식기 전체 여성의 20%)

2) Ovarian mass

① 대부분 Benign

3) Other adnexal mass

① Inflammatory mass

② Ectopic pregnancy

③ Parovarian cyst

④ Endometrioma

4. Postmenopausal age group

1) Ovarian mass

① 폐경 후 난소 크기의 변화 → 점점 작아짐

② Ovarian neoplasm의 30%가 악성

③ Ovarian cancer incidence 증가(평균연령 61세)

- 50세 이상에서 골반종괴의 개복수술시 50%가 악성

2) Uterine & Other adnexal mass

① Parovarian cyst, Retroperitoneal cyst

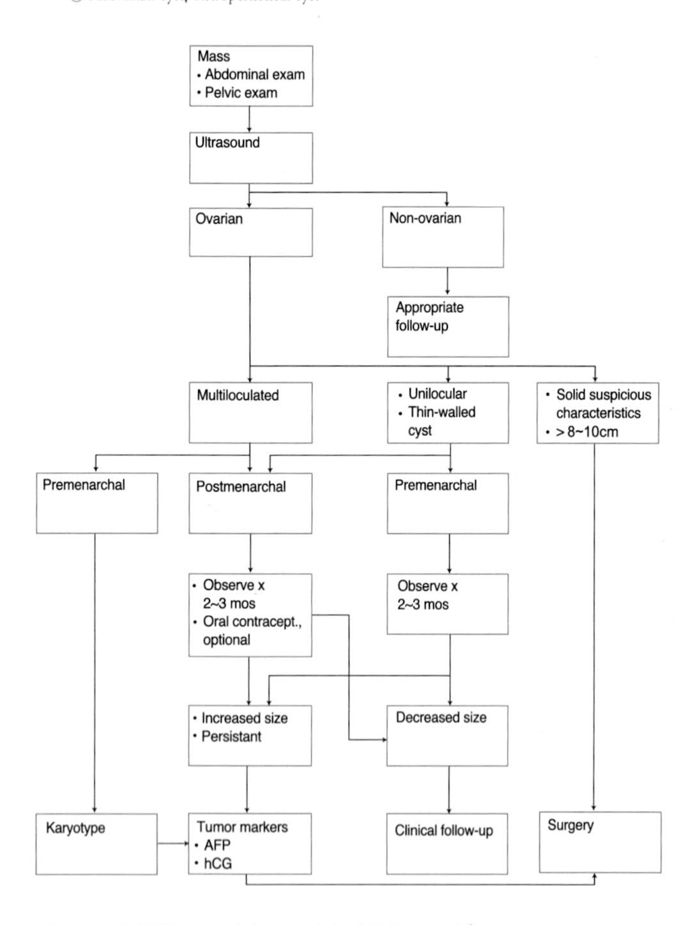

▶ Management of Pelvic masses in Premenarchal and Adolescent girl ☆

II. Ovarian mass

1. Nonneoplastic (Functional) ovarian cysts

• 종류 ☆

1) Follicular cyst (m/c) - pedicle torsion이 흔함

2) Lutein cyst or theca lutein cyst

3) Polycystic ovarian disease (Stein-Leventhal syndrome)

4) Germinal inclusion cyst

5) Endometrial cyst

6) Inflammatory cyst

7) Corpus luteum cyst

1) Follicular cysts

(1) 생성 기전 – 성숙한 난포나 퇴화중인 난포에서 유동액이 정상이상으로 고여서 생긴 것

(2) 크기 – 보통 5 cm 이하(직경 7~8 cm 이상은 드물다)

(3) 증상

① Asymptomatic

② 월경이상

③ Heavy sense, Pull ache

(4) 결과

① Spontaneous resorption

② Torsion of the pedicle

③ Spontaneous rupture with intraabdominal bleeding

(5) 진단

① Palpation

② Ultrasonography

(6) 치료 ☆

•Torsion 시 치료 - 편측 부속기 resection

① 관찰

Ⓐ 대부분 수주간 관찰하면 자연히 없어지는 경우가 많다.

② Operation

Ⓐ 연령에 따른 결정

㉠ Young women (<5 cm) - 8~10주 관찰 후 수술 여부 결정

㉡ Middle age - 4~5주 관찰후 수술 여부 결정

㉢ 폐경기 여성 - 즉시 수술하여 Malignancy와 감별요

Ⓑ 방법

㉠ Small cyst - Needle aspiration or Resection

㉡ Large cyst - 정상 난소조직을 보존하면서 낭종 제거

2) Lutein cyst or Theca lutein cyst

(1) 생성 기전

- 난소가 태반성자극호르몬(human chorionic gonadotropin)의 과다한 자극을 받아 생기는 것
- 대개 Bilateral

(2) 조직학적 특징

- 난포주위를 둘러싸고 있는 기질의 황체화

(3) 원인

① Multiple gestation (cf. normal pregnancy - rare)

② Ovarian hyperstimulation with hMG, hCG or GnRH (infertility patient)

③ DM

④ Rh sensitization

⑤ Clomiphene citrate 사용

⑥ GTD (H-mole 환자의 20~60%), choriocarcinoma

⑦ Early abortion

⑧ Persistent corpus luteum (=Halban's disease)

(4) 증상

① Delayed mensturation- 계속적인 hormone 생성 때문

② Persistent vaginal spotting

③ Pelvic pain- Cyst 내로 갑작스런 출혈 때문

④ Torsion, Spontaneous rupture

(5) 진단 – Ectopic pregnancy와 감별 요함

• Tubal pregnancy와 감별방법

① Pregnancy test (hCG test)

→ Lutein cyst(+) / Ectopic pregnancy(50%에서 positive)

② Laparoscopy, Culdoscopy - 확진

(6) 치료

① Observation

Ⓐ 포상기태 제거나, 분만 후 hCG감소에 의해 대부분 Spontaneous remission

② Hemorrhagic cyst or Intraperitoneal bleeding인 경우

Ⓐ Explolaparotomy & Excision

> **• Malignant cyst와 Functional cyst의 감별** ☆
> • Oral pill 2개월 투여 → Lutein cyst → regress
> Neoplastic cyst → Persistent
> • Oral contraceptives와 Functional ovarian cyst의 관계
> → OCs가 ovarian cyst의 발생위험을 감소시킨다.

3) Corpus luteum cyst

(1) 생성 기전 – 임신이 아닌 경우 비정상적으로 성장하거나, 강내로의 출혈로 인한 낭성변화

(2) 크기 – 3 cm 이상

(3) 증상

① 무월경, 불규칙적인 자궁출혈

② pelvic pain(낭종강내로의 출혈)

(4) 감별 진단 –

① Ectopic pregnancy

② Pregnancy test, Culdoscopy or Laparoscopy

(5) 치료

① Observation

② Cystectomy- Large size, 복강 내 출혈시

• Halban's disease- Persistant corpus luteum

4) Polycystic ovarian disease (Stein–Leventhal syndrome)

5) Germinal inclusion cyst

① 생성 기전 - 배란 후 난소의 기질내로 표면상피가 함몰되어 2차적으로 일어나는 것

② 호발 연령 - 주로 가임기의 말기에 자주생김

③ 실제 상피암 종양의 전구질환이라는 견해가 지배적

2. Neoplastic masses

1) Serous tumor

① Benign (65~75%) / Borderline (5~10%) / Malignant (20~25%)

② Psammoma body가 종양 내 산재

2) Mucinous tumor – 5~10%가 malignant

3) 기타 – Fibroma, Brenner tumor, Cystadenofibroma

3. Ovarian tumors in children

① Functionl cyst (Follicle or Lutein)를 제외하면 Dermoid cyst가 가장 많다.

② Menarche (ovulation)전에는 상피성 종양이 드물다.

③ Isosexual precocity와 adnexal enlargement 보이는 환자의 가장 흔한 Ovarian neoplasm은 granulosa-theca cell tumors

④ Menarche 전 → 일반적으로 Neoplastic, Menarche 후 → 일반적으로 Functional

4. Ovarian tumors in pregnancy

1) 임신 중 가장 흔한 종양

→ Benign dermoid & Mucinous cystadenoma (over 1/2)

2) 임신 중 악성 빈도 – 2.5%

3) 임신 중 Ovarian tumor의 합병증

① Pedicle torsion(m/c)

② Cystic rupture

③ Uterine rupture

④ Birth canal의 mechanical obstruction으로 Mechanical dystocia

4) Prompt surgical indication

① Large enough

② Symptomatic enough

③ Suggestive of Malignancy

5) 임신 중 난소종양의 치료

(1) Small (6 cm↓) Benign asymptomatic tumor

①Observation

(2) Large tumor (6 cm↑)

① Early pregnancy

Ⓐ 1st trimester 후까지 연기(ovary에서 placenta로 프로게스테론 합성 이동 후) → 16주에 수술(4개월)

Ⓑ Complication, 10 cm 이상, Malignant 의심시 즉시 수술

② Late pregnancy

Ⓐ Vaginal delivery 후까지 Operation 연기

Ⓑ C-section delivery시는 같이 수술

③ Mid-trimester - Non-pregnant시와 같이 chemotherapy 할 수 있음

(3) Luteoma of pregnancy – 임신 후반S기에 spontaneous regression

III. General consideratoin of Adnexal mass

1. Evaluation of adnexal mass

1) History

① Age of patient

Ⓐ young : follicle or lutein cyst가 많다.

Ⓑ postmenopausal : neoplasm이 많다.

② Menstrual history

③ Family history등 risk factors

④ Pain nature

Ⓐ acute pain : rupture or torsion

Ⓑ gradual pain : neoplasm, hematoma, infection, diverticulitis lesions of bowel or urinary tract

⑤ Other associated symptoms

2) Physical examination of mass ★

	Benign	Malignant
Unilateral Bilateral	+++ +	+ +++
Cystic Solid	+++ +	+ +++
Mobile Fixed	+++ +	++ +++
Irregular Smooth	+ +++	+++ +
Ascites	+	+++
Cul-de-sac nodule	-	+++
Rapid growth rate	-	+++

3) Laboratory studies

(1) Pap smear

(2) Pelvic mass with abnormal bleeding시 endometrial biosy필수

(3) Pregnancy test

(4) Tumor markers

① hCG - Trophoblast, some germ cell tumors

② AFP - Germ cell tumor

③ Estrogen - Granulosa cell tumor

④ Testosterone - Sertoli-Leidig cell tumor

⑤ CA-125 - Ovary adenocarcinoma

⑥ CEA - some germ cell tumor

4) Imaging studies

(1) Ultrasound (Transabdominal or Transvaginal) with color doppler velocimetry

: m/c indicated & used

양성 및 악성 종괴의 감별 진단		
	Benign	**Malignancy**
1. Size	<5~6 cm	Large (>6 cm)
2. Locules	Unilocular	Multilocular
3. Septa	Thin (<3 mm)	Thick (>3 mm)
4. Internal echo	Anechoic Homogenous	Mixed echogenicity Inhomogenous
5. Inner wall structure	Smooth-walled	Solid areas (Papillary growing)
6. Ascites	-	++
7. Calcification	-	++
8. Blood flow pattern (Doppler)	Low-velocity, increased blood flow	increased blood flow

(2) Simple X-ray, CT, MRI

- not primarily indicated

① Urinary tract studies: Cystoscopy, US, IVP

② GI tract: Upper GI series, Barium enema

③ Upper & Lower GI endoscopy

5) Laparoscopy

6) Laparotomy

2. Management of adnexal masses

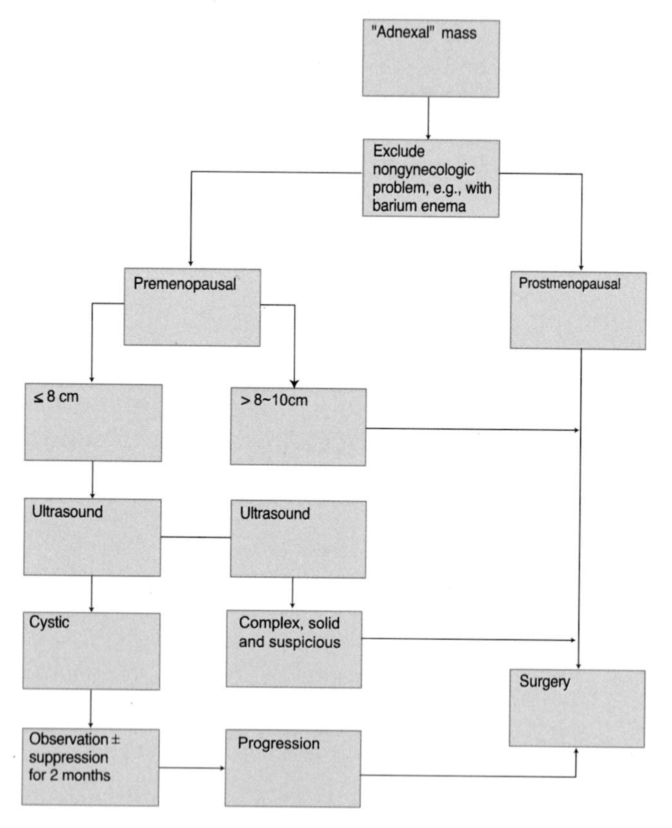

▶ Preoperative evaluation of the patient with an Adnexal mass

12 월경 곤란증과 월경전 증후군

Power Gynecology

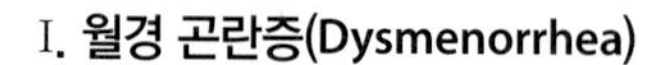

I. 월경 곤란증(Dysmenorrhea)

1. 정의

1) 통증을 수반하는 월경

2) 분류

① 원발성 월경통 - 골반장기의 기질적 병변없이 자궁 자체의 내재요인에 의한 월경통
초경 시작 후 1~2년 내 발생, 배란성 주기
60~90%가 분만 후 소실

② 속발성 월경통 - 골반 장기의 기질적 병변에 의한 통증
통증 양상이 무배란성 주기이거나 초경 2년 이후에 발생
Endometriosis가 m/c cause

Gynecologic cause of Chronic cyclic pelvic pain
1. Primary dysmenorrhea
2. Secondary dysmenorrhea
1) Endometriosis
2) Uterine or vaginal anomalies with obstruction of menstrual outflow
3) Intrauterine synechiae (Ashermans's syndrome)
4) Endometrial polyps or intrauterine device (IUD)
5) Uterine leiomyoma
6) Adenomyosis
7) Pelvic congestion syndrome
3. Atypical cyclic
1) Endometriosis
2) Adenomyosis
3) Ovarian remnant syndrome
4) Chronic functional cyst formation

대사 효과	1차성	2차성
Definition Onset Duration NSAIDs 반응	골반질환 없는 월경통 월경 시작 직후 48~72시간 지속 NSAIDs에 의해 pain 해소	골반질환과 관련 월경 전 1~2주 전 월경 후 수일까지 지속 NSAIDs에 별로 반응 없음

2. 원인

1) Prostaglandin & Myometrial activity

(1) 특히 PGF2α↑→ 자궁 근육의 수축, 혈관 수축 → ischemia and pain

cf) 원발성 월경곤란증의 주요 원인 → PGF2α

(2) Prostaglandin 생성의 특징

① 자궁 내막 증식기에 비해 분비기에 증가

② 황체기 후기에 Progesterone 생성↓

→ Lytic enzyme 활성화 → ┌ Phospholipid release
├ Arachidonic acid 생성
└ Cyclooxygenase pathway 활성화

*PGE_2, $PGF_{2\alpha}$: potnet oxytocic actions

2) Endocrine factor

• Estrogen/Progesterone 비의 ↑

3) Anatomical factor

• 월경혈 배출로의 폐쇄 - Retroversion uterus, Endometrial polyp, IUD, Subserosal myoma

→ 자궁 내강의 확장 → 자궁 수축

4) Psychiatric factor

5) Constitutional factor

• anemia, DM, 만성소모성 질환, 과로, stress

3. 증상

1) 시기

• 월경시작 수시간전 or 시작 직후 발생(24시간 이내)

• 1~3일 지속(3일 이상 지속하는 경우는 거의 없다)

cf) secondary dysmenorrhea: 월경 시작 1주일 이상 전에 시작하여 flow가 중단된 후 소실

2) 통증 부위

• 치골 상부의 경련통, 요추부의 동통, 앞쪽 대퇴부의 방사통

3) 동반 증상

• Nausea, Vomiting, Diarrhea, Headache, Flushing, Syncope (Prostaglandin에 의한 Effect)

4) 원발성 월경 곤란증을 가진 여성은 자궁의 긴장도가 높고, 매우 강한 자궁 수축이 나타나며, 결과적으로 자궁 혈류량이 감소한다. 또한 vasopressin의 농도가 높다.

4. 진단

1) Pelvic pain에 대한 evaluation이 필요하다.

: CBC, quantitative hCG, ESR, Urine analysis, stool occult blood, CA-125, US.

2) 원발성 월경곤란증의 진단– 골반 내 기저 질환이 없고, 통증이 주기성(cyclic)

3) 속발성 월경곤란증을 의심할 수 있는 경우

① menarche 후 첫 1~2 cycle 동안 발생(congenital outflow obstruction)

② 25세 이후에 발생한 dysmenorrhea

③ 수 년간의 pain free cycle 후 발생(임신의 합병증으로 ectopic or threatened spontaneous abortion, endometriosis 고려)

④ P/Ex 상 pelvic abnormality, infertility (endometriosis, PID, etc. 고려)

⑤ heavy menstrual flow 또는 irregular cycles (adenomyosis, fibroids, polyps 고려)

⑥ dyspareunia

⑦ NSAIDs, oral contraceptives에 반응이 없는 경우

4) 속발성 월경곤란증의 원인을 찾기위한 검사

: 내진, hysterosalpingography, laparoscopy, ultrasonography, IVP, 자궁경부로부터 균배양, 혈액검사, urineanalysis 등

5. 치료

1) 원발성 월경 곤란증 ★

(1) 대증적 요법

① 월경 생리에 대한 이해(Reassurance)

② 생활 환경 및 식사 개선, 적당한 운동

③ Analgesia- 월경 시작 전일과 월경일

④ Diuretics- fluid retention과 pelvic congestion ↓

⑤ Local heat therapy

(2) Prostaglandin inhibitor (NSAIDs) – 가장 흔히 사용

① Type

	Type I	Type II
작용 기전	Cyclic endoperoxide 합성 억제	Cyclic endoperoxide Cleavage enzyme에 작용
종류	Indomethacin Mefenamic acid	p-Chloromercury benzoate Phenylbutazone

② 장점

Ⓐ 과다한 월경량의 교정 → blood loss↓

Ⓑ 월경통 감소

Ⓒ IUD 사용시의 hypermenorrhea를 경감

③ 단점

Ⓐ 신경계 증상 - Headache, Blurred vision, Nervousness, Dizziness, Drowsiness

Ⓑ 피부 증상 - Rash

Ⓒ GI symptom - Nausea, Vomiting, Diarrhea

• 월경 전에 사용하면 월경지연을 유발

pain 시작 직전에 복용, 약 80%에서 pain relief
contraindication:gastrointestinal ulcer, aspirin hypersensitivity

(3) Endocrine treatment

① Oral contraceptive(90% 이상의 여성에서 pain relief), Estrogen 요법(Premarin), Progesterone 요법, Testosterone 요법(methyltestosterone)

(4) Tocolytic treatment (muscle contraction 억제 & blood flow↑)

① Calcium channel blocker (Nifedipine)

② β_2 agonist (Terbutaline)

(5) Surgery

: Dilatation & Curettage, Cervical dilatation, Presacral neurectomy, Hysterectomy

(6) acupuncture or transcutaneous electrical nerve stimulation

2) 속발성 월경 곤란증

• NSAIDs, OC는 효과가 없으므로 원인 질환을 찾아서 치료해야 한다.

Endometriosis(m/c)

Adenomyomatosis, PID, Cervical stenosis, Uterine myoma 등

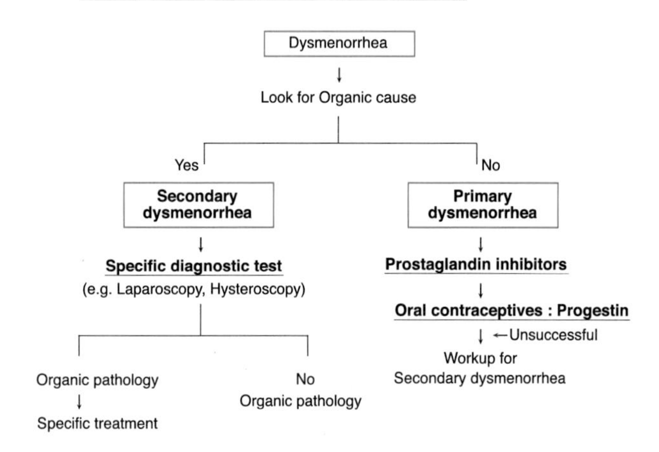

▶ Dysmenorrhea의 진단 및 처치

II. 월경전 증후군(Premenstrual syndrome)

* 가임기 여성의 70~90%에서 나타남.

1. 정의

1) 월경과 관련된 정서 장애로서 월경 시작전 1주전에 신체적, 정서적, 행동적 증상이 반복적, 주기적으로 발생하여 월경시작 직전이나 그 직후에 소실되는 것

2) 임상적으로 3가지 조건이 필요하다.

① 증상이 주기적으로 황체기에 나타나야 한다.

② 난포기에는 증상이 없어야 한다.

③ 일상 생활에 지장을 초래할 정도로 증상이 있어야 한다.

2. 원인

① Endocrine - estrogen↑, progesterone↓, prolactin↑, insulin, thyroid hormone, hypoglycemia

② Fluid retention - secondary aldosteronism

③ Endorphin(opiate peptide) → ADH ↑→ prolactin ↑

④ Prostaglandin

⑤ 비타민 B_6 deficiency

⑥ 심신기능장애 또는 정신질환적 성격

• Major depression의 F.Hx, postpartum depression의 Hx

⑦ Hypoglycemia

3. 증상

정신적 증상	신체적 증상
Anxiety Depression Irritability Wide mood swings Increased appetite Aggression Lethargy or Fatigue Forgetfulness Sleep disorders Phobia	Abdominal bloating Edema Weight gain Constipation Hot flush Breast pain Headache Acne Rhinitis Palpitation

4. 치료 ★

① 안심(Reassurance) 및 lifestyle modification

- aerobic exercise, relaxation training, anger management training

② Progesterone

③ 부종 치료

Ⓐ 저염식, 고단백 식사

Ⓑ 이뇨제(Thiazide, Spironolactone)

④ 정신과적 치료 - SSRI(PMS에 효과가 입증된 약물), Anxiolytics, 우울증(Lithium), 두통(Metenamic acid)

⑤ 식이요법 ┌ sugar, 인공감미료, caffeine의 섭취제한
　　　　　 └ complex carbohydrate 복용 권장

(serotonin 합성 위한 tryptophan을 제공하여 효과가 있다고 생각되어짐)

⑥ Bromocriptine - 유방팽반감, 유방통증에 효과

⑦ 배란 억제제 - 경구피임약, Danazol, GnRH agonist

⑧ 비타민 B_6

⑨ 난소 적출

⑩ 기타 : NSAIDs, Alprazolam 등

III. 기타 월경에 관련된 질환

1. 월경 전 부종(Premenstrual edema)

① 빈도 - 정상 여성의 약 20%

② 원인 - 수분 저류

③ 시기 - 월경시작 수일 전에 시작하며, 배란기에도 나타날 수 있다.

④ 경과 - 월경 후에는 다뇨 증상이 생기면서 부종이 사라진다.

2. 특발성 부종(Idiopathic edema)

① 원인 : 정서적, 감정적 장애가 체내에 수분 저류를 촉진시킨다.

Catecholamine↓ → Renal dopamine system↓ → RAAS↑ → 수분저류

3. 대상성 월경(Vicarious menstruation)

① 정의 : 월경 주기에 일치하여 주기적으로 자궁 외의 장소에서 나타나는 출혈

② 호발 부위 : 비점막 출혈(m/c)

유선, 소화기계, 폐, 눈썹, 신장, 배꼽, 외이도

③ 치료 : 비강전기 소작, Danazol, Methyltestosterone, Oral contraceptive

4. 월경중간 동통과 배란기 출혈

① Kleine Regel (little period)

- 월경주기 사이에 규칙적으로 흘러내리는 경미한 출혈

② 중간통(Mittelschmerz)

- 난포의 성장에 따른 난소의 부종
- 배란시 난포 파열에 의한 약간의 복강 내 출혈 → Peritoneal irritation sign

5. 월경성 간질(Menstrual epilepsy)

13 외음부, 질, 자궁경부의 질환

Power Gynecology

I. 서론

1. Vagina의 Normal flora ★

1) 종류

① *Lactobacilli* (Döerlein's bacilli)- m/c

② *Staphylococcus*

③ *Streptococcus*

④ Diphtheroid

⑤ Fungus

2) Vagina 내에서 Döerlein's bacillus의 작용

- Vaginal epithelium 내의 Glycogen을 분해해서 Lactic acid로 만들어 Vagina의 acidity(pH 4.5 이하)를 유지한다.

3) Vagina의 pH

(1) Puberty 이후 : pH 4.5~5.0 → Vagina의 자정작용

(2) Vagina의 산도(pH)에 영향을 주는 요인

① Döerlein's bacillus

② Amniotic fluid during pregnancy

③ Ovulation

- Menstruation은 영향 끼치지 않는다.

4) Reproductive age에서 Gonococcal infection이 낮은 이유

① 질상피조직이 여러 세포층으로 두껍다.

② Gland가 없다.

5) 정상 질분비물의 양상

① 솜모양, 주로 흰색

② 호르몬 주기에 영향을 받는다(Huggins와 Preti, 1981).

③ 에스트로겐 자극을 받는 경우 : 표피세포 증가
프로게스테론(황체기) : 중간층세포 증가
두 호르몬이 다 결핍된 경우 : 방기저세포(paraabsal cell)이 주로 나타남.

2. Vulvo-Vaginal infection의 원인

1) Reproductive life

• Specific organism infection이 많다.

① *Trichomonas vaginalis* ┐
② *Monilia(Candida)* ┘ 2대 질염

③ *Haemophilus vaginalis*

④ Herpes virus

2) Infant

① Foreign body (Toilet tissue가 많다.)

② Chicken pox

③ Sexual abuse

3) Prepubertal, postmenopausal years

① Gonococcal infection

② Nonspecific organism : *Staphylococcus, Streptococcus, E. coli* (∵Vaginal epithelium이 thin)

3. Vaginitis의 공통적인 Sign & Symptom

① Vaginal discharge, leukorrhea

② Vulva의 irritation & itching(특히 urination시 pain)

③ Local inflammation sign or change

④ Dyspareunia (painful coitus)

⑤ Recur 잘 함

4. Vulvovaginal infection 비교 ★

	세균성질증 (bacterial vaginosis, BV)	트리코모나스 질염 (Trichomonas vulvovaginitis)	외음질 칸디다 (vulvovaginal candidiasis)
원인균	*Gardnerella vaginalis* (short G (−) bacilli)	*Trichomonas vaginalis* (flagellated parasite)	*Candida albicans(m/c)*
특징	비 비린내나는 회색의 분비물	노란, 화농성 냄새가 나는 기포성 분비물 딸기 양상의 질벽	우유찌꺼지 같은 분비물 임신부, 당뇨병, 항생제, 경구피임약, 스테로이드 사용, 폐경 여성, hypoparathyroidism
소양감	±(별로 심하지 않음)	+	+
젖은 펴바른 표본	클루세포 보임	편모있는 원충 보임	균사 보임
pH	> 4.5 (상승)	> 5.0 (상승)	< 4.5 (정상)
Whiff 검사	(+)	(−) or (+: BV 동반)	(−)
클루세포	(+)	(−) or (+: BV 동반)	(−)
WBC	(−)	증가	(−)
치료	metronidazole clindamycin 성상대자는 치료 안함	metronidazole 성상대자로도 치료(STD)	국소 azole(clotrimazole) fluconazol
임신	PROM ↑ 조기 진통과 조산 ↑ 융모양막염 C/sec후 자궁내막염	PROM ↑ 조산 ↑	조기진통(−), 조산(−)

II. Vaginal infectoin

1. Bacterial vaginosis

• Nonspecific vaginitis or *Gardnerella* vaginitis or *Haemophilus* vaginitis

1) 원인

① 정상 질세균군의 변형으로 Hydrogen peroxide-producing Lactobacilli가 감소되고 Anaerobic bacteria가 과증식되는 것(*G. vaginalis*)

② 잦은 성교나 질 세척(douch) → 반복되는 알칼리화(alkalinization)

2) Symptom

① Leukorrhea → 약간 크림같은 질 분비물

② Pruritis

③ Dyspareunia

3) Diagnosis

① 생선 냄새가 날 경우(특히 성교 후), 그리고 회색빛 질 분비물이 있을 경우

② 질 분비물의 산도- 4.5~5.0 이상(일반적으로 4.7~5.7) ★

③ 현미경적으로 Clue cell 수가 증가하고 백혈구가 현저히 적을 경우 ★

(진행된 경우 Clue cell이 20% 이상이 된다)

④ 질 분비물에 KOH를 첨가하면 Fishy amine-like 냄새가 난다(Whiff test 양성).

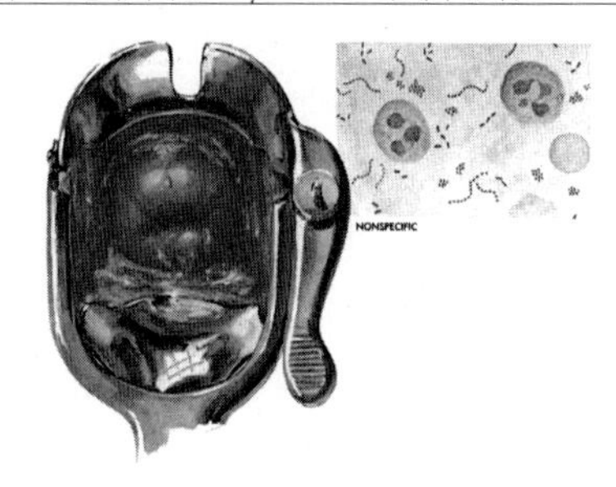

4) 합병증

① PID, Postabortal PID, Postoperative cuff infection after hysterectomy

② Abnormal cervical cytology

③ 임신부에서 PROM, Preterm labor, Chorioamnionitis, Postcesarean endometritis의 위험도 증가 ★

5) Treatment

• 치료 원칙 - Lactobacilli를 제외한 Anaerobic bacteria를 억제하는 것

① Metronidazole, 500 mg orally twice a day for 7 days

(사용중이거나 사용 후 24시간 술은 삼간다.)

② Metronidazole gel, 0.75% 5 g intravaginally once or twice daily for 5 days

③ Clindamycin cream, 2% 5 g intravaginally at bedtime for 7 days

④ Clindamycin, 300 mg orally twice daily for 7 days

⑤ 임신 시

: Metronidazole 250 mg 하루3번 7일간 경구복용 (임신 1삼분기는 피하기)

: Clindamycin 2% cream 5 gm을 취침 전 질내에 주입, 1회씩 7일간 사용(임신 1삼분기 사용가능)

: 증상 재발 시 재내원을 교육

: 표준치료를 시행한 후 재발이 있는 다수의 환자에서는 metronidazole gel을 일주일에 두 번 4~6개월 사용 가능

• 성 상대자의 치료는 효과가 좋지 않아 추천되지 않는다.

2. Trichomonas Vaginitis

1) 원인균

• *Trichomonas vaginalis* (Anaerobic, Flagellated parasite)

→ 산소와 결합하여 Hydrogen을 생성(60% 가량에서는 Bacterial vaginosis 동반)

2) 증상

① Leukorrhea (Thin greenish-yellow foamy discharge, Foul smelling)

② Vaginal soreness, buffing, itching

③ Dyspareunia

3) 진단

① 상당량의 화농성 냄새가 나는 기포성의 질 분비물을 동반하며 Vulvar pruritus 유발

② 균 농도가 높을 경우 Patchy vaginal erythema & Colpitis macularis ("Strawberry" cervix)를 관찰할 수 있다.

③ 질 분비물의 pH 5.0 이상

④ Microscopic finding - Motile, Pear-shaped, Flagellated trichomonas를 관찰할 수 있고, Leukocyte ↑

⑤ Clue cell이 나타날 수 있다(∵Bacterial vaginosis와 공존가능하므로).

⑥ Whiff test - positive로 나올 수 있다.

4) 합병증

① Hysterectomy 후 Postoperative cuff cellulitis의 위험 증가

② 임신부에서 PROM, Preterm delivery 위험 증가

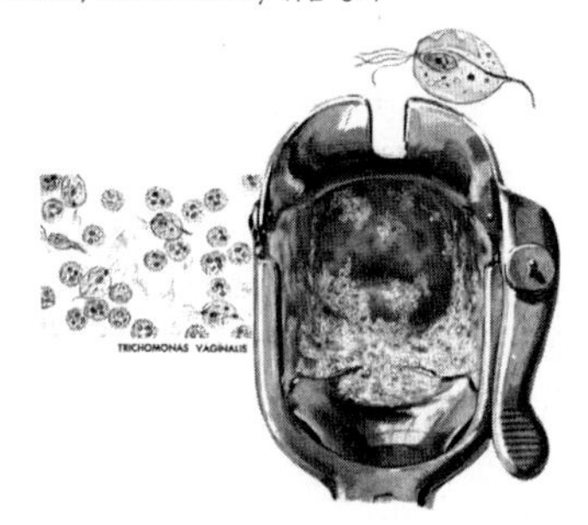

5) 치료

① Metronidazole (Drug of choice) 1회 요법(2 g 경구투여)나 다중요법(500 mg 하루 2회씩 7일간) → 완치율 95%

② Sexual partner도 함께 치료하여야 함

③ 반응 없는 경우 Metronidazole, 500 mg twice daily for 7 days

④ 그래도 반응 없는 경우 Metronidazole 또는 Tinidazole 2 g 1회 요법으로 5일간 사용하고 기생충을 배양하여 Metronidazole과 Tinidazole에 대한 감수성 검사

⑤ 재감염율이 높기 때문에 초감염으로부터 3개월 후에 *T. vaginialis*에 대한 재선별검사 시행을 고려

6) 임신 중에 감염된 trichomonas vaginitis의 Treatment

① 1st trimester : Only local cleaning (not Metronidazole)

② 이후 : 비임신시와 동일

• 3 months 이상 추적검사해야 완치

3. Vulvovaginal candidiasis

• leukorrhea를 호소하는
  - non-pregnant women의 10%를 차지
  - pregnant women의 1/3을 차지

1) Predisposing Factor ★

① Antibiotics나 steroid 과다 사용 : 정상 세균총 감소

② Pregnancy : 세포성 면역 감소

③ Diabetes DM : 세포성 면역 감소

④ oral pill

⑤ postmenopausal women

⑥ hypoparathyroidism

2) 원인균

: *Candida albicans(m/c)*

3) Symptom ★

• Premenstrual period에 악화되는 경향이 있다.

① leukorrhea : Milk curdy like thin watery to a thick purulent character(우유찌꺼기 같은 분비물)

② Pruritus : main Symptom

③ hyperemic, reddish vagina, vulvovaginal mucosa

④ thrush like patch of vagina, vulva

4) Diagnosis ★

① Vaginal discharge, Vaginal soreness, Dyspareunia, Vulvar burning, Irritation

② 질의 산도 - 정상(<4.5)

③ Fungal element의 발견(Budding yeast form or Mycelia): 80% 이내에서 발견

④ Whiff test - Negative

⑤ 현미경적으로 확인이 안 된 경우라도, pH와 Saline preparation의 결과가 정상이면서 질, 외음부에 erythema가 증가했다면 진균 감염으로 진단할 수 있다.

⑥ Fungal culture - 확진하기 위해 시행(Sabourarud 배지, Nicherson배지)

5) Treatment

① Topically applied Azole drugs(m/c)

Ⓐ Butoconazole, Clotrimazole, Miconazole, Ticonazole, Terconazole

Ⓑ 임신 시 : 질 염의 증상이 없을 때는 치료가 필요 없다

: 증상이 있을 때는 태아의 선천성 기형의 가능성이 있기 때문에 경구용 fuconazle는 피

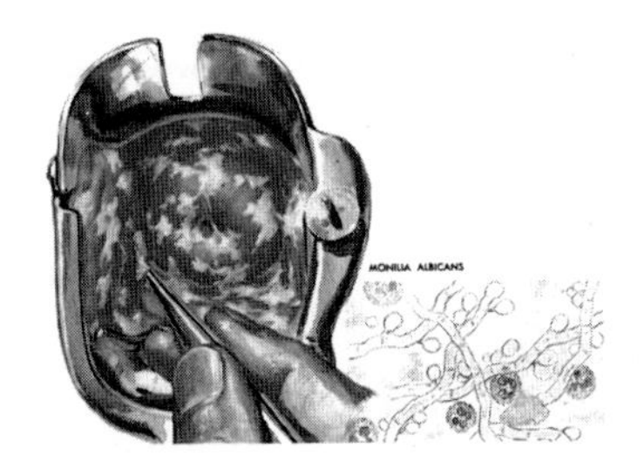

하고, 국소적 요법으로 cotrimazole, miconazole, butoconazole, terconazole, nystatin 등이 모두 이용 가능

: 경구용제 - 수유 부에서 금기

② gentian violet : 1~2% 용액을 2~3일 간격으로 질점막, 질전정, 음순에 염증이 없어 질 때까지 도포하는데, 보통 2~3회면 충분

③ Oral antifungal agent-Fluconazole 1회 150 mg

④ 1% Hydrocortisone - 보조 치료로 자극 증상 해소

⑤ 진균은 성교에 의해 전염되는 성병이 아니므로 일반적으로 성파트너에 대한 치료는 불필요.

Ⓐ Recurrent vulvovaginal candidiasis의 치료

→ Fluconazole을 증상이 없어질 때까지 사용, 이후 예방적으로 6개월동안 사용

4. Atrophic vaginitis

1) 원인

① 주로 폐경 후 여성에서 호발

② Estrogen 결핍 - Vaginitis가 발생하고 화농성 질분비물 증가(성교통과 성교 후 출혈)

2) 진단

① 증상 : 성교통, 성교 후 출혈

② 내진 : atrophy of external genitalia, vaginal rugae가 없어짐

③ microscopy of vaginal secretion - parabasal epithelial cell이 우세, 백혈구 증가

3) 치료

• Estrogen cream, intravaginally each day for 1~2 weeks

5. Bartholin adenitis(바르톨린 선염)

1) Vestibular gland의 구성

① Bartholin's gland

② Paraurethral gland

- 산과적 중요성 - Venous plexus가 많아서 약간의 Injury에도 Bleeding이 흔하다.

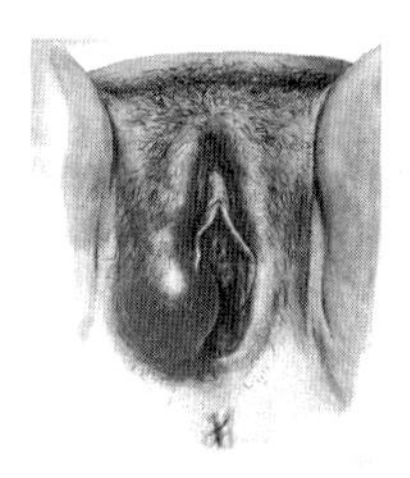

2) 치료

- vulvar and labial abscess 지속시 surgical drainage

① Rest

② Analgesics & Thermotherapy

③ Antibiotics

④ 재발시에는 Marsupialization(주머니 형성술)

3) Chronic Bartholin adenitis의 치료

① 무증상일 때 - No treatment

② Cyst 시 - Simple marsupialization (Cyst를 opening하여 Atrophy 유도)

6. 자궁경부염(Cervicitis)

1) 원인균

자궁목 : 편평상피, 선상피로 구성

- 외자궁목 편평상피의 염증 : 트리코모나스, 칸디다, HSV
- 선상피 염증 : 임균, 클라미디아

2) 진단(내자궁경관염)

① 화농성 점액 : 황색 혹은 녹색의 경부 점액

② 선상피에서의 부종, 홍반 등이 관찰

③ 그람 염색상 호중구의 증가 소견(>30 high-power fields)

- 그람 음성쌍구균이 보이면 임균성 자궁경관염의 가능성이 높다.

④ 임균과 클라미디아에 대한 검사(세포 배양, ELISA, 직접 형광 항체 검사(Micro Trak)를 시행하고 임균이나 클라미디아가 아닌 자궁경관내막염인 경우에 50%에서 원인균이 밝혀지지 않는다.

3) 치료

- 성 상대자도 함께 치료
- *N. gonorrhoeae*와 *C. trachomatis*의 동시 감염 염두하고 치료

(1) *C. trachomatis*(클라미디아)

① erythromycin base 500 mg 경구, 1일 4회, 7일

② erythromycin ethysuccinate 800 mg 경구, 1일 4회, 7일

③ levofloxacin 300 mg 1일 2회, 7일간

(2) *N. gonorrhea*(임질)

① cephalosporin IM

(3) 임신부

① 신생아에게 수직감염의 위험

② cephalosporin or azithromycin 1 mg 경구 1회 사용

③ 치료 종료 3주 후에 재검 필요

III. Genital Ulcer disease

1. 원인

① Herpes simplex virus (HSV)

② Syphilis

③ Chancroid

④ Lymphogranuloma venereum (LGV)

⑤ Granuloma inguinale (Donovanosis)

⑥ Abrasion

⑦ Fixed drug eruption

⑧ Carcinoma

⑨ Behçet disease

⑩ Tbc

⑪ Crohn's disease

2. Herpes simplex virus

1) 특징

① 궤양성 병변중 가장 흔함

② HSV type 1,2 - 외음부는 대부분 type 2

③ 병변에 직접 접촉하여 전파

2) 증상

① 증상이 없거나 경미

② 외음부 헤르페스 : 하나 혹은 여러개의 수포가 생식기, 항문, 구강에 생기며 수포가 터지고 궤양이 생김

③ 첫 증상이 나타날때 열, 전신통, 국소LN 비대등 의 증상

④ Lab test : PCR 및 culture

Ⓐ 현재는 PCR이 더 광범위 하게 사용됨

Ⓑ 두 가지 방법 모두 음성이여도 R/O은 어렵다

⑤ type-specific HSV serologic assay의 도움되는 경우

Ⓐ 배양에서 음성, 외음부 병변이 재발하거나 비전형적 증상

Ⓑ 다른 Lab test 없이 임상적으로 진단

Ⓒ 외음부 헤르페스를 가진 성 상대자

3) 진단

• 전형적인 외음부 수포 및 궤양 & 과거의 Hx → 진단 가능

4) 치료

① Acyclovir, Famciclovir, Valacyclovir

② Daily suppressive therapy: recurrence, viral shedding, transmission 감소시킴

5) HSV infection이 있는 임신부에서의 C-sec indication

① Birth canal의 active lesion

② Membrane이 intact

③ Culture시(+)

6) Herpes simplex의 임상적 의의

• Oncogenic virus

① Cervical cancer 환자에서 Herpes type 2 Ab↑

Herpes infection 빈도↑

② 직업 여성에서 Herpes virus infection↑

→ Cervical cancer의 빈도가 높다.

cf) Genital cancer의 Viral etiology- HSV, HPV

3. 매독(Syphilis)

• 원인균 : Treponema pallidum

• 성교, 수혈, 태반통해 감염

• 진단

① 암시야 검사(Dark field technique) - 매독균을 관찰

② 매독혈청검사(Serologic test)

Ⓐ Nontreponemal test : VDRL, RPR- screening

Ⓑ Treponemal test : FTA-ABS, TPHA, TPI- 확진

1) 1기 매독

(1) Hard chancre(경성하감)

① Sexual contact 3~4주 후에 발생

② Pain(-) / Induration(+)

③ 4~6주 후 Spontaneous disappear

(2) 진단

① History

② Dark field technique - *Treponema pallidum*을 직접 관찰

③ Fluorescent technique

④ 70%에서 Serologic test(+)

2) 2기 매독

(1) 임상 증상

① Condyloma lata

② Palm cutaneous Macule & Papule

③ Perineum, Upper thigh, Buttock도 침범

(2) 진단

① Serologic test - 100% positive

3) 3기 매독

① Gumma 및 Syphilitic ulcer 형성

② Rectovaginal fistula 가능

4) 잠복 매독

① previous infection의 serologic evidence 또는 history

② absence of lesion

5) 매독의 치료

① 성인의 1기, 2기, 3기, 초기 잠복 매독 : Benzathine penicillin G, 240만 단위 1회 근주

② 1년 이상 or 기간을 모르는 잠복 매독 : Benzatine penicillin G, 240만 단위 3회 근주(1주일 간격으로)

③ 치료 후 대부분의 환자에서 비특이항체 혈청검사상 정상 결과를 보임

④ 재치료가 필요한 경우

Ⓐ 비특이항체 혈청검사상 정량적 수치가 4배 이상 증가하는 경우

Ⓑ 증상이 지속되는 경우

Ⓒ 재발하는 경우

4. 연성하감(Chancroid)

1) 원인균 – *Haemophilus ducreyi*

2) 특징 – Painful ulceration

3) 진단

① History - 잠복기가 2~3일로 짧다.

② Pain(+)

③ Induration이 없다.

④ Smear - *Ducreyi bacillus* 발견

⑤ Culture & Gram's stain- extracellular "school of fish"

4) 치료

① Azithromycin

② Ceftriaxone

③ Ciprofloxacin

④ Erythromycin

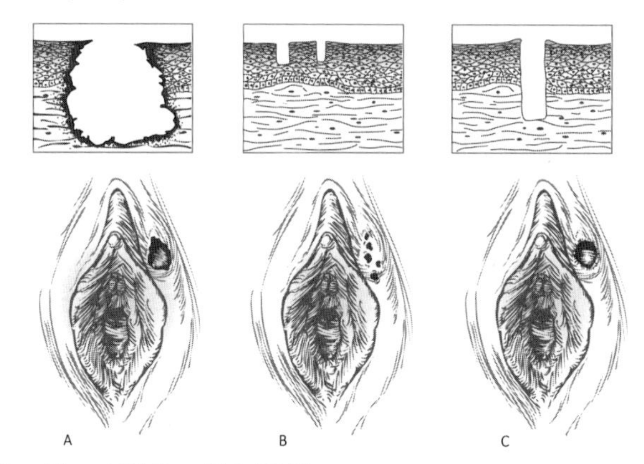

▶ Ulcer of Chancroid (A), Herpes (B), Syphilis (C)

5. *Lymphogranuloma venereum*(LGV, 성병성 림프육아종)

1) 원인균 – Chlamydia trachomatis L1, L2, L3

2) 특징

① Inguinal lymphadenopathy

② Inguinal suppuration, Bubo formation

③ Extragenital involve (Bowel, Meninges)

- proctocolitis, bowel stricture, urethral stenosis, vaginal stenosis

④ Premalignant lesion

3) 진단

① Frei test : killed Ag을 forearm에 intradermal 반대편 control material

② Microscopic examination

Ⓐ Focal microabscess formation

Ⓑ Draining sinus

Ⓒ Endothelial proliferation with Pseudotubercle formation

4) 치료

① Tetracycline (Drug of choice)

② Surgical excision- Abscess 형성시

6. Granuloma inguinale

• Premalignant lesion

1) 원인균 – *Klebsiella granulomatis*

① intracellular organism로 Donovan body라고도 불린다.

2) 호발 부위

① External genitalia, Bone, Skin, Eye

3) 진단

① Lesion에 smear

② Wright or Giemsa stain

→ Donovan intranuclear inclusion body 증명(100% 진단 가능)

4) 치료

① Tetracycline, TMP-SMX, Chloromycetin, Streptomycin

② Surgical excision

7. Behçet's disease

1) Triple symptom syndrome

① Vulva mucosa의 Recurrent ulceration

② Buccal mucosa의 Ulceration

③ Iridocyclitis or Iritis(→ 심하면 실명)

• 말기에는 CNS 침범으로 사망 가능(PNS는 침범 안 함)

2) 원인

① Autoimmune disease

② HLA B5, DR-5와 관련

3) 증상 ★

① Arthritis

② Thrombosis

③ Skin lesion - Folliculitis, Erythema nodosum, Acne-like exanthema, Vasculitis

4) 치료

① 특별한 치료 방법은 없다.

② Cortisone therapy

③ 재발이 많다.

8. Condyloma accuminatum(첨형 콘딜로마)

1) 특징

① Viral origin - HPV type 6, 11과 관련 ★

② Sex의 coitus에 의함(준 성병)★

③ Premalignant

④ Growth ↑

⑤ 외상이나 이차감염이 없는 한 보통 asymptomatic, painless

⑥ Recurrence가 많다.

Ⓐ especially, Trichomonasis, Moniliasis 같은 mixed infection 시

Ⓑ oral pill → Vaginal pH의 change

Ⓒ virus를 완전히 제거하는 방법이 없다.

⑦ Pregnancy, DM, imunosuppressed pt.에서 호발 ★

2) Condyloma accuminata와 Condyloma lata의 감별 진단

Condyloma accuminata	Condyloma lata
Multiple Tree like 원인 : Virus Verrucous lesion	Solitary 밑이 넓고 둥글다 Secondary syphilitic lesion in Vulva

3) 치료

① Topical application of 25% or 10% podophyllin

(임신 중과 소아에게는 podophyllin 사용을 금한다) ★

② interferon gel or 5 - FU cream: 임신부는 금기

③ Trichloroacetic or bichloroacetic acid: 임신부에서 사용가능

④ Cryotherapy, electrocautry, carbon dioxide laser: 임신 중 사용가능

⑤ surgical excision

IV. 외음부 소양증

1. 원인

외음부 소양증의 원인	
1. 성기의 국소적 원인 ① 트리코모나스 질외음염 ② 진균성 질외음염 ③ 비특이성 세균성 질외음염 ④ 위축성 질외음염 ⑤ 접촉 또는 과민성 질외음염 ⑥ 외음 영양실조증 ⑦ 암	2. 전신적 원인 ★ ① 당뇨병(m/c) ② 약에 대한 과민성과 알레르기증 ③ 화학 자극제 ④ 피부질환 - 포진(herpes), 간찰진, 건선, 담마진 ⑤ Vitamin 결핍(esp. Vitamin A · B) ⑥ 동물의 기생충에 의한 것 (이, 개선) ⑦ 전신질환, 빈혈, 백혈병, 간염, 결핵 ⑧ 신경 피부염

2. 검사 항목

① 빈혈, 혈액 질환에 대한 완전한 혈액 검사

② 당뇨병에 대한 검사

③ 트리코모나스, 진균 질환에 대한 검사

④ 세균배양 검사(비특이성 세균감염에 대한 세균 배양)

⑤ 암에 대한 세포진 검사

⑥ 성병에 대한 혈청 및 항원 검사

⑦ 요독증과 당뇨병에 대한 혈액화학검사

⑧ 영양 실조증이나 단기 국소치료에 반응을 보이지 않는 피부 질환에 대한 생검

3. 치료

① Local irritant 제거

② Antipruritic agent - Hydrocortisone, Antihistamine

③ Local hormone

Ⓐ Estrogen - 폐경 후 여성에 효과적(Vaginal epithelium thickening 효과)

Ⓑ Testosterone - Lichen sclerosis에 효과적

Ⓒ Androgen

④ 95% Alcohol subcutaneous injection

⑤ Vulvectomy - biopsy 상 premalignant lesion인 경우

V. 외음부 백색 병변

1. Absence of Pigmentation – Leukoderma, Vitiligo(백반)

2. Hyperkeratosis(과각화증)

- 원인

① Chronic infection

② Benign tumor (esp. Condyloma accuminatum)

3. Dystrophies (Leukoplakia) – Precancerous lesion

1) Lichen sclerosus atrophicus (Atrophic leukoplakia, Kraurosis)

- Lichen sclerosus에서 Atrophic course가 진행되어서 Vulva outlet이 좁아지고, subcutaneous tissue가 loss되어 Shrinkage or Simple senile change를 넘어선 정도

2) Squamous hyperplasia

3) Mixed dystrophy

4. Carcinoma in situ

5. Invasive cancer

VI. 자궁 경부의 양성질환

1. 병인

1) Ectocervix의 inflammation

① Squamous epithelium의 질환

② 원인균 : *Trichomonas*, *Candida*, HSV

2) Muco-purulent endocervicitis (MPC)

① Glandular epithelium의 질환

② 원인균 : *N. gonorrhoeae, C. trachomatis*

2. 진단

- MPC의 진단

→"mucopus"라는 purulent endocervical discharge의 finding에 기초

① edema, erythema

② mucopus에서 neutrophil 증가

Ⓐ intracellular G(-) diplococci : *N. gonorrhoeae*

Ⓑ negative result : *C. trachomatis*

③ *N. gonorrhoeae* : Thayer-Martin media에서 culture

C. trachomatis : ELISA, cell culture, direct fluorescent Ab.

3. 치료

① 항생제 치료

② 성 상대자도 같이 치료

③ Durgs

N. gonorrhoeae	*C. trachomatis*
1. Ceftriaxone 2. Ofloxacin 3. Cefixime 4. Ciprofloxacin	1. Doxycycline 2. Azithromycin 3. Ofloxacin 4. Erythromycin base 5. Erythromycin ethylsuccinate

VII. 기타 질환

1. Genital Nevus

① 전 body surface의 1~2%가 Vulva skin

② Female에서 Malignant melanoma의 3~4%가 genitalia (vulva)에 발생

③ 무조건 biopsy해야 됨

④ Junction activity가 높을수록 malignant change 잘한다.

14 골반 염증성 질환

Power Gynecology

● Pelvic Infection의 종류

1) Pelvic inflammatory disease

(1) 정의 : upper genital tract의 감염 및 염증을 의미하는 임상적 진단

(2) 해부학적으로 연결된 부위의 감염인 자궁경부염, 자궁내막염, 난소주위염, 난소농양으로 인한 복막염 등을 총칭

(3) 대개 성교 전파성 균에 의해 초래된다.

① Acute salpingitis

Ⓐ Gonococcal

Ⓑ Non-gonococcal

② IUD-related pelvic cellulitis

③ Tubo-ovarian abscess

④ Pelvic abscess

2) Puerperal infection

① Cesarean section (common)

② Vaginal cuff abscess

3) Postoperative gynecologic surgery

① Cuff cellulitis and Parametritis

② Vaginal cuff abscess

③ Tubo-ovarian abscess

4) Abortion – associated infections

① Postabortal cellulitis

② Incomplete septic abortion

5) Secondary to other infections

① Appendicitis

② Diverticulitis

③ Tuberculosis

I. Pelvic inflammatory disease

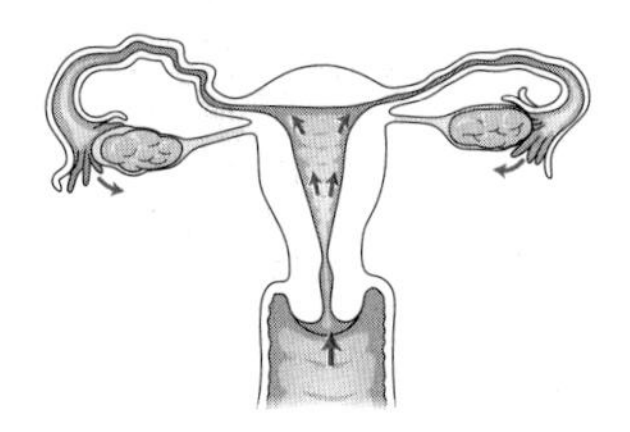

: Endocervix에서 기원하는 micro-organisms이 endometrium, fallopian tubes, peritoneum으로 상행성 감염을 일으킴 → pelvic inflammatory disease를 일으킴(endometritis, salpingitis, peritonitis)

1. Incidence and Epidemiology

① 최근 10년간 선진국에서 incidence 증가(20% → 50%)

② 18~20/1,000(15~24세) ← reproductive age에 호발

• Risk factors

골반 염증성 질환의 위험 요인 ☆

1) Age 〈 25 years
   ① Correlated with sexual behavior
   ② Lower prevalence of protective antibodies
   ③ Larger zone of cervical ectopy
   ④ Greater penetrability of cervical mucus
2) Microbiologic
   ① Lower genital tract infection (LGTI)
      a. *Neisseria gonorrhoeae*
      b. *Chlamydia trachomatis*
      c. Bacterial vaginosis
3) Behavioral risks to increase chance of LGTI
   ① Multiple sexual partner
   ② Sexual intercourse with high risk men
      a. Lower socioeconomic class
      b. Ethnicity
4) Facilitated transport to the upper genital tract
   ① Iatrogenic procedures
      a. Dilatation and curettage
      b. Insertion of Intrauterine contraceptive device
      c. Hysterosalpingogram
   ② Patient practices
      Douching

2. Etiology

1) *Neisseria gonorrhoeae*(m/c)

① Gram(-) diplococcus

② Mense 직후 발생이 많다.

③ Endometrial spread → Tubal occlusion or distension

→ Infertility ↑

2) *Chlamydia trachomatis* ("silent PID")

• *N. gonorrhoeae* 감염이 있는 경우 1/4에서 (+)

3) Mycoplasma

4) Pyogenic

①Lymphatic or Parametrial spread

②Relatively normal tube

Ⓐ Gram (-) aerobes : *E. coli*

Ⓑ Gram (+) aerobes : *Streptococcus viridans*

Ⓒ *Enterococci* - Anaerobes: anaerobic cocci, *Bacteroides fragilis*

Ⓓ 기타

㉠ *Haemophilus influenzae*　　㉣ *Campylobacter fetus*

㉡ *Mycoplasma pneumoniae*　　㉤ Tuberculosis

㉢ Pneumococci

③ 전파 양상

Ⓐ gonorrheal : surface extension (from endometrium)

Ⓑ pyogenic : lymphatics와 vein (from endometrium)

Ⓒ tuberculosis : 혈행성 전이(lung m/c)

3. Pathogenesis

1) Barrier to infection

(1) Anatomical barrier

① Vaginal secretion : 탐식세포에 의해 병원성 세균의 질내 침입 차단

② Cervical mucus : lactoferrin이 항균작용을 가짐

③ Endometrial secretion : 자궁근층과 섬모의 활동을 증진

④ Oviductal fluid

(2) Immunological barrier : IgA, Complements

(3) Microbiological barrier : Normal vaginal flora

• 대개 방어기재의 파괴로 인해 상행감염이 일어나고 세균증식과 염증반응에 의해 증상 발현

(4) Acute salpingitis가 잘 안생기는 경우(3X)

① Cornual resection 또는 Proximal tubal ligation한 경우

② 임신 8~10주 이후

③ 45세 이상의 여성

4. Diagnosis

1) Hx & Physical exam

(1) Signs and Symptoms : during or after mense (1st 1/2 of cycle)

① Pelvic pain & tenderness, Rebound tenderness

② Abnormal uterine bleeding (menorrhagia, metrorrhagia)

③ Abnormal vaginal discharge

④ Dysuria

⑤ Nausea and Vomiting

⑥ Fever(> 38℃), Chills

⑦ Pain on motion of cervical and uterus

⑧ Adnexal fullness

(2) Minimum criteria(3개 모두 존재해야 된다.)

① Lower abdominal tenderness

② Cervical motion tenderness

③ adnexal tenderness

(3) Additional criteria

Routine	Elaborate
• oral temperature 〉 38.3℃ • abnormal cervical / vaginal discharge • ESR, CRP ↑ • *N. gonorrhea*, *C. trachomatis*의 cervical infection의 Lab documentation	• endometritis의 병리학적 증거 • 초음파상 Tubo-ovarian abscess • PID에 합당한 Laparoscopic finding

(4) 임신 중 PID의 발생

• 임신 중 발생하는 경우는 드물지만 임신 첫 12주 이내에는 발생할 수 있다(decidua에 의한 방어막 형성 전).

2) Laboratory finding

① CBC

② Elevation of CRP, ESR

③ Urinalysis

④ Lower genital secretion : smear, culture & sensitivity test

⑤ pregnancy test : pelvic pain이 있는 모든 사람에 대해 시행(ectopic pregnancy를 PID로 오진하는 경우 있음)

3) Culdocentesis ★ - 다른 질환과 감별 위해 시행

Differential evaluation of fluid obtained by culdocentisis	
Finding	**Implications for Diagnosis**
Blood	• Ruptured ectopic pregnancy • Hemorrhage from corpus luteum cyst • Retrograde mensturation • Rupture of spleen or liver • Gastrointestinal bleeding • Acute salpingitis
Pus	• Ruptured tubo-ovarinan abscess • Ruptured appendix or viscus • Rupture of diverticular abscess • Uterine abscess with myoma
Cloudy	•Pelvic peritonitis (such as is seen with acute gonococcal salpingitis) •Twisted adnexal cyst •Other causes of peritonitis : appendicitis, pancreatitis, cholecystitis, perforated ulcer, carcinomatosis, echinococcosis

• 기타 Ultrasonography나 Dx laparoscopy등이 시행될 수도 있다.

4) acute salphingitis의 골반경 소견

① 난관 표면의 심한 발적

② 난관벽의 부종

③ 난관 체부와 난관 표면에서 흘러나오는 점액성 삼출물

5) 진단 기준

Clinical criteria for the Diagnosis of PID
1) Symptom None necessary 2) Sign ① Pelvic organ tenderness ② Leukorrhea and/or mucopurulent endocervicitis 3) Additional criteria to increase the specificity of the diagnosis ① Endometrial biopsy - endometritis ② Elevated C-reactive protein or ESR ③ High fever(〉38℃) ④ Leukocytosis ⑤ Positive test for gonorrhea or chlamydia 4) Elaborate criteria ① Ultrasound documenting Tubo-ovarian abscess ② Laparoscopy visually confirming Salpingitis

6) Differential diagnosis ★

① Ectopic pregnancy

② Acute appendicitis

③ Acute pyelonephiritis

④ Adnexal torsion

⑤ Ruptured Tubo-ovarian abscess

⑥ Septic abortion

⑦ Diverticular abscess

⑧ 기타 : Perforated pelvic ulcer, Pancreatitis, Mesenteric artery thrombosis, 배란통(Mittelschmerz)

5. Treatment

1) PID의 입원기준

골반 염증성 질환의 입원기준	
불확실한 진단 -임신과 동반된 골반내 염증성 질환 -외래환자치료에 반응하지 않을 때 심한 임상적 증상 -38℃ 이상의 고열 -상부 복강내 염증소견 혐기성 세균감염 의심시 -골반 내 또는 자궁관난소고름집 의심시 -자궁내 피임기구 사용자	외래 치료시 환자의 순응도 의심 -경구요법이 힘들 정도의 구역, 구토 -청소년의 골반염

2) Medical treatment

(1) Uncomplicated Gonorrhea infection drug regimen

① APPG 480만 unit IM with 1 g probenecid PO

② Tetracycline 500 mg q.i.d. for 5days

③ Ampicillin 3.5 g or amoxicillin 3 g with probenecid 1 g PO

④ Spectinomycin 2 g IM: penicillin, tetracycline allergy시에

(2) CDC Guideline for Treatment of Pelvic Inflammatory Disease

Outpatient Treatment
Regimen A
Cefoxitin, 2 g intramuscularly, plus probenecid, 1 g orally concurrently, or Ceftriaxone, 250 mg intramuscularly, or Equivalent cephalosporin Plus: Doxycycline, 100 mg orally 2 times daily for 14 days With or without: Metronidazole, 500 mg orally 2 times daily for 14 days
Regimen B
Ofloxacin, 400 mg orally 2 times daily for 14 days, or Levofloxacin, 500 mg orally once daily for 14 days With or without: Metronidazole, 500 mg orally 2 times daily for 14 days
Inpatient Treatment
Regimen A
Cefoxitin, 2g intravenously every 6 hours, or Cefotetan, 2g intravenously every 12hours, Plus : Doxycycline, 100mg orally or intravenously every 12hours
Regimen B
Clindamycin, 900mg intravenously every 8 hours Plus : Gentamicin, loading dose intravenously or intramuscularly (2mg/kg of body weight) followed by a maintenance dose (1.5mg/kg) every 8 hours

3) Indication of Discharge from hospital

① Lysed: BT < 37.5℃ for more than 24hrs

② Normal WBC

③ No rebound tenderness

④ No pelvic organ tenderness on pelvic exam

4) PID surgical Indication ★

① Spiking fever 지속, Pelvic examinaton상 Fluctuant mass (+)

② Unresponsive or Unavailable Tubo-ovarian abscess

③ Ruptured Tubo-ovarian abscess

④ Acute appendicitis와 감별이 곤란할 때

⑤ 자주 재발시

⑥ Surgical Indication of chronic PID

Ⓐ Persistent tubo-ovarian abscess

Ⓑ Firmly fixed Retroversion of uterus

Ⓒ Palliative treatment로 제거 안되는 Sx - 생활에 불편을 초래할 경우

Ⓓ Infertility 원인이 Tubal obstruction 인 경우

6. Complications

1) Tubo-ovarian abscess

(1) 원인 : *Chlamydia* and/or *N. gonorrhea*, *B. fragilis*, *E. coli*

(2) sign : very firm, exquisitely tender, bilateral fixed mass

(3) Tubo-ovarian abscess의 75%가 항생제 치료에 반응함

(4) 진단 : Ultrasonography

(5) 치료 ★

① Unruptured, 8cm diameter 이하시: Medical Treatment

② Ruptured case나 72시간 이상 항생제 무반응시 수술적 배농

2) Fitz-Hugh-Curtis syndrome (FHCS)

: Acute fibrous perihepatitis with adhesion formation associated with salpingitis

(1) Symptom : Acute onset of RUQ pain

(2) Etiology

① *Neisseria gonorrhea*

② *Chlamydia trachomatis*

③ 기타(*Mycoplasma*, Anaerobes, Coliforms)

(3) 경로

① Lymphatics

② Peritoneal cavity 따라 spread

(4) Treatment

① Medical treatment

② Adhesiolysis

3) Infertility (Tubal factor infertility)

4) Recurrent infection

5) Chronic pelvic pain

6) Ectopic pregnancy

7. 예방

1) 성적 전파에 의한 감염의 원인을 사전에 차단

2) 증상 발생 전 60일 동안 성관계를 가졌던 모든 사람은 치료의 대상이 된다(recommended by CDC).

15 골반 결핵

Power Gynecology

1. Pathogenesis

1) Infectious agent

① *Mycobacterium tuberculosis*(m/c)

② *Mycobacterium bovis*(occasionally)

2) Mode of spread

(1) Secondary lesion (Almost always) ☆

① Pulmonary(주로)

② Renal, Gastrointestinal, Bone, Joint

③ Mode of Spread

Ⓐ Hematogenous (m/c)

Ⓑ Lymphatic

Ⓒ via Direct contiguity from Intraabdominal or Peritoneal focus

Ⓓ Ascending infection from Male epididymitis (rare)

(2) Primary (rare) ← coitus 통해서

2. Pathology

1) Genital organ의 tuberculosis 순서별 발생빈도 ☆

① Fallopian tube(90~100%) - 일반적으로 초기에 Bilateral tube 침범

② Uterus (50~60%)

③ Ovary (20~30%)

④ Cervix (5~15%)

⑤ Vagina (1%)

2) Tuberculosis of Tubes

① 5% of all Salpingitis

② Bilaterality is the rule ★

③ Ampullary region에 호발

④ Tobacco pouch appearance

25~50% of genital Tbc

everted fimbriae, enlarged and distended tube

⑤ Microscopically

Ⓐ Granulomas

Ⓑ Chronic inflammatory infiltration

Ⓒ Caseation necrosis in advanced stages

Ⓓ Hyperplastic, Adenomatous mucosa

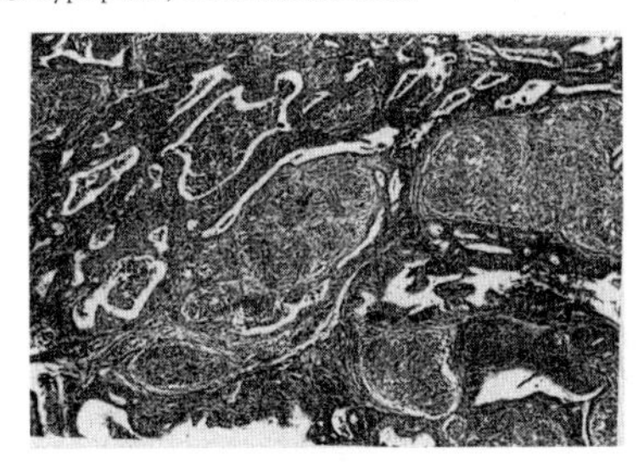

3) Tuberculosis of Endometrium

- 50~60% of genital tuberculosis
- Frequently focal & Typically immature

① Classic lesion

Ⓐ Noncaseating granuloma

- Epithelial cells, Langhans giant cells, lymphocytes로 구성

Ⓑ granuloma : 내막 전체에 있으며, 특히 superficial layers에 greater density를 보임

② Pseudoadenomatous appearance

: Granuloma주위 endometrial gland의 secretory response

③ Best recognition period of Granulomatous lesion ★

Ⓐ Cycle day 24~26일

Ⓑ Mense 시작 직후 12시간 이내

4) Tuberculosis of Ovary

① 20~30% of pelvic tuberculosis

② Perioophoritis

③ Direct extension from the tube, frequently

5) Tuberculosis of Cervix

① May resemble invasive carcinoma

② Polypoid gross appearance → ulceration

③ Pap smear

Ⓐ cluster with multinucleated giant cells

Ⓑ histocytes

Ⓒ epitheloid cells

6) Tuberculosis of the vulva and vagina

① Uncommon

3. Clinical feature

1) History

(1) 난관결핵이 의심되는 임상적 특징

① History of Pulmonary, Osseous, or Miliary tuberculosis

② Adnexal inflammatory mass in virgin

③ Vagina에 다른 Infection이 의심되지 않으나 Salpingitis가 있는 경우

④ Persistent slight elevation of Temperature, Slight edema, Tachycardia

⑤ 염증에 대한 일반적 치료에 반응하지 않는 난관염

(2) 증상, 징후

- At least 11% of patients -Totally Asymptomati

① 불임(40~50%) - m/c

② 하복부 및 골반 통증(25~50%)

③ 비정상 자궁 출혈(10~40%)

Ⓐ Menorrhagia

Ⓑ Menometrorrhagia

Ⓒ Intermenstrual bleeding

Ⓓ Oligomenorrhea

Ⓔ Postmenopausal bleeding

④ 기타증상

- 무월경, 전신증상(체중감소, 피로, 오후의 미열), pelvic relaxation, fistula formation과 관련된 Sx.

⑤ Silent pelvic tuberculosis(무증상성 골반결핵)가 급격히 재발하는 경우

Ⓐ Superimposed Acute bacterial infection

Ⓑ Dilatation & Curettage

Ⓒ Other pelvic trauma

2) Physical examination

① Entirely normal exam : 35~50%

② Adnexal mass or fixation of pelvic mass

③ Abdominal distention

④ Ascites

⑤ Pyometra

⑥ Fistula formation

3) Tuberculous peritonitis

① Serous type : more common

Ⓐ Ascites : Exudative, Lymphocytic predominance

Ⓑ Signs of Peritoneal inflammation

Ⓒ Fever

Ⓓ Abdominal pain

Ⓔ Weight loss

Ⓕ Anorexia

② Plastic type : less common

Ⓐ Tender abdominal mass

Ⓑ Abdomen "doughy" to palpation

Ⓒ Partial intestinal obstruction(bloating, constipation)

③ Transitional type

4. Diagnosis

1) History

① Family history

② Extragenital tuberculosis

③ Infertility without other cause

④ Refractory chronic PID

⑤ Travel Hx of endemic area

⑥ Adnexal disease with ascites in young women

2) Pelvic examination

• Young women with ascites

3) X-ray

① Chest or Abdominal X-ray

② Hysterosalpingogram (HSG)

Ⓐ Hydrosalpinx

Ⓑ Tubo-ovarian calcification(m/c)

Ⓒ Beading, Sacculation, Sinus formation, Rigid pipe stem patterning

4) US

• adnexal mass, small scattered calcification

5) Tuberculin skin test ★ : 90%이상 (+)

① PPD tuberculin 5U intradermal injection 48~72시간 후 induration 관찰

→ ≥ 5 mm induration

② 투베르쿨린 검사 음성이라 하더라도 골반결핵을 배제할 수 없다.

6) Laboratory finding

① AFB stain

→ 10^5개 organisms/mL for positivity

② Culture : about 40 days

③ Endometrial biopsy

Ⓐ Culture (10%) : endometrium < menstrual blood

Ⓑ Histologic Dx (50%) : typical granuloma

Ⓒ Optimal time for sampling ★

• MCD 24~26일 혹은 월경 시작 후 12시간 이내

Ⓓ Site : cornual area

④ ELISA

⑤ Gas chromatography

⑥ PCR

7) Needle, laparoscopic, peritoneoscope, culdoscope : Tissue biopsy

8) Explorative laparotomy

5. Differential diagnosis

1) Differential diagnosis of pelvic granulomatous lesion

① Sarcoid

② Crohn's disease

③ Actinomycosis

④ Leprosy

⑤ Granuloma inguinale

⑥ Lymphogranuloma venerum

⑦ Syphilis

⑧ Histoplasmosis

⑨ Silicosis

⑩ Foreign body reaction

⑪ Schistosomiasis

⑫ Filiariasis

2) Differential diagnosis of clinical presentation

① Acute and chronic bacterial pelvic infection

② Alcoholic hepatitis

③ Cholecystitis

④ Appendicitis

⑤ Ovarian cancer

⑥ Renal disease

⑦ Cardiac disease

3) Workup to Rule out other sites in genital Tbc

① Chest X-ray

② AFB stain & culture

Ⓐ early morning sputum

Ⓑ gastric content

Ⓒ three first morning midstream urine

③ IVP

6. Treatment

1) 내과적 치료

: 약제 투여 후 2주일 내에 전염성 소실. 초기치료시 2개월과 유지치료기 4개월로 구성되는 6개월 단기처방

(1) Regimen

① INH, rifampin, pyrazinamide를 2개월 투여 후 INH와 rifampin 4개월 투여

② INH, rifampin저항성 나타나면 pyrazinamide, ethambutol, quinolone, streptomycin을 추가해 최소 12개월 투여

③ 모든 일차약제에 저항성 보이면 2차약제를 24개월 투여

(2) Follow-up

① chest X-ray, urine culture, uterine curettage : treatment course가 끝날 때까지 반복

② Repeat curettage or endometrial biopsy : every 6~12 months for several years

2) 외과적 치료

: TAH + BSO(폐경기 이전 여성은 난소보존 가능)

(1) Indication ★

① Persistent or Recurrent disease following medical treatment

② Persistent or Recurrent pelvic mass following 6 months chemotherapy

③ Persistent or Recurrent symptom (i.e. Pelvic pain or Bleeding)

④ Presence of Nonhealing fistulas

⑤ Multiple drug-resistant disease

⑥ Concomitant genital tract Neoplasia

(2) Preoperative medical therapy

① 적어도 1~2 weeks

(3) Optimal time of operation : midcycle

① Choice : TAH with BSO

② Drains : 사용금지(∵ Fistula 위험)

(4) Postoperative medical therapy

① 6~12 months

7. 임신과 결핵

1) 결핵이 임신에 미치는 영향 ★

① Infertility : 불임환자의 5%에서 결핵 발견(불임환자의 10% → 결핵추정)

② Ectopic pregnancy

③ Spontaneous abortion

④ Fetal involvement : Congenital Tbc, Prematurity

2) 치료적 유산의 적응증

① Disseminated tuberculosis

② Cardiovascular system에 심각한 문제가 있을 때

3) 분만 후 신생아의 관리

① 격리(Isolation)

② INH chemoprophylaxis or BCG vaccination

4) 결핵 치료중인 가임 여성에게는 피임을 권한다.

8. 예후

① 골반결핵 후에 임신은 매우 어렵다.

② 임신이 되더라도 딴곳 임신, 지연 임신의 확률증가

③ 내과적 치료 후 임신율 : 20%

16 이완, 요실금, 누공 및 위치이상

Power Gynecology

I. 질출구 이완(Relaxation of Vaginal outlet, RVO)

1. 원인

1) Perineal supporting tissue의 과도한 신전(Stretching)

2) 동반 질환

① Cystocele - Pubocervical fascial plane의 결함

② Rectocele - Pararectal fascial plane의 결함

③ Urethrocele - Urogenital diaphragm의 Laceration

④ Enterocele - Posterior perineal pouch의 결함(소장: m/c site)

3) Cystocele, Rectocele은 Uterine prolapse와 서로 합병하여 잘 발생

2. 증상

① 오래 서있거나, 걷거나, 무거운 것을 들 때 질부위에 압박된 중압감 호소

② Back pain

③ Fecal incontinence(분실금)

- Anal sphincter muscle 손상을 동반한 Complete perineal laceration이 합병된 경우

3. 진단

• Inspection & Palpation으로 대부분 진단 가능

4. 치료

- 수술에 의한 해부학적 교정

II. 요실금(Urinary incontinence)

1. 비요도성 요실금(Extraurethral cause of Incontinence)

1) Ectopic ureter

2) Urinary fistula

2. 긴장성 요실금(Stress urinary incontinence)(=진성 복압 요실금)

- 여성에서 가장 흔한 유형(노인여성에서 2ndary m/c)

1) 발생기전

① Basic defect : Abnormal function of the Sphincter

② Intraabdominal pressure 상승할 때(재채기, 기침, 운동), 요도폐쇄 기전이 지탱할 수 있는 압력보다 더 높게 방광내압이 상승할 경우 요의 소실 발생

③ 배뇨에 대한 욕구와 무관

④ 누웠거나 잠잘 때 소변이 새는 증상이 없다.

- 복압증가시 요의 유출(복압 상승시 Cystocele, Enterocele등 기타 장기의 Prolapse 동반 가능)

- **진성 긴장성 요실금(해부학적 요실금) : m/c**
  - 골반의 지지조직이나 방광경부와 요도를 지지하는 근육이 약화로 요도가 과이동(hypermobility)에 의해서 요실금 발생.
- **내인성 괄약근 기능부전(intrinsic sphincteric dysfunction) : rare**
  - 항요실금 수술, 골반부위 방사선 치료, 인위적인 요도손상, 신경 질환 등 요도 자체의 문제로 인해 요도 내압 감소하여 요실금 발생.

2) 진단

① History - 가장 중요 → 분만의 경험이 많은 경우
수술 등 기타 Sphincter 이상이 있는 경우

② 소변 검사 – 감염, 혈뇨, 대사 이상의 배제를 위함.

③ 배뇨 일지 작성

④ Q-tip 검사 – 요도 안쪽에 면봉 넣고 복압을 올림. 면봉이 휘는 정도가 20° 이상 변하면 요도의 과운동성을 알 수 있음

⑤ Pelvic examination - Relaxed vaginal outlet, Cystocele이 종종 발견

Ⓐ Bonney test

: 질내에 양 손가락을 삽입하여 요도방광 이행부에서 위쪽으로 압력을 가하여 요도의 양 측끝을 눌러본 후, 기침을 하도록하여 요의 배출이 없으면 양성 → 요도 지지조직의 손상을 의미

Ⓑ Marchetti test : 손가락 대신 Allis cramp 사용

⑥ X-ray(Cinefluroscopy) - Bladder base가 아래로 처져 있고, Sphincter가 열려 있음

⑦ 배뇨 후 잔뇨량(PVR) 측정 – 정상 < 50 mL > 200 mL이면 요배출에 문제 있음

⑧ 기침 유발 검사 – 방광을 가득 채우고 기침을 유발하여 소변이 새는지 확인. 누운 자세에서 없으면 선 자세에서 확인.

⑨ Pad검사 – 패드를 찬 후 무게 증가가 (≥ 1 g/ 1 h) 또는 (> 4 g/ 24시간)이면 양성 판정

⑩ Urodynamic study가 도움이 됨

3) 감별 진단

① 절박 요실금(Urge incontinence)

② 혼합 요실금(Mixed incontinence)

③ 기능성 & 일과성 요실금(Functional and Transient incontinence)

④ 외부요도 요실금(Extraurethral incontinence)

4) 치료

(1) 비수술적치료 ★

① 유발요인 제거(비만, 흡연, 과도한 물의 섭취)

② 근육 강화 - Kegel exercise(골반 근육의 재활)

③ 질and 요도장치 - pessary

④ 약물치료 - Ⓐ α-adrenergic drug

Ⓑ estrogen

• 적응증 - estrogen 부족으로 인해 비뇨생식기의 수축을 동반한 폐경 후 요실금 환자.

- 기전 - estrogen이 α-adrenergic receptor효과 상승시킴.

Ⓒ TCA - 일차적으로는 과민성 방광의 치료에 사용하나 일부 복압성 요실금의 치료에도 사용

Ⓒ β-Blocker

Ⓓ SSRI (Duloxetine) - 복압성 및 혼합성 요실금의 치료

⑤ Electrical stimulation : pelvic floor muscle의 moderate to severe weakness인 환자.

(2) 수술요법

긴장성 요실금의 수술 방법
1. 전벽 질성형술(Anterior colporrhapy) 2. 해부학적 과잉 운동성에 기인하는 긴장성 요실금 교정을 위한 수술 • Retropubic bladder neck suspension operation 및 Needle suspension procedure 3. 내인성 괄약근 박약 또는 이상 기능에 기인하는 긴장성 요실금의 수술 • Sling operation & Periurethral injection 4. 구제적 수술(Salvage operation) • Intensionally obstructive sling operation • Implantation of Artificial urinary sphincter • Urinary diversion 5. 무긴장성 질테이프술(tension free vaginal tape, TVT) • 최근 가장 많이 사용

3. 절박 요실금(Urge incontinence=Overactive Bladder)

- 노인여성에서 m/c 유형(전체에서 2ndary m/c)
- 정의 : 갑자기 압박감과 통증 때문에 배뇨 욕구를 참지 못하고 소변을 배설해 버리는 것.

1) 발생 기전 – detrusor overactivity로 인한 incontinence

① detrusor overactivity(=detrusor hyperreflexia): 이전에 있던 신경계 질환이 원인 (e.g., stroke, Parkinson's disease, Multiple sclerosis)

② detrusor instability: 신경계 질환이 없는 경우(m/c)

2) 진단 – 요역동검사(cystometry) 상 방관내압과 요방광 잔류량 증가 소견

3) 치료(약물치료와 행동치료를 병용하는 것이 가장 효과적)

① 약물 치료 ★

Ⓐ 항콜린제 : 무스카린 수용체 부위에서 아세틸콜린의 활성 억제(oxybutynin 등)

Ⓑ 무스카린 수용체 길항제 – 원심성 부교감신경 차단

Ⓒ SSRI(Duloxetine) - 복압성 및 혼합성 요실금의 치료

Ⓓ α-아드레날린 차단제 등

② 행동치료 - 목적 : 대뇌 피질의 방광기능 지배능력을 재형성

방법 : 규정된 시간에 맞추어 소변을 보고, urgency, frequency, urge incontinence의 cycle이 깨질 때까지 점차로 소변보는 간격을 증가.

③ Botox 주사 - 말초 신경에서 acetylcholine 방출 방지.

④ Cystoplaty & Urinary diversion(약물, 행동치료에 반응하지 않을 경우)

⑤ Neuromodulation: sacral nerve root neuromodulation(약물, 행동치료에 반응하지 않을 경우)

⑥ functional electrical stimulation(약물, 행동치료에 반응하지 않을 경우)

4. 복합 요실금(Mixed incontinence)

- 긴장성 요실금과 절박 요실금이 같이 있는 경우

5. 기능성 또는 일과성 요실금

1) 내과적으로 가역적인 요실금

2) 원인(DIAPPERS)

Reversible causes of incontinence	
D	Delirium
I	Infection
A	Atrophic urethritis and vaginitis
P	Pharmacologic causes
P	Psychological causes
E	Excessive urine production
R	Restricted mobility
S	Stool impaction

III. 생식기 샛길(Genital fistula)

1. 원인

① Gynecologic surgery : m/c TAH 후 7~10일에 발생.

② Radiation : 방사선 치료 후 평균 18개월 정도 지나서 잘 발생.

③ Obstetrical trauma : 과거에 많은 원인

④ Malignant tumor

⑤ Foreign body

2. 종류

1) Urinary fistula

① Vesicovaginal (m/c) - 부인과적 수술이 m/c cause(Total hysterectomy후)

② Urethrovaginal - 질 수술후 많이 발생

③ Ureterovaginal - Radical hysterectomy후 많이 발생

④ Vesicouterine - C-section후 많이 발생

⑤ Combined

2) Vaginal-fecal fistula

① Rectovaginal - m/c

② Sigmoid colon, Small intestine

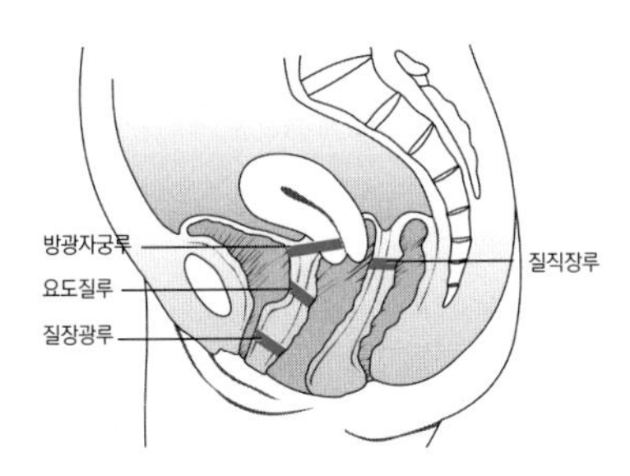

▶ 요로 샛길의 분류

3. Urinary fistula

1) 역학

① 방사선 치료 후 평균 18개월 지나서 잘 발생

② TAH 수술 7~10일 후 확실히 나타날 수 있다.

2) 증상

① leakage of urine from the vagina

② irritation of vagina, vulva & perineum(redness, soreness)

③ nervousness, irritability, depression

3) 진단 ★

: not always so easy to determine the exact location

① Inspection in knee-chest position

② Palpation

③ Filling of the bladder with methylene-blue solution (Dye test)

④ Cystoscopy

⑤ Pyelography (IVP, or RGP)

4) 치료

① fistula : 15% 정도는 1~6주 후 자연 폐쇄, Foley catheter를 삽입, 항생제 및 Fluid제한)

② surgical repair : 4~6개월 기다린 후(대개 3~4개월) 수술한다.

이유 : 주위의 염증이 가라앉고 혈관 공급이 잘 이루어질 때까지.

- Urinary fistula is found in (5~10%) following the radical hysterectomy
  Bladder laceration is found in (2%) following the radical hysterectomy

4. Vaginal fecal fistulas

: Rectovaginal fistula- m/c

1) 원인

① 방사선 조사

② 산과적 외상

③ operation(특히 질식) : 골반 농양에 의한 질식천자, perineorrhaphy, hemorrhoidectomy등

④ lymphogranuloma inguinale

2) 치료: surgical treatment

① Vaginal : rectovaginal type에서

② Abdominal : other part of intestinal tract involved

③ Vaginal fecal fistula도 urinary fistula와 같이 4~6 months 후에 operation

(∵ 주위의 edema, inflammation, induration이 subside 되어야 surgery)

④ Imperforated anus in newborn is most frequently associated with Vaginointestinal fistula

IV. 위치이상(Malpositions)

1. Normal uterine position

1) Long axis of uterus

① nearly horizontal plane

② nearly right angle (90°) with the long axis of the vagina (anteversion)

2) Mobility: under abnormal condition, it is greatly restricted

(1) Flexion – axis between fundus & cervix

(2) Version – axis between cervix & vagina

① fundal axis & cervical axis : 90~120°

② vaginal axis & cervical axis : 70~90°

③ corpus axis & vaginal axis : 약 90°

2. Normal support of the Uterus

1) Pelvic floor

2) Uterine ligament

① Broad ligament

② Cardinal ligament : Uterine downward prolapse방지

③ Uterosacral ligament : Uterus 의 retroversion 방지

④ Round ligament : Pregnancy 때 support

3) Intraabdominal pressure – Posterior urethrovesical angle: 정상에서 약 90°

3. 자궁전위(Displacement of the uterus)

1) Type

(1) **후경** retroversion (first, second, third degree)

: 자궁이 횡축에서 후향으로 기울어진 후전위

- Degrees of the retroversion
  - 1st degree : Fundus가 거의 vertical, 그러나 promontory 옆에 위치
  - 2nd degree : Fundus가 promontory넘었으나 cervix level 상방에 위치
  - 3rd degree : Fundus가 cervix level이하에 위치

(2) **후굴**(retroflexion)

: 자궁이 후방으로 구부러지는 것(즉, 경관에 대한 체부)

(3) retrocession : **Uterus가 normal보다 뒤에 존재**

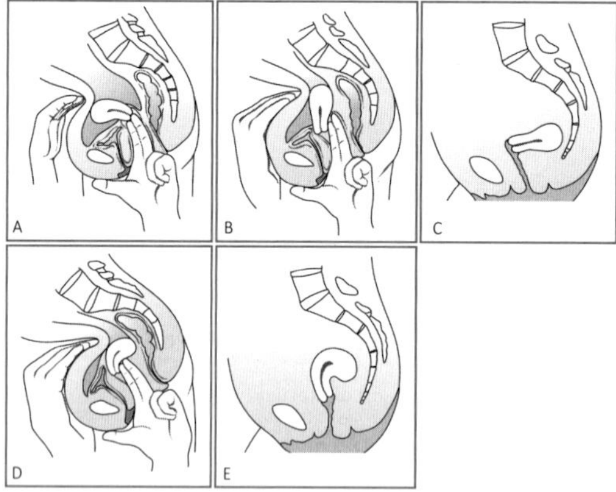

▶ 자궁 후굴의 정도에 따른 여러 형태

2) 자궁후전위의 원인(Retrodisplacement of Uterus)

(1) Congenital

(2) Acquired

① puerperal cause

Ⓐ persistent overdistension of the bladder → retrodisplacement of uterus

Ⓑ injuries of the supporting structures(근막조직)

② adnexal disease

③ neoplasms

④ PID

⑤ endometriosis

⑥ trauma

• m/c cause of fixed uterine retrodisplacement

① PID

② endometritis

3) 증상

① uncomplicated case : 증상이 적다

② Backache : m/c

4) 진단

: Palpation (Pelvic exam)

5) 감별진단

① myoma

② ovarian cyst

③ mass densely adherent to the post wall

6) 자궁후전위 Retrodisplacement of uterus의 치료 방법

① postural (knee-chest position)

② pessary 사용

③ suspension of surgery

Ⓐ Gilliam's operation

Ⓑ Alexander-Adam's operation

• Indication

- pessary로 uterus를 anterior position으로 유지 못할 때

- test는 정상인데 sterility

- 모든 minor defect교정 후 2년 간 계속 불임시

4. 골반 기관 탈출증(Pelvic Organ Prolapse)

1) 분류

- rectocele(직장탈출) : 직장이 vaginal lumen으로 돌출 (protrusion) 된 것.
- enterocele(탈장) : 소장이 vaginal lumen으로 탈장 (herniation) 된 것.
- cystocele(방광탈출) : 방광이 앞질벽(anterior vaginal wall)을 통과하여 탈장(herniation) 된 것.
- uterine prolapse(자궁탈출) : uterus and cervix가 vaginal canal을 통해 질 입구(vaginal introitus)까지 내려온 상태.

(1) pelvic organ prolapse의 mechanism

① pelvic floor, 특히 cardinal ligament의 injury or overstretching, 동시에 perineal structural injury

② marked vaginal relaxation

③ But, Anterior & posterior vaginal wall의 fascia가 injury시는 rectocele, cystocele 발생

→ mostly birth trauma

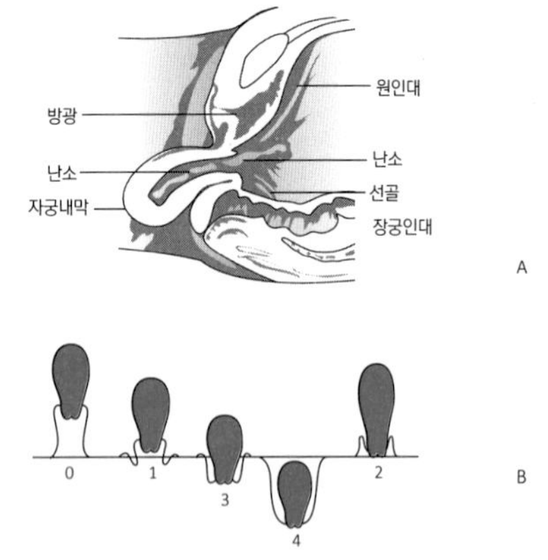

▶ 자궁하수와 주위조직의 관계, 측면도(A), 자궁하수 모형도(B)

(2) stage of the pelvic organ prolapse ★

① stage 0 : 탈출이 없는 경우.

② stage Ⅰ : 탈출의 말단 부분이 처녀막링에서 1 cm보다 위쪽에 있는 경우.

③ stage Ⅱ : 탈출의 말단 부분이 처녀막링에서(상하로) 1 cm 이내에 있는 경우.

④ stage Ⅲ : 탈출의 말단 부분이 처녀막링에서 하방 1 cm 이내 이나 전체 질길이 2 cm 보다는 덜 탈출한 경우

⑤ stage Ⅳ : 질이 거의 다 뒤집힌 경우. 탈출의 말단 부분이 전체 질 길이보다 2 cm 이상 탈출한 경우.

(3) 증상

① 아래 복부에서 무엇이 끌려서 불편한 느낌, 무거운 느낌(m/c)

② 요통(backache)

③ 배뇨 장애

(4) 진단

① 병력청취 : 난산, 기계분만력

② 시진 : 완전 탈출(서 있는 자세에서 탈출이 더 심해져서 진단에 도움을 줄 수 있다)

(5) 치료

① 비수술적 치료

Ⓐ 증상이 없거나 경미한 증상을 호소

Ⓑ 비수술적 치료의 목적

㉠ 탈출의 악화를 방지

㉡ 증상의 강도를 감소

㉢ 저항력과 인내력을 증가시키고, 골반 층의 근육을 지지한다.

㉣ 수술적인 방법을 지연 시키거나 피한다.

Ⓒ 방법

㉠ Kegel's exercise, vaginal pessary- perineal muscle, levator ani muscle 탄력성↑

㉡ 기침, 비만, 만성 변비의 치료 및 교정

㉢ 주기적 검진

② Pessary

Ⓐ Indication ★

㉠ Main indication

- uterus prolapse

- uterus retrodisplacement

㉡ Practical use

- elderly & risk for surgery

- puerpera

- abortion 자체가 displacement에 기인할 때

- suspension operation의 indication 정하기 위해

Ⓑ Contraindication

㉠ PID

㉡ endometriosis

㉢ marked outlet relaxation

㉣ severe vaginitis or cervix inflammation

Ⓒ Complication

㉠ Primary Cancer 발생이 많다.

㉡ severe infection

㉢ fistula

㉣ urinary retention

㉤ leukorrhea

③ 수술 요법(질식 시술이 원칙)

Ⓐ Vaginal hysterectomy with Anterior & Posterior, colporrhaphy - m/c

Ⓑ Manchester/Fothergill operation

Ⓒ Uteropexy

Ⓓ Posterior colporrhaphy

Ⓔ Colpocleisis (Le fort operation)- 질 폐쇄술

Ⓕ Watkins Procedure

(6) 합병증

① Rectocele & cystocele

② Decubitus ulcer of cervix

③ Hypertrophy of cervix

④ Inversion of vagina

⑤ Cancer (0.1%)

17 선천성 기형 및 성발달 장애

Power Gynecology

I. 생식기 기형(Anomalies of reproductive organs)

1. 외생식기 기형(Malformation of external genitalia)

1) 음순유합(Agglutination of the labia)

(1) 원인

: 유년시절에 생긴 염증으로 대음순과 소음순이 중앙선에서 만나게 되어 발생되며 남성 회음부의 중앙봉선처럼 보임

(2) 치료

: 음순을 분리시켜주고 바세린이나 estrogen 연고를 사용하여 유착, 재발을 방지

• 이 질환은 엄밀히 외생식기의 선천성 기형은 아님

2) 처녀막막힘증(Imperforate hymen)

(1) 원인

: 비뇨생식동(urogenital sinus)으로부터 질이 출아하는 장소에서 관강이 발달하지 못하여 발생

(2) 증상 ★

① 사춘기 후에도 발견이 안되는 경우에 월경혈이 축적되어 증상 출현

→ 주기적 하복통

- 질, 자궁, 난관에 많은 양의 혈액이 축적되어도 증상이 없을 수도 있다.

② Urinary retention → Flank pain (rare)

(3) 치료

① Triangular flap 절제와 함께 처녀막을 단순절개 해줌

② 동시에 지속적 항생제 투여(오래된 혈액과 세균감염의 가능성이 높기 때문)

(4) **감별진단** : Transverse vaginal septum

2. 질의 기형(Malformation of vagina)

1) 선천성 질결여(Congenital absence of vagina)

• 선천성 질결여의 경우 isolated form은 드물며, 다른 anomaly를 동반하는 경우가 대부분이다.

(1) 원인

① Defect or arrest in the normal downward growth of the Fused Paramesonephric ducts toward the Urogenital sinus

② Dysgenesis of the Müllerian portion of Vagina and Uterus

∴ Lower vagina는 존재하나 upper vagina와 uterus가 없다.

(2) Mayer-Rokitansky-Küstner-Hauser (MRKH) syndrome ★

① 정의 : Blindly ending shallow vagina

Absence of upper vagina & partial or complete absence of uterine cervix, corpus

② Incidence : 1/500 ~ 1/2,000 female birth

③ Clinical feature and associate anomaly

Ⓐ Autosomal recessive inheritance

Ⓑ Primary amenorrhea

∴ imperforate hymen과 달리 Valsalva manuever 시 bulging이 없다(즉, hematocolpos가 없다).

Ⓒ Partial or complete vaginal absence

Ⓓ 자궁의 무형성(rudimentary small uterus)

Ⓔ 난관의 무형성

Ⓕ Renal abnormalities (single kidney, pelvic kidney)

: 생식기 기형이 있는 모든 환자에서 반드시 IVP 시행한다.

Ⓖ Skeletal abnormalities

: Spine의 골기형(천골의 요추화, 가장 흔한 골기형), deafness(이소골의 결여)

Ⓗ Normal female secondry sex characteristics and appearance

: 해부학적으로나 기능적으로 난소는 정상 ★

Ⓘ Unilateral web neck

Ⓙ 46,XX karyotype

2) 횡질중격(transverse vaginal septum) ★

(1) 증상 : septum이 막혀 있거나 혹은 작은 개구부가 있는지에 따라 좌우됨

(2) m/c site : Junction of Upper and Middle third of Vagina

(3) autosomal recessive inheritance

(4) 치료

① 질확장을 조작(Manual dilatation)

② 수술적 절개로 중격 제거

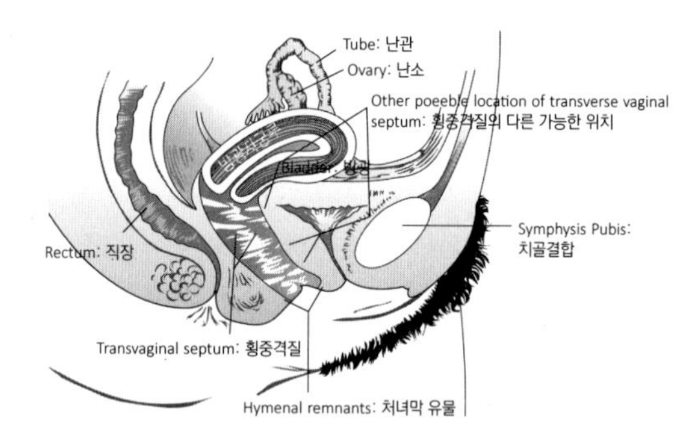

▶ 횡질중격의 가능한 위치

3) 중복질, 중격질(double or septate vagina)

(1) 자궁과 난관은 정상인 경우에서도 발생가능, but 완전히 중복자궁과 함께 중복질을 갖는 경우도 존재

(2) 증상

① 폐쇄가 없는 질중격 → asymptomatic until marriage

② dyspareunia

③ discovered at labor

(3) 치료 : excision of septum

3. 자궁과 난관의 기형(Malformation of Uterus and Tube)

1) 자궁, 난관 기형의 분류

① 뮐러관의 무발육

② 뮐러관의 수직융합

③ 뮐러관의 융합 후의 발육이상

2) 자궁기형의 종류

① 무자궁(absence of uterus)

② 단각자궁(unicornuate uterus)

③ 대칭이중자궁(symmetrical double uterus)

④ 흔적자궁각(rudimentary uterine horn)

⑤ 맹자궁각(blind uterine horn)

3) 진단 및 검사

① HSG(자궁난관조영술)-사이막자궁과 두뿔자궁의 구별은 불가능함

② 복강경이나 MRI

③ 비뇨기계 초음파

④ IVP : 생식기 기형은 흔히 요로계통의 기형과 동반

⑤ 청각검사 : 뮐러관 기형을 가진 여성에서 청력장애 보고됨

4) 합병증

- 자연유산(특히 사이막 형)
- 조산
- 이상 태위
- 분만 후 잔류태반

(1) 무자궁(absence of uterus)

① isolated form - rare

② 대부분 어느정도의 질결여를 동반

(2) 단각자궁(unicornuate uterus)

① 원인 : Müller관의 한쪽만이 발달되고 다른 한쪽은 발달이 완전히 저지

② Differential diagnosis : lateral fusion defect with rudimentary horn

③ Clinical features : poor reproductive outcome

Ⓐ Fetal survival rate : 40%

Ⓑ Severe intrauterine growth retardation

Ⓒ Spontaneous abortion rate and high prematurity

Ⓓ Cesarean section - common

Ⓔ Associate anomaly - renal agenesis

(3) 대칭이중자궁(symmetrical double uterus)

① 원인 - symmetrical lateral fusion defect resulting in two müllerian duct developing side by side without communication each other

② 분류

Ⓐ Complete duplication : uterus didelphys

Ⓑ Bicornuate uterus : two horns of such a partially fused uterus

Ⓒ Septated uterus : external configuration of the uterus is relatively normal with a septum within uterus

Ⓓ Arcuate uterus - Ⓑ보다 미약한 경우

③ 임상 증상

- 1/4 of cases → reproductive failure

Ⓐ Primary infertility : through investigation to exclude other nonuterine causes of infertility

Ⓑ Infertility : through investigation to exclude other nonuterine causes of infertility before metroplasty

Ⓒ Spontaneous abortion

④ 치료

Ⓐ 두뿔자궁 : 복식 자궁성형술

Ⓑ 중격(사이막)자궁 : 자궁경을 통한 절제(hysteroscopic resection)

(4) 흔적자궁각(rudimentary uterine horn)

① 원인 : development of one müllerian duct is normal and development of the other is very

imperfective fusion

② Clinical feature

Ⓐ 대부분 rudimentary horn

•반대쪽 단각자궁과 연결이 없고 섬유성대(Fibrous band)로 연결되어 있을 뿐임

Ⓑ 흔적자궁각이 정상적인 반대편 질과 연결이 되어 있는 경우 흔적기관에서 임신 → 딴 곳 임신

Ⓒ 동측의 요관의 이상 동반(m/c)

③ Management

Ⓐ surgical removal prior pregnancy

Ⓑ IVP (urinary abnormalities를 rule out하기 위해)

(5) 맹자궁각(blind uterine horn)

① 원인 - 양측 뮐러관의 발육은 별 차이없이 잘 이루어져 있으나 한쪽이 다른 쪽과 연결되지 않거나 밖으로 통하지 않을때 발생(one fail to communicate either with the other or exteriorly)

② Clinical feature

Ⓐ dysmenorrhea

Ⓑ development of mass in lower abdomen and vagina lateral to cervix

Ⓒ pelvic endometriosis

Ⓓ anomalies of urinary tract

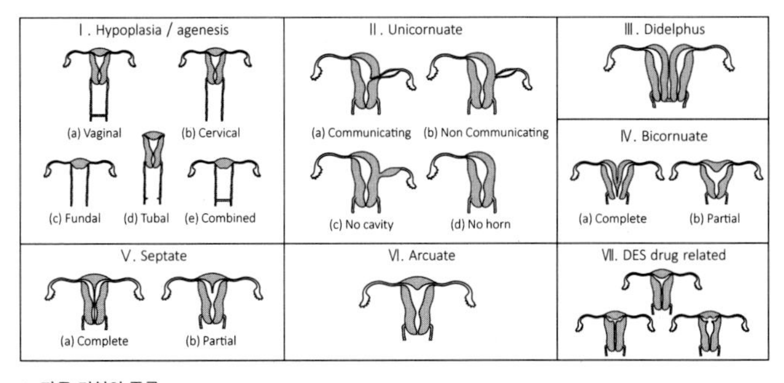

▶ 자궁 기형의 종류

4. 난소의 기형(Malformation of Ovary)

1) 난소발육부전(Ovarian aplasia)

2) 과잉난소 및 부속난소(Supernumerary and accessory ovaries)

(1) 과잉난소 : 정상적인 위치의 난소로부터 완전히 떨어져 태생과정에서 발생하는 normal extra ovaries

(2) 부속난소

① 정상 난소로부터 발달된 것으로 생각되는 과잉된 난소조직이 정상적인 위치의 난소근처에 존재하는 경우

② 일반적으로 직경은 1 cm 미만

③ m/c site: 정상 난소에서 가까운 broad ligament

3) 일측난관 및 동측난소 결여

(Absence of one tube and a corresponding ovary)

II. 성의 이상발육

1. 서론

1) 성결정의 요소

(1) 기질적 요소

① 성염색질과 성염색체

② 성선의 형태

③ 외부생식기의 형태

④ 내부생식기의 상태

⑤ 호르몬의 상태

(2) 정신적 요소

① 양육성(Sex of rearing)

② 성역할(Gender role)

2. 반음양(Hermaphrodite)

Classification of Hermaphroditism			
	Pseudohermaphroditism		True hermaphroditism※
	Female	Male	
Cause	1. Congenital adrenal hyperplasia (adrenogenital syndrome) 2. Nonadrenal female pseudohermaphroditism 3. Developmental disorders of Müllerian ducts	1. Abnormalities in Androgen synthesis 2. Abnormalities in Androgen action 3. Persistent Müllerian duct syndrome 4. Development defects of Male genitalia	Chromosomal sex disorder
Genotype	46,XX	46,XY	46,XX (35%) / 46,XY (10%) / Mosaicism (55%)
Gonad	Ovary	Testis, or Absence of gonad	Both Ovary and Testis, or Ovotestis
MIF	not Produced	produced	Not produced
Androgen production	Excess	Variable (inadequate androgenic representation)	Variable

• True Hermaphroditism
- 대부분 46,XX
- 외부 생식기는 모호하나, female predominant
- 외모상 여성으로 성장

1) 남성 반음양(male hermaphrodite)

(1) 분류

① 중추신경계 이상

Ⓐ 비정상 성선자극 호르몬 분비

Ⓑ 성선자극호르몬 무분비

② 원발성 성선 결손

Ⓐ Testosterone 생합성 결손(in testis)

㉠ pregnenolone 합성 결손

㉡ 3β-hydroxy steroid dehydrogenase 결핍

㉢ 17α hydroxylase 결핍

㉣ 17, 20α-desmolase 결핍

㉤ 17β-keto steroid reductase 결핍

Ⓑ 미확인 요소의 결핍

Ⓒ Müller관 퇴화 결손

Ⓓ 가족성 성선 파손

Ⓔ Leydig 세포 발육부전(agenesis)

Ⓕ 양측성 고환 발육이상(bilateral testicular dysgenesis)

③ 말초종말기관의 결손

Ⓐ 남성 호르몬 - 결합단백 결핍

Ⓑ 5α-reductase 결핍

Ⓒ 미확인 요소의 결핍

④ Y-염색체 이상

Ⓐ Y-염색체 모자이키즘

Ⓑ Y-염색체 형태이상

Ⓒ 미확인 요소의 결핍

(2) 병인

① 주로 상염색체 열성 유전이 대부분

② 안드로젠 무반응증후군(androgen insensitivity syndrome)은 X-염색체 이상에 국한되어 있음

(3) 중추신경 결손

① 가성선자극호르몬(counterfeit gonadotropin) 분비 → 고환 감지하지 못함

② Testis에서 testosterone 생성되지 않아 외성기는 여성쪽에 가깝게 됨

③ 고환의 Müller관은 완전히 억제

(4) 원발성 성선결손

① Testosterone 합성에 관여하는 5가지 효소의 결핍증

② 태생시에 태아의 고환으로부터 분비되는 testosterone의 결핍으로 Wolffian tube의 분화 정지

→ Leydig 세포자체가 결손될 경우 남성 반음양이 됨

③ 가족성 경향

④ 외성기 : 여성으로부터 형성부전의 남성에 이르는 spectrum을 보임

Müllerian duct → 완전히 억제

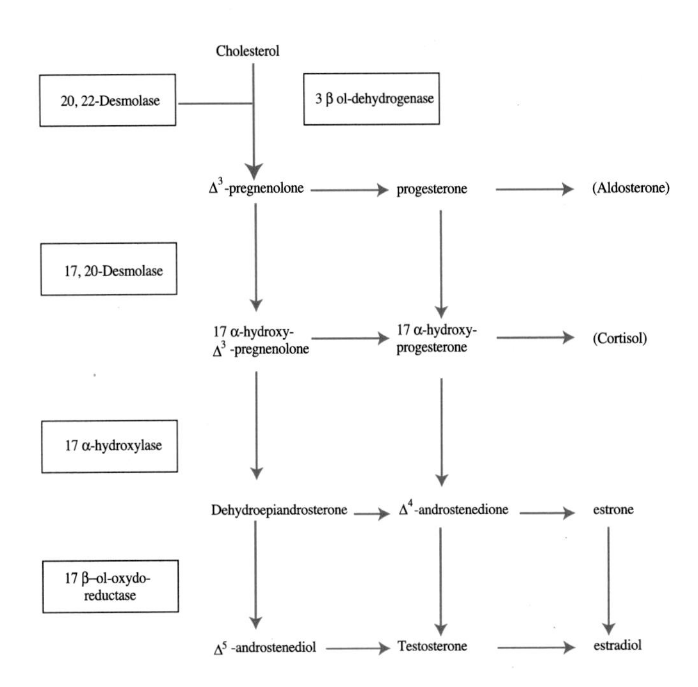

▶ Testosterone 합성과 이에 관여하는 각 단계 효소 5가지

(5) 종말기관의 결손(End organ defect)

① 정의 : Testis에서는 Testosterone이 제대로 생산되나 표적기관에 Testosterone의 수용체가 결손되어 Testosterone고유의 기능이 발현되지 못해 남성 반음양이 된 경우

② 2가지 결핍형

Ⓐ Testosterone 결합단백의 결핍

Ⓑ 5α-reductase의 결핍

③ Autosomal recessive inheritance

④ 외성기 : 불완전한 남성화(외성기의 모호성)

⑤ 내성기 : Wolffian duct는 정상(Müllerian duct는 억제)

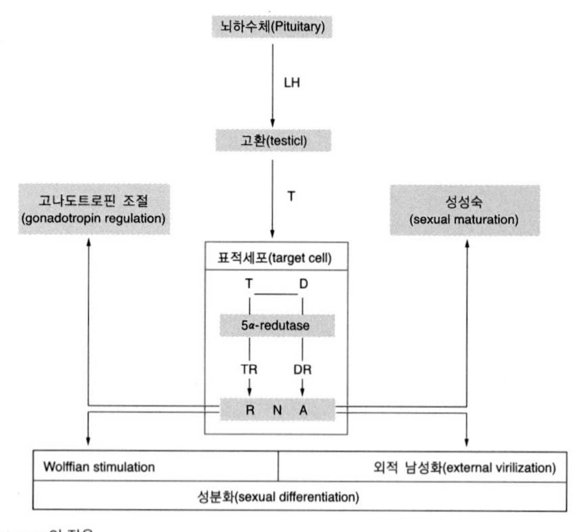

▶ Testosterone의 작용

(6) Y-염색체 결손(Y chromosome defect)

① 염색질 형성의 이상들의 포함

② 외성기 : 여성과 남성 또는 그 중간 형태의 모호한 외성기

③ 내성기 : 다음 중 하나

Ⓐ normal

Ⓑ both streak gonad

Ⓒ one testis, the other streak gonad

Ⓓ 고환이 있는 쪽은 Wolffian duct, 삭상성선이 있는 쪽은 Müllerian duct 발생

(7) 치료 ★

① 외성기를 외관상으로나 기능적으로 여성으로 성형수술

(80%의 남성 반음양이 여성쪽에 가까운 외성기를 갖는다)

② 모든것을 18개월 이전에 끝냄으로써 기억에 남지 않게 해주는 것이 좋다.

③ 고환 특히 잠복고환인 경우는 악성화되기 전에 제거해 주어야 함은 물론 남성기나 미분화된 남성기 부분은 모두 제거하여 후에 증가된 Testosterone에 의해 남성화 될 부분들을 없애준다.

④ 사춘기가 되면 estrogen의 투여로 이차성징의 발현을 도모

⑤ 자궁을 가진 경우에는 주기적인 출혈을 유도

→ 이 때는 주기적인 자궁내막 검사 실시

2) 여성 반음양(Female hermaphrodite)

(1) 분류

① 선천성 남성화 부신증식증(in adrenal gland)

Ⓐ 21-hydroxylase 결핍(m/c)- 남성화 + 염류소실

Ⓒ 11β-hydroxylase 결핍- 남성화 + 고혈압

Ⓒ 17α-hydroxylase 결핍- 성유치증 + 고혈압 + Hypokalemia

Ⓓ 3β-ol-hydroxysteroid dehydrogenase(3β-HSD)- 남성화 + 부신부전증

② 모체 남성호르몬

Ⓐ 난소종양

Ⓑ 임신황체종(Pregnancy luteoma)

Ⓒ 부신종양

ⓓ 외인성 약제

③ 비남성 호르몬성 비뇨생식기의 발생이상, 기타

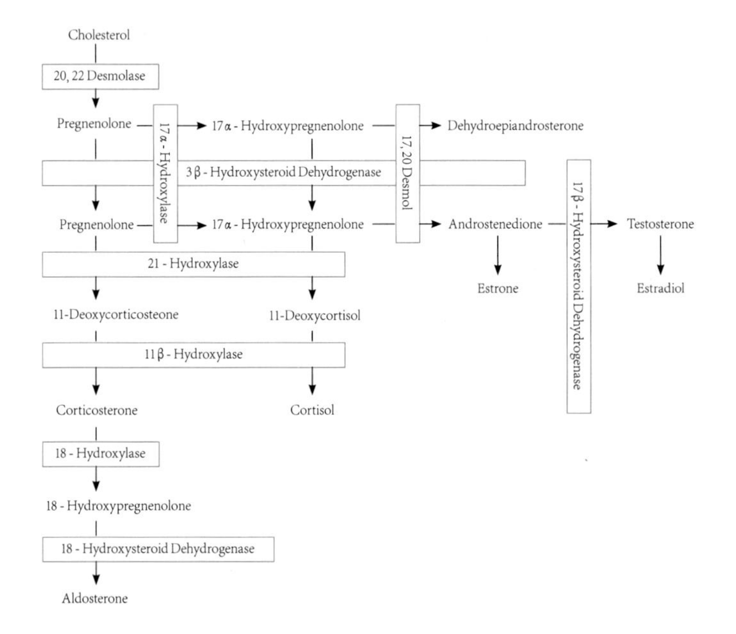

▶ 스테로이드 생합성 과정과 각 과정에 필요한 효소들 ★

(2) 선천성 남성화 부신증식증(Virilizing congenital adrenal hyperplasia)

① 21-hydroxylase deficiency 가 95% 이상을 차지 ★

② m/c cause of ambiguous genitalia in the newborn

③ at Birth : Virilization + Androgens↑

Ⓐ Hypertrophy of Clitoris

Ⓑ Variable fusion of the Labioscrotal folds

Ⓒ Differing degrees of Virilization of the urethra

㉠ Internal genitalia: normal

㉡ Ovaries: normal

㉢ 46,XX

㉣ Untreated female : Androgenized & Amenorrhea

cf) 11β-hydroxylase deficiency

④ 21-OH deficiency 다음으로 빈번(그러나 드물다).

⑤ 특징

Ⓐ cortisol, aldosterone 생산 장애(↓)

Ⓑ ┌ DOC (deoxycorticosterone) ↑
└ Androgen ↑(esp △4A)

⑥ 임상 증상 : 조모증, 월경장애, 여드름, 외부 생식기 기형, 고혈압

cf) 3β-ol-hydroxysteroid dehydrogenase (3β-HSD) deficiency

⑦ 매우 드물다

⑧ △5 pregnenolone → 17 OH-pregnenolone
↓ ↓
△4 progesterone → 17 OH-progesterone

⑨ 검사 소견

Ⓐ pregnenolone ↑

Ⓑ 17α-OH pregnenolone ↑

Ⓒ DHEA(dehydroepiandrosterone) ↑

Ⓓ Androstenediol ↑

⑩ ADD & Testosterone 정상

⑪ 치명적이다
- Deficiency of cortisol
- Marked salt wasting
- Profound adrenal insufficiency

⑫ 조모증, 월경장애 등 PCO와 유사한 양상

(3) 태중 남성 호르몬

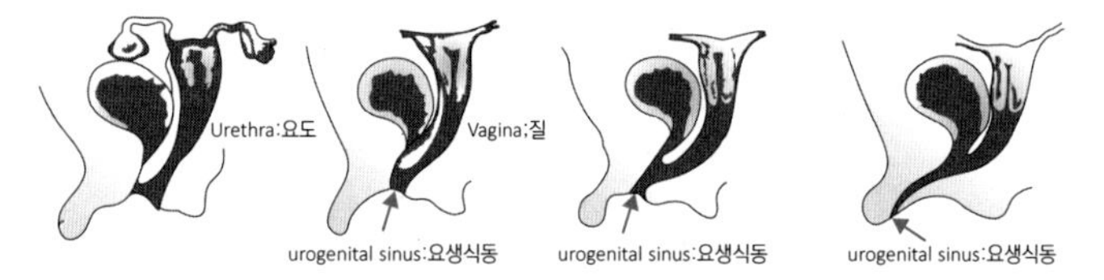

▶ 출생전의 남성호르몬 노출에 의한 여성 반음양의 외성기 형태

: 태생 12주 이후의 노출은 음핵비대만을 초래하고(왼쪽), 노출시기가 이를수록 비뇨생식동의 잔류와 음순융합의 정도가 점차 심해지며(가운데), 아주 일찍 노출된 경우는 거의 남성의 요도하열과 같은 기형을 초래한다(오른쪽).

3) 진반음양(True hermaphrodite)

(1) 정의 : 난소와 고환을 공유하는 성선을 가진경우

(2) 외성기 : 모호

(3) 내성기 : Müller 관 잘 발달

(4) 진단 : 복강경검사가 필수적

(5) 치료 : 외성기의 성형수술과 이에 반대되는 성선 또는 성선 조직의 제거

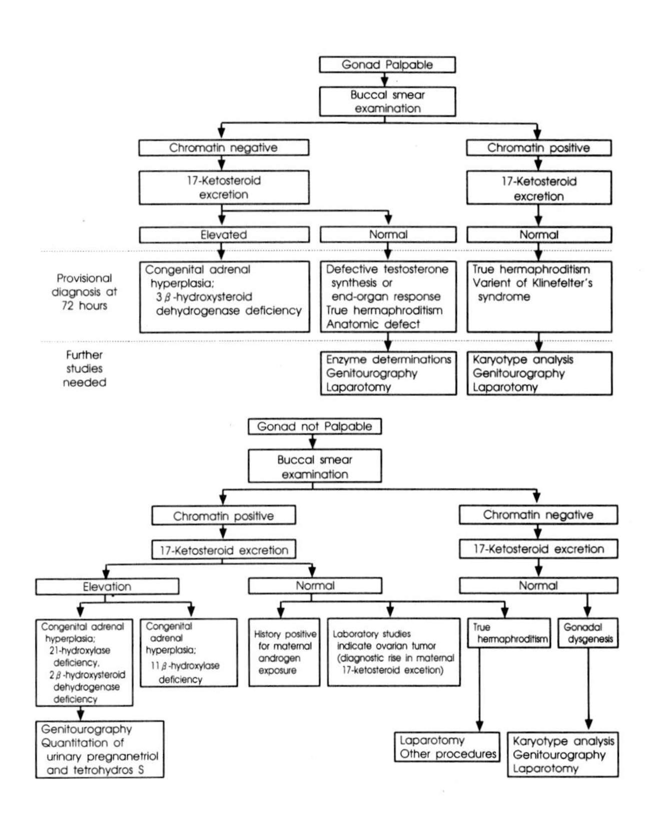
Gonad Palpable
Buccal smear examination
Chromatin negative
17-Ketosteroid excretion
Elevated
Normal
Chromatin positive
17-Ketosteroid excretion
Normal
Provisional diagnosis at 72 hours
Congenital adrenal hyperplasia; 3β-hydroxysteroid dehydrogenase deficiency
Defective testosterone synthesis or end-organ response
True hermaphroditism
Anatomic defect
True hermaphroditism
Varient of Klinefelter's syndrome
Further studies needed
Enzyme determinations
Genitourography
Laparotomy
Karyotype analysis
Genitourography
Laparotomy
Gonad not Palpable
Buccal smear examination
Chromatin positive
17-Ketosteroid excretion
Elevation
Normal
Chromatin negative
17-Ketosteroid excretion
Normal
Congenital adrenal hyperplasia; 21-hydroxylase deficiency, 2β-hydroxysteroid dehydrogenase deficiency
Congenital adrenal hyperplasia; 11β-hydroxylase deficiency
History positive for maternal androgen exposure
Laboratory studies indicate ovarian tumor (diagnostic rise in maternal 17-ketosteroid excetion)
True hermaphroditism
Gonadal dysgenesis
Genitourography
Quantitation of urinary pregnanetriol and tetrohydros S
Laparotomy
Other procedures
Karyotype analysis
Genitourography
Laparotomy

3. 염색체 이상

1) X 염색체 이상(X chromosome anomalies)

(1) 분류

X 염색체 이상
1. 표현형 불일치 - 삭상선 (Streak gonad) 46,XX 2. 단염색체성 (Monosomy) 45,X 3. 구조적 기형 (Structural anomalies) 등완염색체 (isochromosome), 결손 (Deletion), 환 (Ring) 등 4. 전위 (Translocation) X-상염색체 (X-Autosome), X-X, X-Y 5. 다염색체성 (Polysomies) 47,XXX ; 48,XXXX ; 49,XXXXX 6. 표현형 불일치 - 고환 46,XX 남성 ; 46,XX 진반음양

(2) 표현형 불일치(Phenotypic discrepancies)

- 삭상성선(Streak gonad)

① 신체적 이상은 전혀 없는데도 불구하고 일차성 무월경과 함께 2차성징의 발현이 없는 예에서는 46,XX 염색체를 나타내면서도 삭상성선을 가지고 있어 핵형과 성선의 표현형사이에 분명한 불일치를 보이고 있다.

② 원인 : Unknown(바이러스, 약제등에 의해 태생초기의 세포가 파괴된 경우 발생)

③ 자궁, 난관, 질 및 외성기는 이상없이 발생

④ 감별진단 : 45,XO Turner 증후군

(3) Turner syndrome ★

(4) 등완염색체 X (isochromosome X)

(5) 환 X (ring X)

(6) X 염색체 장완의 결손

(7) mosaicism

(8) 다수염색체(polysomy)

2) Y 염색체 이상(Y chromosome anomalies)

(1) 분류

Y 염색체 이상의 분류
1. 표현형 불일치(46,XY – 삭상성선) 2. 구조이상(표지, 중심체주위도치, 등완염색체, 결손) 3. 전위(Y–상염색체, Y–X) 4. 다상성 염색체(47,XXY ; 48,XXYY ; 47,XYY ; 48,XYYY 등)

18 무월경

Power Gynecology

I. 서론

1. 정의 

(1) 원발성 무월경(Primary amenorrhea)

① 2차 성징 발현 없이 만 13세까지 초경이 없는 경우

② 2차 성징의 발현은 있으나 만 15세까지 초경 없는 경우

(2) 속발성 무월경(Secondary amenorrhea)

① 월경하던 여성이 6개월 이상 월경이 없는 경우

② 기왕의 월경주기의 3배 이상 기간 동안 무월경

2. 분류

무월경의 해부학적 원인에 따른 분류

1. 중추신경계 장애
   (1) 시상하부 기능부전
      ① 시상하부 손상
      ② Kallman's disease
      ③ Iatrogenic - Reserpine, Aspirin, Indolamine
   (2) 정신 신경학적 이상
      ① 상상 임신 (Pseudocyesis)
      ② Anorexia nervosa
      ③ Stress
   (3) 뇌하수체성 무월경
      ① 뇌하수체 종양
      ② Sheehan's disease
      ③ Empty sella syndrome
2. 난소이상에 의한 무월경
   (1) 선천성 발육부전
      ① 난소 형성 부전 (Streak gonad)
      ② 진성 반음양
      ③ Testicular feminization syndrome
      ④ Male hermaphroditism
   (2) 조발 폐경증
      ① 폐쇄성 난소 병변 : 종양, 농양, Radiation, 절제
      ② Insensitive ovary
      ③ 종양
         a. 남성화 종양
         b. 여성화 종양
         c. Steroid 합성, 비특이성, 기질성 종양
3. 자궁에 기인한 무월경
   (1) 자궁의 이상
      ① Müllerian duct의 이상
      ② Total Müllerian duct 결여증
      ③ 감염 - Tuberculosis, Schistosomiasis
      ④ Asherman's syndrome
   (2) 하부 생식관의 이상
      ① Imperforated hymen
         a. Transverse vaginal septum
         b. 후천성 - 노인폐쇄증, 종양, Radiation, 수술후
4. 전신 질환
   (1) 만성 질환
      ① 영양 결핍 ② Malabsorption disease
      ③ 신장 질환 ④ 심장 질환
      ⑤ 심한 감염 ⑥ 만성 소모성 질환
   (2) 대사성
      ① 췌장 기능 이상
      ② 부신 질환
      ③ Steroid hormone 대사 장애
5. 생리적 무월경
      ① 사춘기 지연 ③ 산욕기
      ② 임신 ④ 폐경

II. 무월경의 진단과 치료(Clinical management)

1. 병력 청취 및 신체진찰

- 임신의 가능성을 먼저 배제해야 한다.
- 병력 청취 → 속발성 무월경 환자에게 중요
  신체 검사 → 원발성 무월경의 원인 진찰 가능

1) 병력 청취

① 성장 발육의 기왕력

② 월경력 및 산과력

③ stress 및 정신적 인자

④ 전신질환 또는 신체적 이상과 관련된 증상, 폐경기 증상 유무

⑤ 약제(피임, 항암제, 기타) 및 방사선 치료

⑥ 가족력

2) 신체진찰

① 전신상태 평가 → 염색체 및 유전자 이상의 특징 소견 유무
대사성 질환의 증상 존재 여부
영양상태

② 신경학적 검사 → 중추신경계 증상 유무

③ 2차 성징 발현 여부(유방, 치모)

④ 남성화 증상 유무(다모증, 음핵 비대, 외성기 모호)

⑤ 골반 진찰(처녀막 폐쇄, 자궁 및 자궁경관 존재 여부, 자궁 점액 상태, 자궁부속기의 덩이 여부)

- 원발성 무월경의 경우
  → 성장과정과 사춘기 발달 시작시기와 과정 파악이 중요
- 속발성 무월경의 경우
  → 임신, 전신질환의 증상, 폐경 증상, 다모증, 유루증 등의 파악이 중요

2. 검사 항목

1) 기본 검사

① CBC

② U/A

③ STS

④ Chest X-ray

⑤ Cevical mucus examination

⑥ Pregnancy test

2) 특수 검사

① Challenge test - Progesterone, estrogen

② Hormone assay - FSH, LH, PRL, TSH

③ Chromosomal study

④ Dynamic test- GnRH, TRH, clomiphene

3. 진단 과정 ★

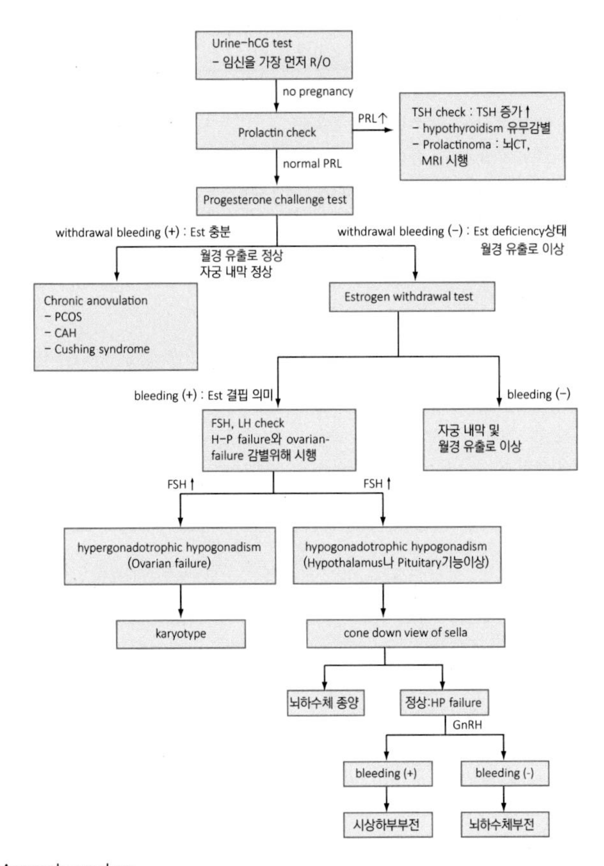

▶ Amenorrhea work up

• 진단 시 가장 처음 알아야 할 정보

- Pregnancy가 아니라는 것이 확인된 다음(임신은 secondary amenorrhea의 m/c cause)

① 혈중 Prolactin level의 측정

② Endogenous estrogen의 수준을 파악

③ Hx, P.Ex 상 특이 소견 없는 원발성 무월경에서는 FSH, LH를 우선 검사

▶ 1st) Prolactin level의 측정

(1) Prolactin level이 정상인 경우

→ Progesterone challenge test (PCT) 시행

(2) Prolactin level이 상승한 경우

→ ① TSH check : (Hypothyroidism 유무 감별)

② Sella MRI, Brain MRI(뇌하수체 종양 유무)

(3) 정상인 경우

① hypothalamic dysfunction

② drug등에 의한 hyperprolactinemia

③ stress

▶ 2nd) Progesterone Challenge test (PCT)

• 목적

① 충분한 natural estrogen이 있는지 알아본다.

② outflow tract problem

• 방법

① Progesterone in oil, 200 mg, IM

② MPA 10 mg/day, PO for 5 days

→ 투여 완료 후 2~7일내 bleeding 여부 확인.

(1) Positive인 경우 : Bleeding(+)

① 의의 [충분한 내인성 estrogen과 정상적인 자궁 내막 있다.
월경 유출로의 기능은 정상이다.

② 원인 : anovulation

③ Management

Ⓐ further evaluation은 필요없다.

Ⓑ 배란 유도

Ⓒ
- Oral contraceptives
- MPA PO : 매달 10일 간 사용
- endometrial hyperplasia, uterine cancer 예방

(2) Negative인 경우 : Bleeding(−)

→ Estrogen challenge test 시행

① 월경 유출로 이상

② estrogen결핍으로 자궁내막이 준비되어 있지 못하다.

▶3rd) Estrogen withdrawal test

• 방법

- conjugated equine estrogen, 1.25 mg/day, PO for 21 days and
- Progesterone, 200 mg, IM (21일째) or
  MPA, 10 mg/day, PO (17~21일째, 5일간)

(1) Positive인 경우(PWT엔 negative) : Bleeding(+)

•내인성 estrogen 결핍을 의미한다.

① 난소의 난포 결함

② H-P 결함

→ 감별 위해 FSH & LH check

(2) Negative인 경우 : Bleeding(−)

•자궁내막 및 월경 유출로 이상

① 월경 유출로의 선천적 이상

② 자궁 내막의 파괴(Asherman's syndrome)

③ 자궁이 없는 경우

Ⓐ 46,XY로 MIF는 정상이므로 자궁이 없다.

Ⓑ Androgen insensitivity, 17, 20 desmolase deficiency, 5-α reductase deficiency, 17α-hydroxylase deficiency(46,XY의 경우)

▶4th) FSH/LH check

• 방법

- ECT 2주 이후에 실시

- FSH/LH 측정 2주 후에도 출혈 없으면 endogenous LH surge 없는 것임

(1) 상승하는 경우

• 원발성 난소 부전

① Turner syndrome

② 염색체 mosaicism

③ Ovarian insensitive syndrome (Savage syndrome)

④ 조기 폐경

⑤ 성선 자극 hormone 생산 종양

⑥ 17α-hydroxylase deficiency, 17-20 desmolase deficiency

⑦ 방사선 치료, 항암제, Galactosemia, infection, 침윤성 질환

(2) 정상인 경우

• 정상이라도 CNS-hypothalamic dysfunction 있을 수 있다.

(3) 저하 혹은 정상인 경우

① 생리적 지연(m/c)

② Kallman syndrome(2nd m/c)

③ CNS 병변(두개인두종, Sheehan's syndrome)

④ 5-α reductase deficiency

⑤ anorexia nervosa, exercise, stress, etc.

→ Sella CT 시행

Ⓐ 이상인 경우

- 뇌하수체 종양

Ⓑ 정상인 경우

- H-P dysfunction → GnRH or TRH 검사 시행

▶5th) GnRH 검사

① 반응(+) : Hypothalamic failure

② 반응(-) : Pituitary failure

4. 무월경의 치료 원칙

• 방법

1) 원인 인자 치료

2) HRT

3) Gonadectomy

4) Ovulation induction

1) Specific treatment(원인 인자 치료)

2) Hormonal therapy

(1) 적응증 - Hypoestrogenism이고, 배란 유도의 적응증이 안되는 환자.

① Gonadal failure(성선 부전증)

② Hypothalamic amenorrhea(시상하부성 무월경)

③ 생식선 제거술 받은 환자(Gonadectomy)

(2) 방법

① Estrogen(1.25 mg) PO (# 1~25)

② MPA(10 mg) PO (# 16~25)

3) Gonadectomy : 염색체 검사상 Y 염색체가 있는 환자(악성 종양의 가능성 때문)

4) 배란 유도

(1) 유의 사항

① 원인 질환을 치료하면 자연 배란되나, 그렇게 되지 않을때 특수 치료와 병행하여 배란 유도.

② ECT, PCT로 인한 출혈을 배란유도로 혼동하지 말 것

③ Ovarian failure 환자는 금기임.

④ Prolactinoma의 경우에 배란유도시 임신에 의해 종양이 커질 수 있다.

⑤ PCO의 경우 Atypical endometrial hyperplasia나 Endometrial cancer 유발가능 하므로 치료 전에 Endometrial biopsy 실시 필요

⑥ 다른 불임검사가 모두 정상이어야 한다.

(2) 적응증

① 무배란 여성에서 수태 능력의 증진

② 희발배란 여성에서 배란시점의 예견

③ H-P-O axis의 건재 확인

④ 사춘기 부정 자궁 출혈의 조절

(3) 방법

① Clomiphene citrate - Normo-gonadotropic Normo-estrogenism

② HMG - Hypogonadotropic hypoestrogenism

③ GnRH - Hypogonadotropic hypoestrogenism 환자 중 GnRH투여로 FSH, LH 분비 촉진 가능한 환자(pituitary 기능 있는 환자) 즉, hypothalamic failure pt

④ Bromocriptine - Hyperprolactinemia 시(PRL↑→ GnRH↓→ LH↓, FSH↓→ 배란 억제)

⑤ 기타 - Dexamethasone, Estrogen

5. 배란 유도 약제

1) Clomiphene citrate

(1) 성분 – Nonsteroid 합성제제

(2) 작용 기전

• Very weak Estrogenic effect (Partial agonist)

- H-P 수준에서 Estrogen receptor에서 Estrogen과 경쟁적 결합

→ Estrogen의 Negative feedback 효과 유발

→ FSH, LH 분비 촉진(FSH 상승 → Follicle growing)

- Cervical mucus & Endometrium에 대해 estrogen에 길항 작용

(3) 적응증

① 혈중 Estrogen치 정상(PCT 양성)

② FSH 치가 40 mIU/mL 미만 : Ovarian failure 환자 아니어야 함.

③ Pituitary failure가 아니어야 함(∵negative feedback을 이용)

④ 혈중 Prolactin 치가 정상

⑤ 갑상샘기능 정상

⑥ 부신기능 정상

⑦ Clomiphene citrate 이외의 다른 치료를 요하는 사항이 없어야 한다.

⑧ 다른 불임인자가 없어야 한다.

(4) 투여 방법 및 추적검사

① 투여 방법: MCD #5 부터 5일간(50 mg/day)

배란 안되면 50 mg 씩 증량(150~200 mg 까지)

② Monitoring

Ⓐ BBT 계속 check

Ⓑ MCD # 11~14에 cervical scoring, PCT, US

Ⓒ MCD # 15~17일이 배란일(성교 권유)

Ⓓ 황체기에 Endometrial Bx, P4 check 하여 황체 기능 파악.

③ 다음단계 처치

Ⓐ 50 mg/day 용량 → cervical score좋고 배란 잘되면 6개월간 치료

㉠ 배란 잘되나 점액 불량 → estrogen 보충 (# 9~16)

㉡ 난포는 잘 자라나 난포 파열이 안되는 경우

→ hCG 5,000~10,000 IU 1M (난포 직경 > 18 mm시)

㉢ 배란되나 LPD 있으면

→ 100 mg으로 증량 or

→ hCG injection or

→ 황체기에 progesterone 보강

Ⓑ 1일 50 mg에 안되면

→ 다음 주기엔 1일 100 mg

→ 그래도 배란 안되면 150 mg

→ 그래도 안되면 HMG/hCG로 배란유도

Ⓒ 1일 150 mg에 배란은 되나 LPD 있으면

→ CC/HMG/hCG 또는 HMG/hCG 법으로 배란 유도

(5) 치료 효과

① 배란율 50~70% / 임신율 40%

② 성공률이 낮은 이유 : premature LH surge 유발하여 채취 난자 수와 fertility의 감소

Ⓐ Antiestrogen effect

Ⓑ Antiluteolytic effect

(6) 부작용 및 합병증

① Scotoma(암점)

② Blurred vision(시야 흐림)

③ Hot flush(홍조)

④ Cystic enlargement of ovary(난소의 낭성 종창)

⑤ Multiple pregnancy, Heterotropic pregnancy

2) HMG/hCG에 의한 배란유도

(1) 약제 종류

① HMG (pergonal) : FSH (75 IU) + LH (75 IU)

② uFSH(metrodin) : pure human urinary FSH (75 IU)

③ hCG : 임신부 소변에서 추출

④ hPG : human pituitary gonadotropin (FSH, LH 함유)

⑤ hFSH : human pituitary FSH (pure FSH 40 IU)

(2) 적응증

① Hypogonadotropic hypoestrogenism 동반한 H-P dysfunction

② Clomiphene citrate에 반응하지 않는

Normo-gonadotropic Normo-estrogenic amenorrhea

(3) 투여 방법

① PCT 후 MCD # 3부터 투여

- 혈중 estrogen이 낮아서 withdrawal bleeding 없는 경우는 바로 HMG투여

② 1일 2 ample 투여 시작 → E_2 & US monitoring 해가며 용량 조절

3일 투여 후 혈중 E_2 증가 없으면 사용 용량의 50%를 증량

③ Follicle diameter가 18 mm 이상이면 hCG 5,000~10,000 IU IM

- E_2가 너무 높거나 난포수가 너무 많으면

→ hCG 중단(배란유도 포기) (→ OHSS 위험)

참고) hCG 투여 시 주의사항

: hCG는 5~14일이 지나야 몸에서 빠져나간다.

∴ 투여 후 14일 이내에 임신반응검사는 위양성을 유발한다.

(4) 치료 성적

① 배란율 - 90%

② 임신율

Ⓐ Hypogonadotropic hypoestrogenic - 91.2%

Ⓑ Normogonadotropic Normoestrogenic - 40% 미만

(5) 부작용 및 합병증

① OHSS(20~50%) (→ Chapter '불임증'에 기술)

② Multiple pregnancy

③ Abortion (25%) (fetal wastage)

3) GnRH agonist에 의한 배란유도

(1) GnRH의 적응증

① H-P-D에 의한 amenorrhea pt'중 pituitary 기능 남아있는 환자

② C.C에 반응하지 않는 무월경 환자

③ Hyperprolactinemia, hyperandrogenism 환자가
bromocriptine or dexamethasone에 반응하지 않을때

(2) GnRH의 투여방법

① 지속적 투여 → down regulation → gonadotropin 분비 감소

② Pulsatile administration (GnRH 박동주기와 비슷하게 투여)

③ 용량 : 0.025~0.05 μg/kg

④ 주기 : Ⓐ early follicular phase (90분마다)

Ⓑ mid follicular phase (60분마다)

Ⓒ luteal phase (3~4시간 간격)

• 경로 : infusion pump 이용 - SC or IV injection

(3) 치료 성적

① 배란율 : 90%

② 임신율 : 50%

(4) 부작용 및 합병증

① Multiple pregnancy (5%)

② Abortion (25~30%)

4) Bromocriptine에 의한 배란유도

5) 기타

III. 각론

1. Anorexia nervosa

① Ideal weight의 25% 이상 감소시 나타나는 무월경

② 시상 하부 기능저하와 뇌하수체 기능저하 동반한다.

③ 호발 연령 : 20세 미만에서 호발(20세 미만 여성에서 나타나는 2차성 무월경의 m/c 원인)

④ 증상 : 거친 피부, 서맥, 저혈압, 변비, 저온증

⑤ T_3 ↓, RT_3 ↑, T_4 정상

⑥ LH 분비 양상 : LH pulse가 없거나, 밤에만 박동이 나타남

⑦ 치료 : 정신과적 치료, 체중이 회복되면 월경도 회복된다.

2. Pseudocyesis(가성 임신)

1) 임신을 간절히 원하는 여성이나 폐경기에 가까운 여성에서 많다.

2) 증상 – 임신의 모든 주관적 증상이 나타날 수 있다.

① 복부 팽만 - 지방 축적이나 가스에 의함

② 월경 이상 - 무월경은 없으나 기간의 변화가 있을 수 있다.

③ 유방 증대와 유즙 분비

④ 태동 - 내장이나 복벽 근육의 수축에 의함

3) 진단 – 골반 내진에 의해 작은 자궁을 촉진

3. Polycystic Ovarian Syndrome (Stein–Leventhal syndrome)

1) 정의

① 비정상적으로 높은 LH, 정상 범위의 FSH 분비상(LH/FSH > 2)

② 무배란성 월경이상(출혈, 희발월경, 무월경), 불임

③ 양측성 다낭성 난소낭종

④ Hirsutism, Hyperandrogenism, Obesity

⑤ insulin resistance ↑

2) long term risk factor

① abnormal lipid profile (high TG, low HDL, high TC, high LDL)

② insulin resistance, obesity

③ coronary artery disease

④ HTN

⑤ DM

⑥ endometrial carcinoma(자궁내막암, 유방암, 난소암 위험증가)

참고) 난소 정상 크기의 2~5배 증가 가능

3) 병리

① 육안적 소견

Ⓐ 정상 난소의 0.5~2배 크기

Ⓑ 진주같은 흰 피막속에 많은 작은 소낭포

② 현미경적 소견

Ⓐ Corpus albicans의 hypertrophy

Ⓑ Stroma의 hyperplasia

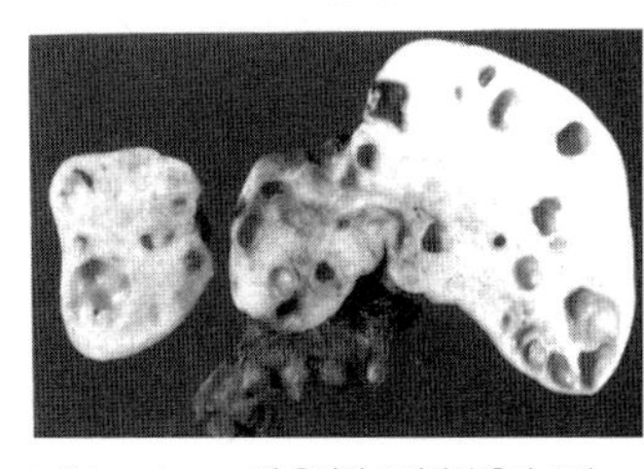

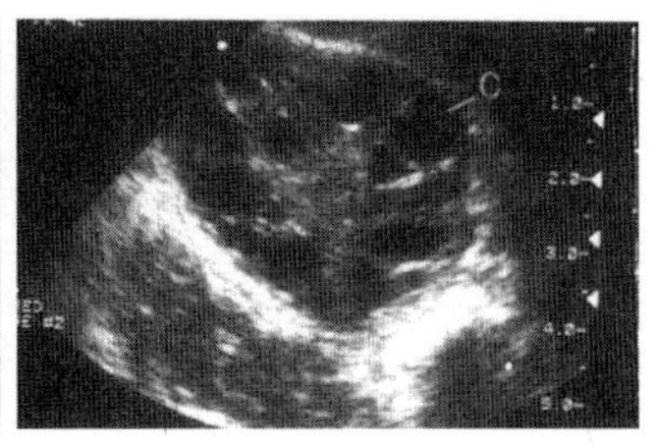

▶ Polycystic ovary의 육안적 소견과 초음파 소견

4) 증상

① 무배란 → Amenorrhea, Oligomenorrhea, Infertility, Dysfunctional uterine bleeding

② 남성 Hormone 증가 → Hirsutism, 남성화 현상(부신의 DHEAS 생성증가,

난소의 theca cell의 androgen 생성증가)

③ Anabolism의 증가 → Obesity

④ 기타- 하복부 동통

5) Hormonal abnormality

① 혈중 LH↑(>25 mIU/mL), FSH는 정상 → LH/FSH ratio > 2.5

② 혈중 Androgen↑ (Testosterone > 90 ng/dL, ADD > 2.5 ng/mL, DHEA > 1,500 ng/mL)

③ 혈중 SHBG↓

④ 혈중 E_1↑, E_2 정상 또는 감소

6) 병태 생리

① Pituitary hyperresponsiveness to Stimulation

- 표적 기관 hormone 과잉에도 불구하고 pituitary trophic hormone 분비기능이 과민

② Decreased responsiveness to Suppression

- 표적 기관 hormone에 의한 negative feedback에 둔감

③ PCOS 의 주된 기전

- Negative feedback 기전의 부전

→ LH↑→ 난소에서 ADD↑

→ 시상하부 전방(suprachiasmatic area; cyclic LH surge center)

: ADD가 E_1으로 전환 E_1↑→ LH↑→ ADD↑(positive feedback)

→ 시상하부 후방(arcuate nucleus; tonic center)

: 이곳의 E_2 수용체는 이미 모두 결합 → Negative feedback 차단 or 고정 → 지속적인 LH pulsatile secretion

Pituitary gonadotropin 자극에 의한 많은 난소 생성

→ 많은 Inhibin 분비 → FSH 억제(∴FSH는 정상 수준 유지)

7) 치료

(1) 불임증의 치료

① 체중감소

② Clomiphene citrate : PCO에서 배란 유도의 DOC

Ⓐ 배란 조절기구 기능부전 상태를 일시적으로 호전(궁극적 치료는 아님)

Ⓑ 80%에서 배란 및 임신 가능

ⓒ 경우에 따라 hCG 병용

③ Insulin sensitizer : metformin, thiazolidinedione

④ IVF-ET

⑤ Bromocriptine : Hyperprolactinemia시

⑥ Cortisone acetate : Congenital adrenal hyperplasia 동반된 경우

⑦ Wedge resection - ADD 생성 줄여 일시적으로 배란 유발(재발 가능)

⑧ Laparoscopic ovarian drilling (diathermy by electrocautery)

(2) 기능성 자궁 출혈의 치료 – Suction curettage biopsy 실시 후 소견에 따라 치료

① Simple or Mild hyperplasia

조모증(+) : Norethindrone

조모증(-) : Estrogen 다량 포함된 Oral contraceptive

② Severe or Atypical hyperpalsia

Megace (potent progesterone)

(3) 다모증의치료

Treatment category	Specific regimens
Weight loss	
Hormonal suppression	Oral contraceptives Medroxyprogesterone Gonadotropin-releasing hormone analogues Glucocorticoids
Steroidogenic enzyme inhibitors	Ketoconazole
5α-reductase inhibitors	Finastecide
Antiandrogens	Spironolactone Cyproterone acetate Flutamide
Insulin sensitizer	Metformin
Mechanical	Temporary Permanent Electrolysis Laser hair removal

4. Hyperprolactinemia

1) 정의 – Amenorrhea + Galactorrhea syndorme

2) Hyperprolactinemia의 원인

Causes Of Hyperprolactinemia
1. Physiologic state
Pregnancy / Nursing (early)
"Stress" / Sleep
Nipple stimulation / Food ingestion
2. Drugs
① Dopamine receptor antagonists
Phenothiazines / Butyrophenones
Thioxanthenes / Metoclopramide
Sulpiride / Respridone
② Dopamine-depleting agents
Methyldopa, Reserpine
③ Hormones
Estrogens, Antiandrogens
④ Opiates
⑤ Verapamil
3. Disease state
① Pituitary tumors
• Prolactinoma
• Adenomas secreting GH and prolactin
• Adenomas secreting ACTH and prolactin (Nelson's syndrome and Cushing's disease)
• Nonfunctioning chromophobe adenomas with pituitary stalk compression
② Hypothalamic and pituitary stalk disease
• Granulomatous diseases, especially sarcoidosis
• Craniopharyngiomas and other tumors
• Cranial irradiation
• Stalk section
• Empty sella
• Vascular abnormalities, including aneurysm
• Lymphocytic hypophysitis
• Metastatic carcinoma
③ Primary hypothyroidism
④ Chronic renal failure
⑤ Cirrhosis
⑥ Chest wall trauma (including surgery, herpes zoster)
⑦ Seizures

3) 증상

① Normal menstruation with Galactorrhea

Ⓐ 약 15%에서 출현

Ⓑ 약 2개월간 유두 자극 피하며 관찰 - 계속될 때 bromocriptine 투여

② Secondary amenorrhea, Oligomenorrhea, Dysfunctional uterine bleeding

Ⓐ 이 경우 약 30%에서 galactorrhea 없다.

Ⓑ Pituitary hormone이 낮은 경우 galactorrhea 관계없이 모두 PRL 측정해야 함.

ⓒ 임신 및 수유 후, stress 상태, OCs 복용 후, phenothiazine 복용 후 불규칙 월경이면 GnTr, PRL 측정이 필수

③ 불임증 : ↑PRL → LH surge 억제 → 황체기 결함, 무배란

4) 치료

- Microadenoma - 내과적 치료
- Macroadenoma - 외과적 치료

(1) 내과적 치료

① Bromocriptine

Ⓐ 프로락틴 분비세포의 Dopamine receptor에 결합
→ 도파민의 작용 촉진

Ⓑ 부작용 - Hypotension, Nausea, Vomiting, Dizziness

② Lergotrile mesylate

(2) 외과적 치료

(3) 방사선 치료

5. Kallman syndrome

1) Triad

① Pituitary gonadotropin deficiency (hypogonadotropic hypogonadism)

② Agenesis or Hypogenesis of Olfactory bulb

③ Anosmia or Hyposmia

6. Prolactin 분비 선종

1) 임상증상

① Hyperprolactinemia

② Galactorrhea, Oligomenorrhea, Amenorrhea, Hypoestrogenism, Dyspareunia, Loss of libido 등

③ Headache, 시야결손

7. Empty sella syndrome

1) sella turcica의 pituitary diaphragm 결손

→ subarachnoid space가 sella turcica로 함몰

• 뇌하수체 실질 압박

2) 증상

① 두통, 일시적 시야 장애, 유루증, 월경 이상

② PRL은 정상 또는 약간 높다.

3) 진단 : CT, MRI

4) 치료 : 수술치료는 위험

8. Sheehan syndrome에 의한 무월경

1) 원인

① 산후출혈 → 뇌하수체 혈관의 혈전증 → ant. pituitary 괴사

② ergot → 뇌하수체의 혈전증

③ 임신 중 생리적으로 비대해진 뇌하수체에 저절로 혈전증 발생

2) 증상

① 90% 이상 파괴되어야 부전증 증상 출현

② 생식선 부전증이 가장 많다(갑상선 및 부신 부전증 추가).

③ 초기 증상 : 산후 유즙 분비 없고 무월경, 자궁.질 위축, 체중증가

④ 말기 증상 : axillary & pubic hair loss, cachexia, 저혈압.

3) 검사소견

: 성선, 갑상선, 부신 기능부전증 증상.

① 표적기관의 부전증을 얼마나 많이 포함하느냐에 따라 다르다.

② panhypopituitarism인 경우

Ⓐ gonadotropin 낮다.

Ⓑ protein-bound iodine (PBI), BMR, TSH, free T_4↓

Ⓒ 요중 17-KS and 17-OHCS↓

Ⓓ 혈중 ACTH↓

Ⓔ 경구당부하검사 : 비정상

Ⓕ 빈혈

4) 치료

① gonadotropin, thyroid hormone, adrenal hormone, sex hormone 보충, cortisol acetate 25 mg/d

Ⓐ 합성 갑상선 유도체 0.15 mg/d

Ⓑ 소량의 estrogen 투여

② 임신 원하면 성선, 갑상선, 부신 hormone 투여하면서 gonadotropin 투여

→ 분만 진통중 허탈, 사망 가능

9. 안드로겐 불감증후군(Androgen insensitivity syndrome)

1) 염색체 구조 : 46,XY (negative chromatin pattern)

2) Phenotype

① 정상 여성

② 유방 - 정상 발육

③ scanty or no axillary or pubic hair

④ 외성기 - 정상여성

⑤ 질 - 없거나 짧은 맹관

⑥ 자궁, 난관 - 없다.

⑦ gonad - testis (relatively normal testis)

3) 원인

• Testis에서 testosterone이 생성 및 분비는 되나, 표적장기에 남성호르몬에 대한 receptor 결여 (X-linked dominant inheritance)

4) 검사소견

① gonadotropin : 정상 or 약간 증가

② 요중 17-KS : 정상 남성 범위

③ 요중 estrogen : 정상 여성 범위

④ 혈중 testosterone : 정상 남성 범위

⑤ 혈중 E_2 : 정상 여성 범위

⑥ karyotype : 46,XY

5) D/Dx : MRK syndrome(선천성 질.자궁 결손증)

① 46,XY

② 혈중 testosterone : 정상 여성 범위

③ gonad : ovary

6) 치료

(1) gonadectomy

① 이유 : 종양발생(dysgerminoma, gonadoblastoma)

② 시기 : 정상적인 신장발육 이후인 사춘기 이후

(2) 교질(조질)술

(3) gonadectomy 후 estrogen treatment

10. Insensitive ovary syndrome(불감성 난소 증후군)

1) 원발성 무월경을 일으키는 경우 : FSH-receptor 결여(원발성)

(1) 난소 : 육안 소견 – 사춘기 이전 난소 비슷

현미경 소견 - 많은 원시 난포 (+), antral stage 난포 (-)

(2) 임상증상

① 원발성 무월경

② 유방, axillary & pubic hair : 정상

③ 질점막, 자궁 내막 : 위축되어 있다.

(3) 검사소견

① gonadotropin ↑

② estrogen ↓

(4) 치료 : gonadotropin or estrogen

2) 속발성 월경을 일으키는 경우 : 난소조직에 대한 항체 형성(속발성)

(1) 난소 : 많은 원시 난포 존재

(2) 진단

① 난소 항체 증명

② biopsy상 autoimmune disease 증거인 round cell (+)

(3) 치료 : estrogen treatment

11. 난소 종양

1) Estrogen producing tumor

① granulosa cell tumor

② thecoma

2) Androgen producing tumor

① Arrhenoblastoma

② Hilus cell tumor

12. 갑상선 기능장애

: Estrogen, Androgen의 대사 및 상호 전환에 변화 초래.

→ 부적절한 feedback

→ 월경 장애

1) Hyperthyroidism

① Thyroid hormone↑→ SHBG↑

→ Androgen & estrogen 제거율↓

→ Testosterone↑(= ADD↑)

→ [ADD → E_1↑
  Testosterone → E_2↑]

② 결과: 부적절한 되먹임 → LH 증가

FSH 정상인 만성 무배란성 주기

2) Hypothyroidism

① SHBG↓ → [Testosterone 대사 제거율 증가
  ADD은 정상 → Testosterone → E_3↑]

→ E_3 형성경로로 바뀜

② 결과 : E_3는 E_2보다 약하게 feedback system에 작용 → 부적절한 되먹임 → 월경 장애

13. Ashermann's syndrome (Uterine synechia) ★

1) 원인

① 과도한 소파수술

② 심한 결핵성 자궁 내막염

③ artificial abortion 목적으로 자궁강내 화학물질 주입

④ myomectomy나 cesarean section시 봉합의 잘못

2) 증상

① 무월경] isthmus나 cervical obstruction 시
② 심한 월경통]

③ 심한 하복통

④ 습관성 유산

⑤ Hypomenorrhea

3) 진단

① HSG

② Hysteroscopy : relatively thin, fragile synechiae

4) 치료

(1) 치료 방법

① Sounding or Cervical dilatation

② Adhesiolysis

③ hysteroscopic adhesiolysis

④ 보조 - IUD

- High dose Estrogen

- intrauterine pediatric Foley catheter

Ⓐ 협부, 경관의 경미한 유착 → Sounding or Cervical dilatation

Ⓑ 체부 - 부분적 유착
- 자궁 내시경 이용한 유착 박리
- IUD 2~3개월 삽입

- 심한 유착
  - hysterotomy에 의한 유착 박리
  - IUD 2~3개월 삽입
  - High dose estrogen treatment

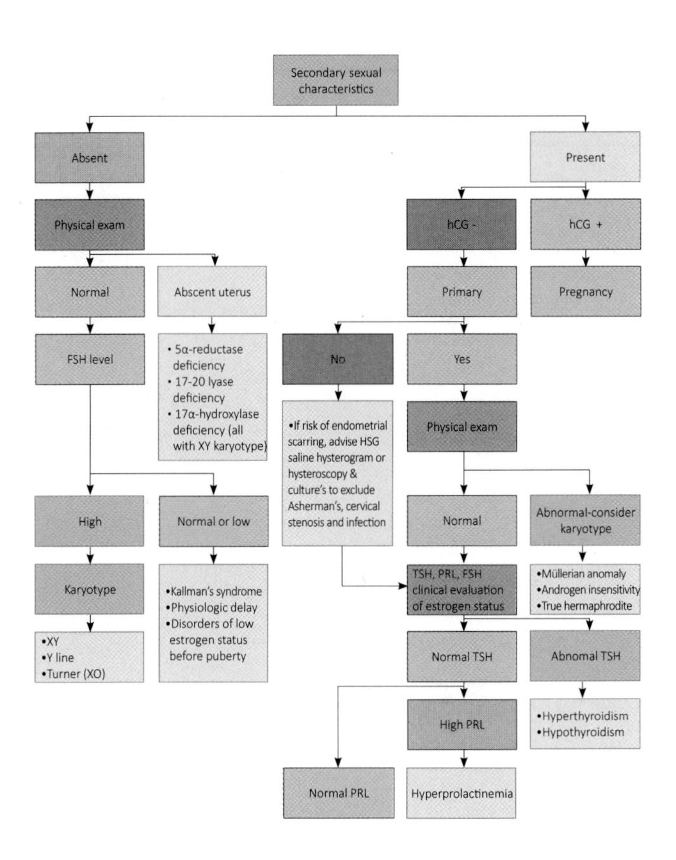

Secondary sexual characteristics
Absent
Present
Physical exam
hCG -
hCG +
Normal
Abscent uterus
Primary
Pregnancy
FSH level
• 5α-reductase deficiency
• 17-20 lyase deficiency
• 17α-hydroxylase deficiency (all with XY karyotype)
No
Yes
•If risk of endometrial scarring, advise HSG saline hysterogram or hysteroscopy & culture's to exclude Asherman's, cervical stenosis and infection
Physical exam
High
Normal or low
Normal
Abnormal-consider karyotype
Karyotype
•Kallman's syndrome
•Physiologic delay
•Disorders of low estrogen status before puberty
TSH, PRL, FSH clinical evaluation of estrogen status
•Müllerian anomaly
•Androgen insensitivity
•True hermaphrodite
•XY
•Y line
•Turner (XO)
Normal TSH
Abnomal TSH
High PRL
•Hyperthyroidism
•Hypothyroidism
Normal PRL
Hyperprolactinemia

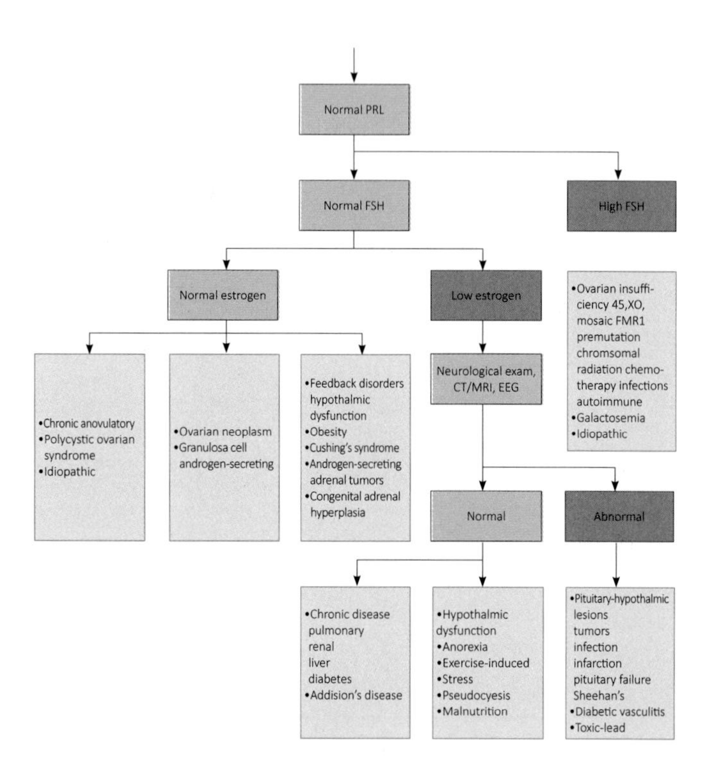

▶ Decision tree for evaluation of amenorrhea. FSH, follicle-stimulating hormone; HCG, human chorionic gonadotropin; HSG, hysterosalpingogram; TSH, thyroid-stimulating hormone; PRL, prolactin; CT, computed tomography; MRI, magnetic resonance imaging; EEG, electroencephalogram; SHG, saline hysterogram.

자궁 내막증

Power Gynecology

I. 정의

- Endometrial tissue (gland & stroma)가 uterus 밖에(주로 pelvic cavity) 존재하는 것
- Chocolate cyst(=endometrioma)

: 난소 내에 자궁 내막증이 존재하며 그 부위가 종괴로 분류될 수 있을 만큼 커진 경우

II. 빈도

- Pelvic pain 또는 Infertility를 호소하는 여성의 20~90% ★
- 무증상의 여성에서 3~43%
- 경구 피임제 복용과 IUD는 자궁내막증의 발생과 관계없다. ★

III. 호발 부위

Site of Endometriosis ★	
1. Ovary (m/c)	7. Hernial sac
2. Uterine ligament	8. Appendix
3. Rectovaginal septum	9. Vagina, Vulva, Cervix
4. Pelvic peritoneum	10. Tubal stumps
5. Umbilicus	11. Lymph glands
6. Laparotomy scars	

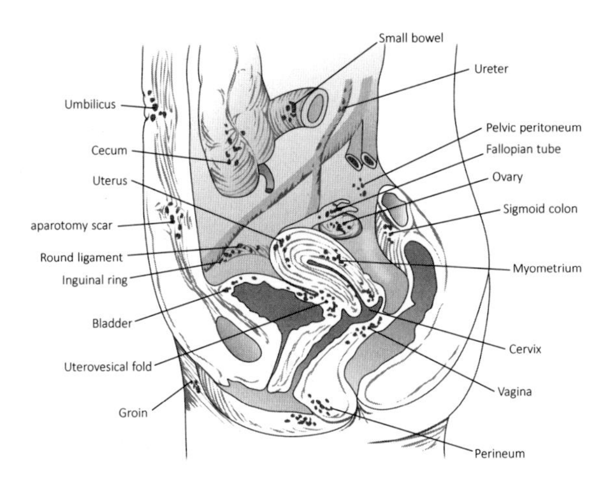
Small bowel
Ureter
Umbilicus
Pelvic peritoneum
Cecum
Fallopian tube
Uterus
Ovary
Sigmoid colon
aparotomy scar
Round ligament
Myometrium
Inguinal ring
Bladder
Cervix
Uterovesical fold
Vagina
Groin
Perineum

IV. 원인

1. Three theories of histogenesis

1) Direct implantation theory(이식설)

• Endometiral tissue의 ectopic transplantation(Sampson's original concept)

(1) 월경시 월경혈 및 자궁내막 조직이 난관을 통해 역류하여 자궁내막 세포가 골반 내에 직접 착상되어 성장

① Ovary, Cul-de-sac, Uterosacral & Broad ligament, Uterus의 posterior wall

② cf) 월경혈의 역류는 전체 여성의 70~90%에서 일어나며, endometriosis가 있는 경우 더 흔할 수 있다.

③ 자궁 경부의 협착과 같은 경우에 역류가 증가하여 자궁내막증이 발생할 수 있다.

(2) Endometrial cell의 Vascular or Lymphatic dissemination

① Vulva, Vagina, Cervix, Appendix, Rectum, Sigmoid colon, Lung, Pleura, Skin, Brain

2) Coelomic metaplasia theory(체강 상피 화생설)

• Transformation of coelomic epithelium

: Germinal epithelium 및 태생학적으로 coelomic epithelium에서 기원하는 pelvic peritoneum 일부의 abnormal differentiation; 체강 상피 → 자궁내막 조직

3) Induction theory(유도설)

• Ceolomic metaplasia의 extension

: Undefined endogenous biochemical factor에 의해 미분화된 peritoneal cell이 endometrial tissue로 develop

2. Genetic factor

• Multifactorial inheritance(다인자 유전)

• 1st degree relative에서 자궁 내막증 있으면 7배의 risk↑

3. Immunologic factor

• Immunologic clearance↓, Cytokines (TNF-α)↑, Macrophage↑

① Immunologic clearance 가 저하 됨에 따라, 생존가능한 자궁내막 세포를 제거하는 능력이

저하된다.

② 복막 안의 macrophage 가 활성화되어 정자의 운동성이 감소하고, 정자에 대한 대사 작용이 증가한다.

③ macrophage 가 분비한 TNF-α 가 증가하고 이에 의해 수정이 방해받는다.

V. 분류

1) American Fertility Society (AFS, 1985)

2) 기준

① Implant의 형태, 크기, 깊이

② Adnexal adhesion의 유무 및 범위

③ Cul-de-sac 폐쇄의 정도

3) 자궁내막증의 병변의 범위 정도는 반영하지만 통증, 불임과의 상호연관성은 반영하지 않는다. ★

Revised American Fertiltiy Society Classification of Endometriosis: 1985

Patient's Name ______________________ Date ______________________

Stage I(Minimal) -1~5
Stage II(Mild) -6~15
Stage III(Moderate) -16~40
Stage IV(Severe) -〉40
Total

Laparoscopy ________ Laparotomy ________ Photography ________
Recommended Treatment ______________________
Prognosis ______________________

	ENDOMETRIOSIS	〈 1cm	1~3cm	〉 3cm
PERITONEUM	Superficial	1	2	4
	Deep	2	4	6
OVARY	R Superficial	1	2	4
	Deep	4	16	20
	L Surperficial	1	2	4
	Deep	4	16	20
	POSTERIOR CULDESAC	Partial	COMPLETE	
	OBSITERATION	4	40	
	ADHESIONS	〈 1/3 Enclosure	1/3~2/3 Enclosure	〉 2/3 Enclosure
OVARY	R Filmy	1	2	4
	Dense	4	8	16
	L Filmy	1	2	4
	Dense	4	8	16
TUBE	R Filmy	1	2	4
	Dense	4	8	16
	L Filmy	1	2	4
	Dense	4*	8*	16

* If the fimbriated end of the fallopian tube is compietely enclosed, change the point assignment to 16.

Additional Endometriosis : ______________________

Additional Pathology : ______________________

To be Used with Normal Tubes and Ovaries

To be Used with Abnormal Tubes and/or Ovaries

VI. 진단

1. 증상

1) Pain(월경통 & 성교통)

① 월경과 함께 또는 월경 직전에 수반되는 pelvic pain

② 통증이 없는 월경이 지속되다 Dysmenorrhea가 발생하면 의심

③ Severity와 Pain degree 사이에 상관관계는 없다.

④ 성교통

2) Subinfertility(불임)

• 자연 유산율과 stage와는 관련이 없다.

자궁내막증이 불임증을 일으키는 기전	
원인	기전
1. Mechanical factor (m/c)	
유착과 반흔	난관 운동성 장애
2. 복막액의 변화	
Peritoneal fluid내 prostaglandin↑	난관 운동성 변화
Peritoneal fluid내 macrophage↑	정자 식작용
3. 배란 장애	
Luteinized unruptured follicle (LUF) syndrome	Estrogen, Progesterone 저하
Luteal phase defect	Progesterone 저하
Hyperprolactinemia	월경혈의 역류 및 난관 분비 이상
4. 난소-난관 상호관계의 해부학적 이상	
Abnormal tubal epithelium	
Chronic endosalpingitis	
5. 난자 및 정자의 손상	
6. 자가면역 현상	
7. Plasminogen activator 활성의 저하	
8. 자연 유산율의 증가	

3) Endocrinologic abnormality

• Luteal phase defect, LUF syndrome (Luteinized Unruptured Follicle syndrome), Galactorrhea, Hyperprolactinemia, anovulation, abnormal follicular development, premenstural spotting 등이 동반

4) Extrapelvic endometriosis

① 대장, 직장(m/c 침범)

→ 하복부통, 요통, 복부팽만, 주기적 직장 출혈, 변비, 장폐쇄

② 요관

→ 요관폐쇄, 주기적 동통, 배뇨장애, 혈뇨

③ 폐

→ 기흉, 혈흉, 월경 시 혈담

④ Umbilicus

→ 배꼽 부위에 주기적 통증, 종괴 촉지

2. Physical examination ☆

① early mense에 시행(implant가 가장 크고, tender하다.)

② 대부분 정상

③ Uterosacral or cul-de-sac nodularity

④ Rectovaginal septum의 painful swelling

⑤ 진행 → 자궁의 Fixed retroversion

→ ovary 와 fallopian tube 의 운동성 감소

3. CA-125

① 의의 : 치료 후 재발의 표지인자

② 진단에 이용하기에는 부족(specificity 80%↑, sensitivity 20~50%)

CA-125가 증가하는 condition ☆	
Malignant condition	Non-malignant condition
1. Ovarian cancer(m/c) 2. Endometrial cancer 3. Cervical cancer 4. Fallopian tube cancer 5. Pancreatic cancer 6. Breast cancer 7. Lung cancer 8. Colon cancer	1. Pregnancy 2. Endometriosis 3. Pelvic inflammatory disease 4. Uterine fibroid
Cut-off value : 35 U/mL	

4. Laparoscopic findings

① 자궁내막증 진단에 가장 확실 ★

② Inspection, Palpation with probe, Biopsy로 진단

Ⓐ 전형적인 소견 - Black, dark brown or bluish nodule

- old small hemorrhagic cyst with variable fibrosis
- Serosal surface의 복막에 powder burn, gun shot 소견

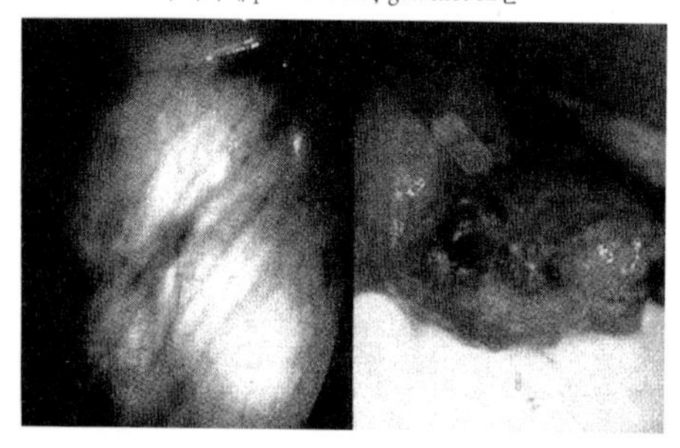

Ⓑ Endometrioma(Ovarian endometriotic cyst)

- 이전 출혈로 생긴 hemosiderin 으로 구성된 thick, vicious dark brown fluid(chocolate 색깔)를 포함하고 있다.

5. Histologic confirmation

① 진단에 필수적

② Endometrial galnd와 stroma로 구성된 endometric implant

③ 복강경상 자궁내막증 의심 소견 중 약 24% 정도는 자궁내막증이 아닌 걸로 판정됨

VII. 치료

• 치료 목적(적응증)

- menstruation의 감소 및 중단이 치료의 목적이다.
- Pelvic pain & Infertility 등의 합병증 치료
- 병변의 제거

자궁내막증의 치료방법
1. 기대 요법 2. 약물 요법 • Danazol, Gestrinone • Oral contraceptives • Progestin (1st choice) • Prostaglandin synthetase inhibitor • GnRH agonist 3. 수술 요법 • Laparoscopy • Conservative laparotomy • Total abdominal hysterectomy 4. 병합 요법

Surgical vs. Medical Treatment of Endometriosis		
	Surgical	Medical
장점	• Beneficial for infertility • Better long-term results 가능 • Definitive diagnosis • Definitive treatment • Lower recurrence rate	• Effective for pain relief • Decreased initial cost • Empiric treatment • Higher recurrence rate
단점	• Expensive • Invasive	• Adverse effects common • Unlikely to improve fertility

1. Surgical treatment

1) Laparoscopy

(1) Coagulation, Vaporization, Lysis, Aspiration & Removal of cyst wall

(2) 난소 낭종의 경우

① 난소 낭종 절제술 - choice

② 완전제거가 어려운 경우 → cystic wall을 coagulation, vaporization

2) Conservative laparotomy : 자궁보존하면서 병변 부위만 제거

참고) 1), 2) 방법 : 임신을 원하는 경우 시행

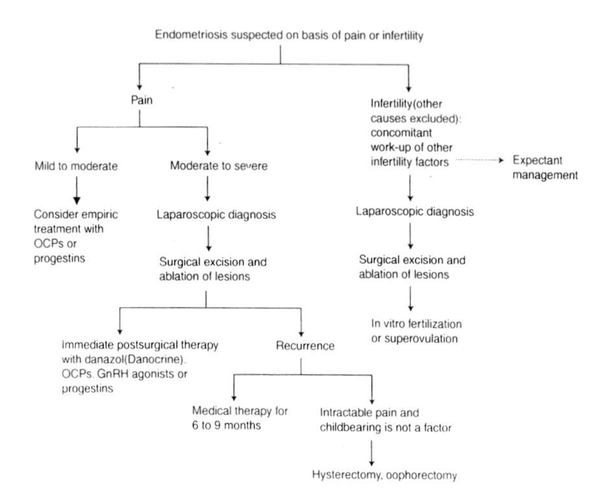

3) Total abdominal Hysterectomy & bilateral Oophorectomy

(1) severe하고, 더 이상 임신을 원하지 않는 경우

(2) 보존적인 수술 요법만으로 불완전한 경우

즉,

① 양측 난소 문맥 부위

② 병변이 광범위

③ 병변의 파열로 인한 hemoperitoneum

④ 난소의 양성 또는 악성 변형

Ⓐ less severe 한 경우, TAH & unilateral oophorectomy를 시행 가능

Ⓑ ovarian function 보존

Ⓒ Postoperative Hormonal replacement의 시기

Ⓓ 양측 난소절제술 후 여성호르몬 보충요법을 하는 경우 endometriosis의 재발이 있을 수 있으므로

→ 3~6개월 후에 실시(Estrogen + Progesterone)

2. Medical treatment

- Fertility의 회복은 일어나지 않고, pain과 dyspareunia를 조절하기 위해 사용

1) Progestin (TOC)

① 기전 - Initial decidualization of Endometrial tissue → Followed by Atrophy

② Medroxyprogesterone acetate (MPA), megestrol acetate, dydrogesterone

③ 부작용 - 체중증가, depression, irregular mense, amenorrhea, 치료중단 후 fertility 회복 지연

2) Oral contraceptive

① 지속적으로 사용 시 임신 상태의 내분비상황과 유사 → Pseudopregnancy 유도로 amenorrhea

② 부작용 - headache, nausea, hypertension

3) Gestrinone (19-nortestosterone derivatives)

① Androgenic

② Antiprogestagenic, Antiestrogenic, Antigonadotropic

4) Danazol (17a-ethinyl testosterone, synthetic androgen)

(1) 기전

① FSH, LH 억제 → hypoestrogenic state(pseudomenopause 상태)

② 혈중 free testosterone↑, estrogen↓

→ endometriosis 위축, amenorrhea 유도로 자궁내막조직 착상 방해

(2) 사용

① 월경 중 사용, 6개월 동안(9개월까지도 가능) 사용

② 중단 후 6개월까지 beneficial effect 지속

(3) 부작용

① androgenic state : 여드름, hirsutism, 굵은 목소리, 체중증가, edema,지루성 피부

② estrogen 감소 : 유방위축, 성욕 감퇴, 위축성 질염, 안면 홍조, 감정변화

③ 피로, 오심, 근육 경련

(4) 금기증

① Liver disease(∵간에서 대사)

② 고혈압, 울혈성 심부전, 신기능 저하(∵체액 저류)

③ Pregnancy

5) GnRH agonist (leuprolide [Lupron], gosarelin [Zoladex]) ☆

(1) 기전

① GnRH receptor의 Down regulation에 의한 Pseudomenopause 상태 유도

(2) 부작용 (Hypoestrogenism에 의한 부작용)

① 안면홍조, 두통, 질 건조감, 성욕 감퇴, 골밀도 감소

(3) 임신시는 금기

6) Prostaglandin synthetase inhibitor

(1) 약물 요법의 부작용

① Amenorrhea 상태 유도로 인한 부작용

② 기혼자의 경우 약물 치료 기간 중에 Barrier contraception하여 임신이 되지 않도록 해야 flare-up한다.

7) 병합요법

① 수술 전후에 GnRH-agonist를 6개월 투여

② 임신을 원하면, 수술 + 즉시 보조생식술

3. 불임 치료 : ART가 대표적

4. Recurrence

① Surgery + danazol이 유일하게 통계적으로 유의하게 장기간 결과를 나타낸다는 보고가 있다.

② Danazol, GnRH agonist로의 재치료가 재발 방지에 효과있다.

20 불임증과 보조 생식술

Power Gynecology

Section 1. 불임증

I. 정의 ★

• 1년 간의 어떠한 장애없이 정상적인 부부 관계를 하였음에도 불구하고 pregnancy가 안될 때

- 1년 내 임신 가능성 : 약 90%
- 불임률 : 10~15%(최근 증가 추세)

1. 일차성 or 이차성

① Primary(60%) : 과거에 한 번도 임신을 해본적이 없는 경우

② Secondary(40%) : 과거에 임신을 해본 기왕력이 있는 경우

2. 수태능과 가임력

① 수태능(Fecundability) : 한 번의 임신주기 동안에 임신을 할 수 있는 확률

정상 부부의 경우 20~25% → 90%는 12개월 안에 임신

② 가임력(Fecundity) : 한번의 임신주기 동안에 정상적으로 건강한 태아를 출산할 수 있는 확률

II. 역학

1. 연령 ☆

1) 24세 : Peak of Fertility

2) 35~44세 : 약 30%가 infertile

(1) 원인

① Oocyte depletion

② Spontaneous abortion(40대에는 20대보다 2배 이상 증가)

③ Male factor : 25세에 peak of fertility
45세 이후에는 sharply decline
35세 이후: 2세의 상염색체 열성 질환↑

III. 진단

1) 초기 방문시 Male partner가 참여하도록 한다(진단, 치료 계획 수립에 중요).

2) <u>불임검사의 최종은 laparoscopy</u>

3) 그 이전에 semen, 배란, HSG, TSH, Prolactin, PCT, SPA, Endometrial biopsy 시행

불임증의 기본 검사		
항목	시기	목적
(1) 기초검사(혈액, 소변검사)	처음 병원 방문 시	만성질환, 감염성 질환 유무 확인
(2) 갑상샘자극 호르몬 유즙분비호르몬	처음 병원 방문 시	이들 호르몬 수치의 증가와 무배란 혹은 무월경 등과 관련
(3) 난포자극호르몬 황체호르몬 남성호르몬	월경 시작일부터 3일째(황체기 후기)	난포의 성장에 필요한 호르몬의 분비가 적절한지 확인
(4)자궁난관조영술 가슴 X-선 촬영	월경이 완전히 끝난 직후(난포기 중기)	난관 폐쇄 유무 난관 운동성 유무 자궁내막내 유착 유무
(5) 자궁목관 점액검사	배란 직전(난포기 후기) (질분비물이 증가할 때)	정자가 자궁 속으로 이동하기에 적당한 조건이 되는가 확인
(6) 성교 후 검사	배란직전에(검사 전 2일 간 성관계 금지)	위와 동일
(7) 황체 호르몬(혈액검사)	기초 체온표상 고온기 7일째 전후(배란과 다음 월경 중간)	자궁내막 발달의 진행 정도 확인
(8) 자궁내막 조직 검사	다음 월경 1~3일 전(BBT로 예측)	위와 동일
(9) 정액 검사	2일간 성관계 금지한 후 시행	정액의 양, 수, 운동성, 모양 파악
(10) 진단적 복강경	위의 모든 검사가 끝난 후 시행	골반내의 병터 확인

4) 월경주기에 따른 불임 검사

• 28일형 기준 - 월경주기일(menstrual cycle day, MCD)

① 처음방문 시 : 기초검사(혈액, 소변검사), TSH, PRL

② MCD 3~5 (월경 중) : FSH, LH 기초 수치

③ MCD 6~11 (월경 직후) : HSG

④ MCD 10 (난포기 중반) : 초음파

⑤ MCD 14 (배란 직전 = 난포기 후반) : LH 분비급증, PCT (성교후 검사), 자궁목점액검사

⑥ MCD 21~23 (황체기 중반) : 프로게스테론

⑦ MCD 24~28 (황체기 후반 = 월경 1~3일 전) : 자궁내막생검

⑧ 전구간 : 기초체온(BBT) 측정(프로게스테론 분비, 즉 배란과 함께 상승)

불임 원인을 찾기 위한 남성과 여성에 대한 진단 방법 ★
남성

1. 병력 및 신체 진찰
2. 검사실 검사
  • CBC, ESR, Urinalysis
  • 전립선 분비물 검사
3. 갑상선 기능 검사
4. Prolactin
5. Semen analysis(2회 필요)
  • 2~3일간 금욕, 1~2시간내에 검사실로(2-2-5-3)
  ① Volume : 2~6 mL
  ② Sperm concentration : 2천만/mL
  ③ Sperm motility : 50% 이상
  ④ Sperm morphology : 30% 이상의 normal form
6. *Mycoplasma* culture

여성

1. 병력 및 신체 검사
2. 검사실 검사
  CBC, ESR, Urinalysis
3. 성교후 검사
4. 자궁내막검사
5. 자궁난관 조영술
6. 복강경 검사
7. LH, FSH, DHEA, DHEA-S, Testosterone, Androstenedione 측정
8. 갑상선 기능 검사
9. 혈중 Prolactin 측정
10. 기타
  자궁경부 세포진 검사
  Schiller test
  부적합 검사 - 경관점액과 정액
  양치상 형성검사
  Wet-smear - *Candida, Trichomonas*

• 불임증에 대한 검사 중 제일 먼저 해야하는 것 ★
- 남자 : Semen analysis
- 여자 : Ovulation test, hCG

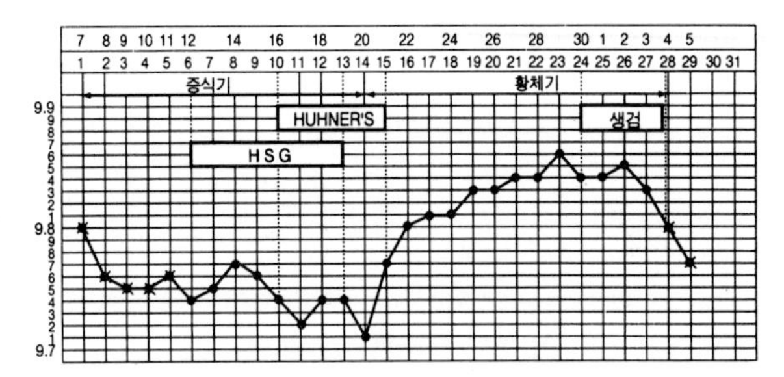

▶ 주기 중 수태여부를 검사하기 위한 적당한 시기를 보여주는 전형적인 배란성 기초체온표 ☆

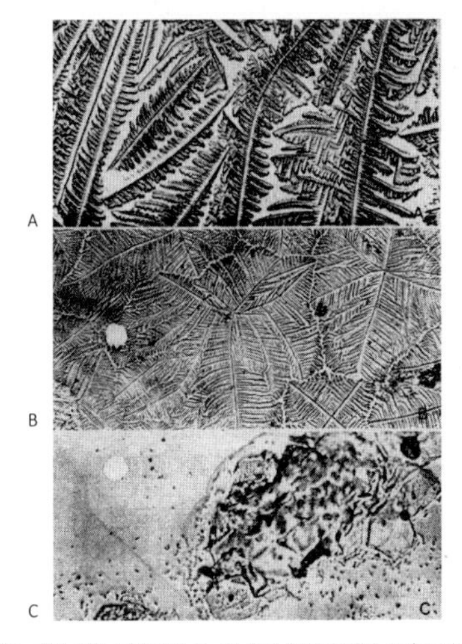

▶ 배란 추정에 이용되는 경관 점액 도말 검사 (A, B : 강한 양치상 결절 소견 C : 염주상 결정 소견)

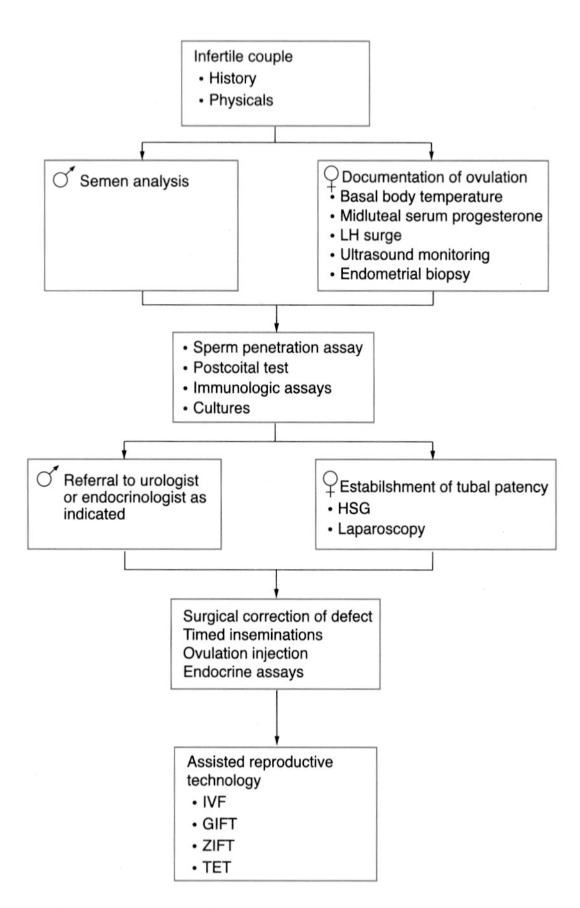

▶ Summary of the evaluation of the Infertile couple

IV. 원인 ☆

Infertility의 원인과 빈도	
A. 불임 원인	
(1) Male factor	25~40% (30%)
(2) Both	10%
(3) Female factor	40~55% (50%)
(4) Unexplained infertility	10%
B. 여성 불임 인자	
(1) Ovulatory dysfunction	30~40%
(2) Tubal/Peritoneal factor	30~40%
(3) Unexplained infertility	10~15%
(4) Miscellaneous causes	10~15%
• Uterine factor	5~10%
• Cervical factor	5%
• Immunologic aberration	
• Infection	

• Male factor와 female factor 각각의 원인을 구분하였을 때, Male factor가 가장 흔한 불임인자

• 불임의 원인들

1. Male factor
2. Ovulatory factor
3. Tubal or Peritoneal factor
4. Cervical factor
5. Uterine factor
6. Luteal phase defect
7. Immunologic factor
8. Infection
9. Unexplained infertility

1. Male factor

● 불임의 원인 중 m/c

1) Physiology

(1) Testis

① Sertoli cell : Seminiferous tubule, Spermatogenesis

② Leydig cell : Androgen synthesis (by LH)

(2) Semen

① Mature spermatozoa (from vas deferens)

② Seminal plasma : Seminal vesicle 60%
Prostate 30%
Bulbourethral gland 10%

(3) Liquefaction : Proteolytic enzyme에 의해서 20~30분

(4) Capacitation in Cervical mucus

: 수정 능력을 갖게 되는 여건

- Sperm의 Outer surface membrane 제거

Acrosome reaction : inner acrosomal membrane내에 있는 acrosin의 activation

→ Sperm이 vitelline membrane에 fusion

(5) Cortical reaction : Zona pellucida의 hardening

(6) Genital tract내에서 Sperm의 생존 기간 - 96시간(4일)

- 그러나 수정 능력은 24~48시간

2) 정액 검사(Semen analysis)

(1) 검사의 종류

① 기본검사 : 정액 용적, 정자수, 운동성, 정자 형태

② 기타 : pH, Fructose 농도, WBC수

(2) 정자 수집 방법 ★

① 금욕 기간 : 2~3일

② 수집 방법 : 소독된 용기를 사용(살정제를 함유한 콘돔 사용 금지), 찬 곳에 노출 금지

③ 수집 후 30분~1시간 내에 검사(liquefaction이 완료된 후) : 액화되지 않는다면 accessory gland infection 의심

④ 정액 수집시 고려 사항

Ⓐ 사정빈도가 증가할수록 정액의 양이나 정자수는 다소 감소하지만 정액의 성질(운동성, 정자 형태)에는 영향이 없다.

Ⓑ 정액이 정상적으로 액화되지 않거나 고점착성을 보이는 경우

→ 성교 후 검사로 판정(성교후 검사가 정상인 경우에는 불임을 야기하지 않는다.)

정액 검사의 정상 기준치

A. 기본 검사
1. 정액 용적
   - > 1.5 mL
2. 정자수
   - > 1천 5백만/mL
3. 운동성
   - 등급 a+b ≥ 32% 또는 등급 a+b+c ≥ 40%
4. 정자 형태
   - > 30% normal forms
5. pH
   - 7.2~8.0
6. 총정자 수
   - ≥3천9백만/1회 사정
7. 정자 생존력
   - ≥58%

B. 기타
1. 백혈구 수
   - 원형세포 〈 500만/mL
   - 백혈구 〈 100만/mL
2. 정자 투과 검사
   - Sperm penetration assay (SPA)
   - Human zona-binding assay

(3) 정액의 용적

① accessory gland(seminal fluid 생성)의 문제를 반영

② 정상 : 1.5~5 mL

③ 용적이 증가 : 장기간의 금욕, Accessory gland의 염증

→ total sperm 수를 dilute 시킴

④ 용적이 감소 : Retrograde ejaculation

→ cervix에 도달하는 sperm의 수 ↓

(4) 정자의 수

① 정상 : > 3천 9백만 / mL

(5) 정자의 운동성

① 정상 : 운동성 : > 60%

Grade a	급속 전진 운동
Grade b	느린 전진 운동
Grade c	전진 운동 거의 없음
Grade d	움직이지 않음

② Grade a & b ≥ 32% or Grade a,b,c ≥ 40%이면 normal

(6) 정자의 형태

① 정상: 정상 형태 : > 30% (과거의 기준)

② 정상 형태가 15% 이상이면 체외수정시 정상 수정률을 보임

4% 미만이면 수정률 감소(WHO의 엄격한 기준)

(7) pH

① 정상 : 알칼리

② pH 감소는 seminal vesicle function에 문제를 반영

(8) Fructose

① sperm의 energy source

② abscence - male reproductive tract의 block을 의미

(9) WBC 수

① Round cell >500만/mL, WBC >100만/mL이면 비정상

(10) Sperm penetration assay (SPA)

① m/c sperm fuction test

② 방법 : Zona pellucida가 제거된 hamster의 난자를 세척 후 배양된 정자와 2~3시간 배양 후 swollen sperm head into cytoplasm ≥ 2이면 normal

• Abnormal Result가 나오는 경우

- Testis에서 새로운 정자가 생성되는 데는 약 6주가 소요된다.

- 3~6개월에 걸쳐 3~4회 다시 시행

정액 검사 용어

정상정자(normozoospermia) – 모든 검사지표가 정상
희소정자증(oligozoospermia) – 정자 숫자의 감소
경도에서 중등도 : < 5 × 백만/mL(정액)
중증 : < 5 × 백만/mL(정액)
정자무력증(asthenozoospermia) – 정자운동성 감소
기형정자증(teratozoospermia) – 비정상 형태의 정자 증가
희소부력기형정자증(oligoasthenoteratozoospermia) – 정자의 생존능력이 정상미만
무정자증(azoospermia) – 정액에 정자 없음
사정불능증(aspermia, anejaculation) – 사정 못함
농정자증(leucocytospermia) – 정액의 백혈구 증가
정자사멸증(necrozoospermia) – 모든 정자가 생존능력이 없거나 운동성 없음

3) 남성 불임의 원인

남성 불임의 원인	
1. 정자 생성의 장애(m/c) ★ 일차성 성선기능 저하증 (Hypergonadotrophic hypogonadism) 이차성 성선기능 저하증 (Hypogonadotrophic hypogonadism) 안드로겐 저항 증후군	90% 89% 1% 0.1%
2. 정자이송 및 부속선 기능의 이상	
3. 발기 장애 중추신경장애, 척수손상, 자율신경장애 약물 - anticholinergics, antidepressant antihistamine, antihypertensive	2%
4. 사정 장애 조기 사정, 지연 사정 역행성 사정 (DM, 전립성 및 방광 수술 후)	1%
5. 정자기능 장애 정자 무력증(Asthenospermia) : 운동성 60%이하 정자 괴사증(Necrospermia) : 운동성 0%	1%

Drugs that Can Impair Male Fertility	
Impaired spermatogenesis	Sulfasalazine, methotrexate, nitrofurantoin, colchicine, chemotherapy
Pituitary suppression	Testosterone injections, gonadotrophin-releasing hormone analogues
Antoiandrogenic effects	Cimetidine, spironolactone
Ejaculation failure	α-blockers, antidepressants, phenothiazines
Erectile dysfunction	β-blockers, thiazide diuretics, metoclopramide
Drugs of misuse	Anabolic steroids, cannabism heroin, cocaine

4) Further evaluation

- Idiopathic male factor or Varicocele : Predominate
- Anatomic & Endocrine cause : Less frequent

(1) Varicocele(정계정맥류) ★

① 원인 : Spermatic cord 내에서 정맥의 Abnormal dilatation

② 결과 : Ⓐ Testicular volume ↓

Ⓑ Semen quality의 장애

Ⓒ Serum testosterone level ↓

(2) Anatomic abnormality(해부학적 이상)

① Hypospadia, Cryptorchidism

② Vas deferens or Ejaculatory duct의 absence or obstruction

③ Retrograde ejaculation - 당뇨병, 방광 또는 전립선 수술 후

(3) Endocrine(내분비적 요인)

① Hyperprolactinemia

② Hypogonadotrophic hypogonadism (Kallmann's syndrome)

③ Hypergonadotrophic hypogonadism (Klinefelter's syndrome)

(4) Environmental toxin & Drug exposure

① Marijuana, Cocaine

② Drug : Anabolic steroid, Chemotherapeutic agent, Cimetidine, Sulfonamide, Erythromycin, Tetracycline

③ Cigarette smoking, Heavy coffee consumption

5) 치료

(1) 내과적 치료

① 대부분 효과 없다.

② Hypogonadotrophic hypogonadism

(e.g. Kallmann's syndrome, Panhypopituitarism)

→ GnRH 투여(pulsatile 하게)

③ Retrograde ejaculation → α-adrenegic agonist(phenylephrine)

④ 특발성 남성 불임 → Clomiphene 투여

(2) 외과적 치료

① 정계 정맥류 교정술, 정관 문합술

② 인공 수정, 체외 수정

(3) 인공 수정

① processed sperm을 사용한 insemination

(∵prostate에서 분비된 prostaglandin이 자궁 수축을 일으키므로)

② m/c used insemination - intrauterine insemination

③ 적응증

Ⓐ hostile cervical mucus

Ⓑ oligospermia

Ⓒ unexplained infertility

2. Ovulatory factor

• 진단과 치료가 가장 쉽다.

배란의 여부를 알 수 있는 방법	
확진 방법	**추정 방법**
1. 임신이 된 경우 2. 난관에서 Oocyte가 발견된 경우 3. 자궁에서 Oocyte 또는 Embryo가 발견된 경우 4. Laparoscopy상 ovulation이 관찰된 경우 5. Endometrial biopsy 6. LH surge	1. 기초 체온 측정 2. Vaginal cytology 3. Vaginal pH 4. Cervical mucus change
난포성장을 알수있는 방법 ① 혈중 E_2, 24시간 요 중 Estrogen ② Ultrasound	

1) 검사방법

(1) 기초 체온 검사(Basal body temperature)

① 측정 방법 ★

매일 아침 잠에서 깬 직후 활동전에 측정 & 성교한 날짜 표시

(하루 중 3~4시간의 수면 후 활동전에 측정해도 무방)

② 기전

Ⓐ Progesterone (>4 ng/mL)의 thermogenic effect

Ⓑ Follicular phase보다 0.5F↑

Ⓒ LH surge 주위에 최하

Ⓓ LH surge 2일 후부터 상승시작

③ BBT의 임상적 응용 ★

Ⓐ 배란 유무 판정(경관점액검사, 초음파, LH 측정과 병용)

Ⓑ 임신의 진단 : 체온 상승이 3주 이상 지속시

④ 단점

Ⓐ 배란 후 2~3일이 지나야 배란 여부 확인이 가능하다.

Ⓑ 5%에서 위음성을 나타낸다.

Ⓒ 단독으로 정확한 배란시기(pinpoint ovulation timing)를 예측하기 어렵다.

Ⓓ 발열을 유발하는 다른 질환에 의해 영향을 받는다.

(2) Mid-luteal serum progesterone

① 시기 ★

• MCD 21~23일(BBT상 고온기 7일 전후)

② 해석

• 2~3 ng/mL 이상이면 배란으로 간주

(3) LH monitoring

① 배란일 : LH surge onset 34~36시간 후, peak 10~12시간후

② Baseline보다 2~3배 높으면 document(Home detect kit)

(4) Endometrial biopsy

① 생검 시기 ★ : 월경 예정일 2~3일 전에 시행(Late luteal phase)

② But, 배란보다는 Luteal phase defect 진단에 이용

(5) Ultrasound monitoring

① 시기 : 황체기 초기부터 계속 monitoring

② Dominant follicle size : 21~23 mm

③ Ovulation 후 size 감소 & Fluid in cul-de-sac

기타방법) 질세포 검사, 자궁 경관 정액 검사

2) 치료

(1) 내과적 치료

① Clomiphene citrate (PCOS 등에서)

Ⓐ 1st line regimen

Ⓑ Estrogen agonic or antagonistic : HPO axis가 normal일 때

Ⓒ clomiphene의 기전

㉠ in 시상하부; 약리적 용량에서 E. 길항제로 작용

→ E 수용체와 장기간 결합하여 차단 → E. 되먹이 기능 차단 → GnRH 파동진폭 증가

→ 뇌하수체 생식샘자극호르몬 증가 → 난포성장 촉진

㉡ in 뇌하수체 or 난소 : 직접 작용하여 배란에 영향

※ in 자궁내막 & 자궁목 ; 항 E으로 소수에서 오히려 임신 방해

② Gonadotropin (HMG: FSH 75 IU & LH 75 IU)

• 적응증: ㉠ Clomiphene citrate에 실패시

㉡ Hypogonadotrophic hypogonadism

㉢ Pulsatile GnRH

- Hypothalamic failure

㉣ Bromocriptine

- Hyperprolactinemia

㉤ Dexamethasone

- Hyperandrogenism

여러가지 배란 유도의 성공율과 부작용				
약제	배란율	임신율	다태임신율	부작용
Clomiphene citrate	≤ 80%	≤ 40%	≤ 8%	Hot flush, Visual symptoms, Nausea, Breast tenderness
Bromocriptine	≤ 95%	≤ 85%	〈 1%	GI irritation, Orthostatic hypotension, Nasal congestion, Headache
Gonadotropin	30~100%	10~90%	≤ 30%	Local (injection related), Hyperstimulatory syndrome
GnRH	30~100%	10~90%	≤ 12%	Local (injection related)

(2) 외과적 치료

- Ovary의 wedge resection
  - Polycystic ovarian syndrome의 경우
  - Tunical albuginea를 얇게 해서 배란을 쉽게 한다.
  - 1~2 cycle에서 효과 있다(갈수록 효과 감소).

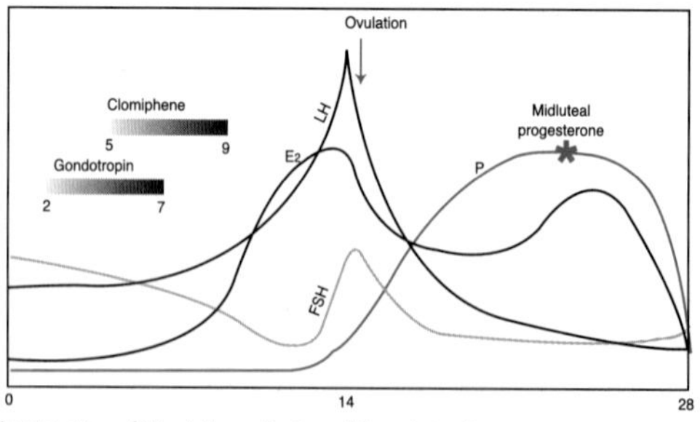

▶ Time of administration of Clomiphene citrate and Gonadotropin

3. Tubal or Peritoneal factor

1) 원인

(1) Tubal factor

① Tube의 damage, obstruction

② 원인 : Previous PID, Pelvic & tubal surgery

(2) Peritoneal factor

① Peritubal & Periovarian adhesion

② 원인 : PID, Surgery, Endometriosis

2) 진단

(1) Hysterosalpingogram

① Initial test of tubal patency

② 시기 : 6~11일 사이(월경이 완전히 끝난 후)

참고) Ovulation 직전에 시행하지 않는 이유

Ⓐ ovum의 mutation 가능

Ⓑ film상 잘 안나타날 수 있다.

③ 단점 : Infection↑, Adhesion 확인율↓

④ HSG의 금기증 ☆

Ⓐ Active PID

Ⓑ Hemorrhage

Ⓒ Pregnancy

Ⓓ Contrast media hypersensitivity

Ⓔ Menstruation 기간이거나 mense 직전

Ⓕ Endometrial curettage

(2) Laparoscopy

• The gold standard for diagnosis

(3) Falloposcopy

• Hysteroscopy or Laparoscopy 이용

3) 치료

(1) Tubal factor

① 근위부 난관 폐쇄

Ⓐ Tubocorcual reanastomosis

Ⓑ 개복 수술 후 난관 근위부 폐쇄를 확대

② 원위부 난관 폐쇄

Ⓐ Fimbroplasty, Neosalpingostomy

③ Sterilization reversal

Ⓐ 빈도 : 난관결찰 후 약 0.2%

Ⓑ 시기 : Proliferative phase

(2) Peritoneal factor

• 자궁내막증과 관련된 불임 치료시 고려사항

① 복강경술을 이용한 파괴가 불임 치료에 효과적일 수 있다.

② 심한 자궁내막증시에는 개복술에 의한 수술치료가 효과적일 수 있다.

③ 배란 억제제(Danazol, Gestrinone, MPA, GnRH agonist, OCs)는 불임치료에는 도움이 안된다.

④ 복강경 치료의 효과가 Danazol의 추가 투여로 증진되지 않는다.

⑤ Danazol 치료가 보수적 개복 수술 단독보다 우수하지 못하다.

4. Cervical factor

1) Postcoital test (Sims-Huhner test)

• The classic test for cervical factor

(1) 의의 ★

① Cervical mucus의 quality

② Coitus후 motile sperm의 존재 유무 & 수

③ Cervical mucus와 sperm 사이의 interaction

(2) 시기 ★

① 배란 직전(serum estrogen이 peak일 때)- BBT, Urine LH 검사

② Optimal interva l- 성교 후 2시간(통상 2일 금욕하고 2~12시간 내 검사)

(3) 평가 방법 ★

① Endocervical mucus를 glass에 smear해서 HPF상에서 motile sperm이 1~20 이면 정상

② 정액 검사를 보충할 뿐 대신하지는 않는다.

(4) Normal PCT의 의의

① 정상적 성교 기술

② 정상적 경관 점액

③ 적절한 estrogen 기능

④ 남성 수정능력 정상

⑤ 유의한 항정자 면역학적 요인은 없다.

(5) Abnormal PCT의 의의

① Poor timing(m/c) → 다음 주기에 검사 반복

② Hormonal abnormality (oligo-ovulation)

③ Poor quality of cervical mucus

④ Anatomical factor

⑤ Infection

⑥ Clomiphene citrate (antiestrogenic effect on cervical gland)

⑦ Antisperm antibody

2) 치료

① Congenital anomaly - Surgical therapy

② Cervicitis - 세균 배양(Chlamydia, Gonorrhea)과 항생제 요법

③ Anovulaton - HMG, FSH (Clomiphene citrate는 mucus 상태를 악화)

④ Antisperm antibody - IVF-ET, GIFT, ZIFT, Micromanipulation 등의 보조생식술

Intrauterine insemination (IUI)

5. Uterine factor

- Infertility보다는 Recurrent abortion이 더 중요

1) 원인

① submucous myoma - sperm transport or implantation 장애

② Congenital malformation - unicornuate or septate uterus uterine didelphys

③ In utero DES exposure - T-shaped endometrial cavity

④ Asherman's syndrome - Intrauterine adhesion

• 치료: Hysteroscopic Resection

D&C

이후 유착 재발 방지 위해 ┌ Pediatric foley catherter 유치(1주일 동안)
└ Estrogen + Progesterone(2개월 동안)

2) 진단 ☆

① Hysterosalphingography

② Hysteroscopy

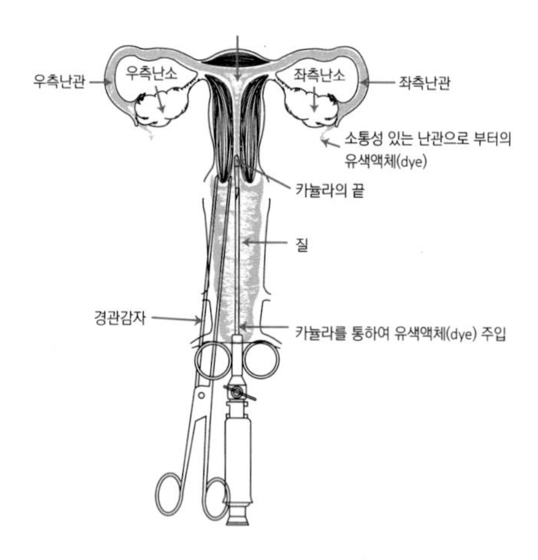

▶ Hysterosalpingography

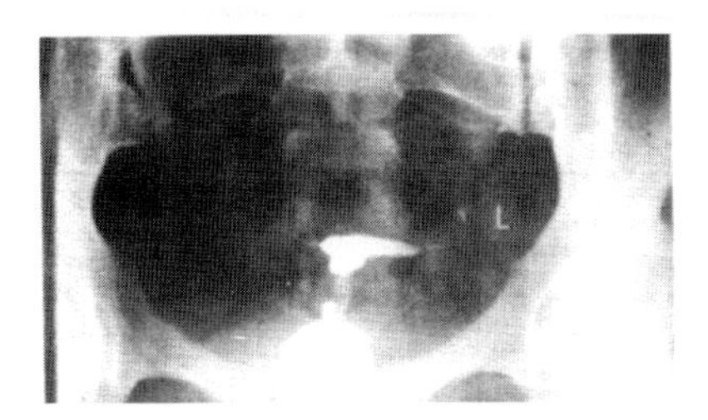

▶ 정상 소견의 자궁 난관 조영술

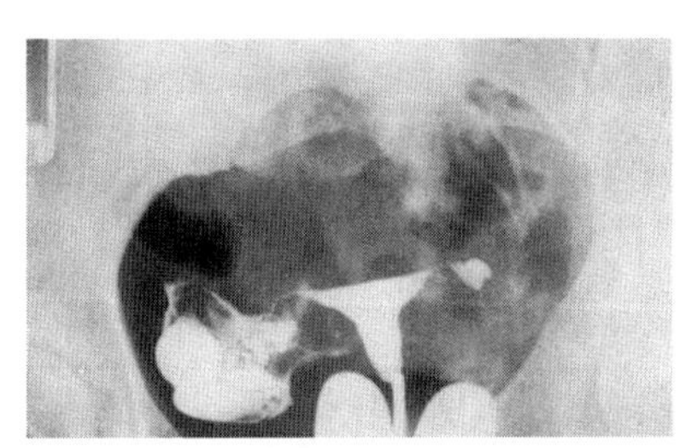

▶ 난관 수종의 자궁 난관 조영술

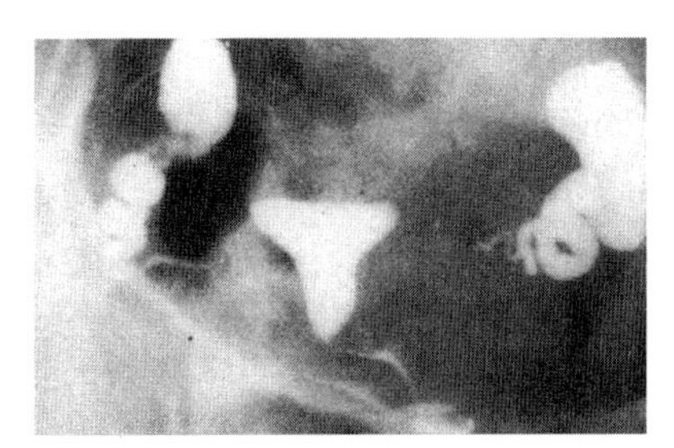

▶ 난관 폐쇄 소견을 보이는 자궁 난관 조영술

6. Luteal phase defect

1) 정의

• 2번 이상의 cycle에서
Endometrium의 Histologic dating이 Menstrual dating보다 2일 이상 늦을 때

2) 원인 ★

• 황체로부터 progesterone 생성이 불충분
(35세 이상, 분만 또는 유산 후, Clomiphene citrate 투여 시, 격렬한 운동, Hyperprolactinemia)

3) 진단

① Endometrial biopsy(월경 2~3일 전)

② Basal body temperature - 체온 상승 지속

③ Progesterone level - 감소

4) 합병증

① Early recurrent abortion

② Primary infertility

5) 치료 ★

① Natural progesterone (IM or vaginal suppository in Luteal phase)

② Clomiphene citrate (in Follicular phase)

③ hCG

7. Immunologic factor

1) 원인

① Antisperm antibody : IgG, A, M(남녀 모두에서 발견 가능)

② Multifactorial(즉, sperm에 많은 exposure, 성교시 vaginal epithelium의 break)

2) 진단

① Immunobead test

② Mixed agglutination test(SpermMar test)

3) 치료 ★

① 부신피질 호르몬

② 정자세척후 인공 수정

③ Micromanipulation

8. Infection

1) 원인

① *Chlamydia trachomatis*- Acute salpingitis의 20%

② *Mycoplasma* (*Mycoplasma homminis* & *Ureaplasma urealyticum*)

9. Unexplained infertility

1) 정의

• 일반적인 불임 검사로 특기할 만한 이상 소견을 찾을 수 없거나, 불임을 일으킬 수 있는 요인을교정한 후에도 임신이 되지 않는 경우

2) 치료

• 모든 검사 소견이 정상이면 3년 내에 65%까지 임신 가능

즉, 추가적인 검사(Antisperm antibody, SPA, US)로 재평가 필요

① Ovulation induction

- Clomiphene citrate, HMG

② Ovulation induction with Intrauterine insemination

원인	진단	치료
배란장애	체온/호르몬/초음파/내막조직	배란유도제
자궁이상	초음파/자궁경/HSG	수술/ART
자궁경관이상	정액검사/성교 후 검사	호르몬치료/IUI
난관/복막	HSG/복강경	수술/ART
남성인자	정액검사/호르몬/고환생검	수술/IUI/ART

Section 2. 보조 생식술(Assisted Reproductive Technology)

1. 과배란 유도

1) 배란 유도 약제

- chapter 18. 무월경 치료 참고

2) 배란 유도시 난소반응의 예측인자

(1) 환자의 연령

- 연령 증가 - functional ovarian reserve 감소로 배란 유도 실패

(2) basal FSH

① 환자의 연령보다 ovarian reserve를 더 많이 반영

② MCD 3일에 측정

③ basal FSH > 20 mIU/L - 임신율 급격히 감소

basal FSH > 25 mIU/L - 임신을 기대하기 힘들다.

④ basal FSH는 follicular shortening 유발, 난소반응 감소

(3) basal E_2

① MCD 3일에 측정

② basal E_2↑(≥ 50 pg/mL) - 난소반응 감소

- early recruitment를 의미

- perimenopause에서 흔히 관찰

(4) 클로미펜 유발 반응 검사

3) Ovarian function test

(1) Clomiphene citrate challenge test (CCCT)

① 방법

- MCD 3일에 basal FSH 측정하고, MCD 5~9일동안 clomiphene 투여 후, MCD 10일에 FSH level을 측정 하여 basal FSH와 비교

② 정상(negative result)

- clomiphene은 난포의 성장을 유발하고, 따라서 E_2 농도 증가

③ FSH level 감소되어야 한다(negative feedback).

④ 비정상(positive test)

- MCD 10일 FSH ≥ basal FSH level의 2 SD

⑤ Basal FSH level 측정보다 ovarian reserve를 측정하는데 더 유용

(2) GnRH agonist stimulation test (GAST)

① 방법

Ⓐ MCD 2일 E_2 측정 → GnRHa inject → MCD 3일 E_2 측정

Ⓑ MCD 3일 E_2 - MCD 2일 E_2 ≥ 105: 반응 좋음

Ⓒ MCD 3일 E_2 - MCD 2일 E_2 ≤ 15: 반응 나쁨

② CCCT보다 배란유도 후 채취된 난자의 수를 예측하는데 더 유용

4) 환자의 분류

• hMG/FSH 사용하던 환자에서 hCG 투여일의 혈중 E_2 농도 측정(채취되는 난자의 수를 반영)

	High responder	normal responder	Low responder※
hCG 투여일 E_2 채취 난자수 특징	≥ 600 pg/mL ≥ 15개 PCO가 많다.	300 ~ 600 pg/mL 연령 ≤ 30세 정상월경주기 basal LH, FSH, E_2 정상 난소, 복강내 수술 Hx 없다. 중증 endometriosis 없다.	< 300 pg/mL ≤ 3개 연령 ≥ 35세 월경주기 단축 basal FSH ≥ 20 mIU/mL basal E_2 ≥ 50 pg/mL

※ 38세 이상, 난소 낭종 제거의 기왕력이 있는 경우

- basal E_2, FSH 정상이어도 ovarain function test를 배란 유도 전에 시행

5) 과배란유도

• GnRH agonist + hMG/FSH가 많이 사용된다.

(1) GnRH agonist

① Flare-up effect / phase 1: follicle의 recruitment와 development에 도움을 줌

② Down regulation / phase 2

: premature LH surge를 막음

: 외부에서 공급하는 성선자극호르몬(hMG/FSH)으로 순수한 배란 유도

• 장점

① basal FSH↓(down regulation): low responder 발생↓

② 지연배란, 내인성 LH surge가 없다.

③ 과배란 유도시기를 정할 수 있다.

: programming 가능(gonadotropin 투여시기를 조절하여)

(2) 단기 및 초단기 투여법

① GnRHa 투여 → MCD 2일에 hMG/FSH 투여

→ 난포 > 18 mm되면 hCG IM → 36시간 후 난포 흡입

② Monitoring 및 주의사항

Ⓐ Flare-up effect에 의한 황체 성장 : E_2와 초음파로 monitoring

Ⓑ GnRH 투여중지 후 9~14일에 뇌하수체 기능 회복 : urine LH 측정하여 내인성 LH surge 존재 여부 확인

(3) 장기 투여법

① MCD 21~23일에 GnRHa 투여

→ down regulation 확인(LH < 5 IU/L, E_2 < 50 pg/mL, progesterone < 1 ng/mL)

→ hMG/FSH (난포 흡입 예정일로부터 12일 전)

② Monitoring 및 주의사항

Ⓐ 희발 월경, 다낭난소증후군 : down regulation 상태에 도달하는데 오래 걸린다.

Ⓑ 초음파 : 난포의 성장

Ⓒ E_2 : 난포기 후기에 hCG 투여 전에

6) 난자의 채취 및 배양

① hCG 투여 후 35시간 경과시

② Transvaginal ultrasonography guide 하에 주사침을 난포에 삽입해서 채취

③ 37℃, 5% CO_2의 배양조건에서 4~6시간 배양 후 수정시킴

7) 정자의 채취 및 배양

① 난자 채취 직후에 시행

② 배양액으로 희석하고 원심분리하는 세정과정

8) 수정과 수정 여부 판정

① 100,000/mL 정도의 운동성 정자 투입

② 황체기 지지를 위한 progesterone 투여

③ 수정 여부 판정(현미경으로 관찰하여)

④ 정자 투여 후 16~20시간 후 확인

Ⓐ 전핵 형성 : 수정 후 18시간 후에 발생

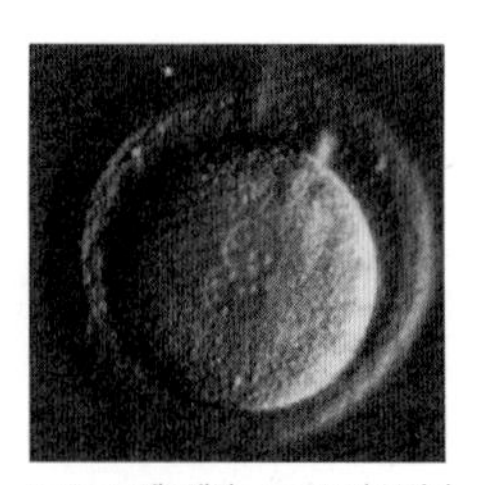

▶ Center에 2개의 pronuclei가 보인다

Ⓑ 2차 극체 : 수정 후 완료된 난자의 감수분열의 결과

9) 배아의 이식

- 4~6 세포기에 이식하게 된다.

10) 임신 여부와 경과관찰

- hCG 측정, 초음파 검사

2. 체외 수정

(1) In vitro fertilization & Embryo transfer (IVF & ET) : m/c

(2) Gamates intrafallopian transfer (GIFT)

(3) Zygotes intrafallopian transfer (ZIFT)

(4) Micromanipulation

3. IVF & ET

- IVF - 생체에서 일어나는 자연적인 수정을 인위적으로 생체외에서 재현
- ET - 배아의 자궁내 이식

1) 적응증 ☆

① 양측 난관의 기능이 모두 없거나, 난관 복원 수술이 불가능하다고 판단될 때

② Tubal repair 후 18개월 내에 임신이 안될 때

③ 3~6 cycle의 배란 유도 후 Intrauterine insemination (IUI)으로도 임신이 안될 때

④ 경관의 점액상태가 불량한 경우

⑤ 자궁 내막증을 치료한 후에도 임신이 안되는 경우

⑥ 불임의 원인이 밝혀지지 않은 경우(Immunologic factor 포함)

⑦ 남성에게 활동성이 있는 정자가 있으나 정자 수가 모자란 경우

참고) 자궁내막 결핵에 의한 불임일 때는 IVF-ET 시행해도 임신 불가능하다.

2) 시술순서

① GnRH agonist로 Down regulation

② Ovulation induction by HMG or hCG

③ Oocyte retrieval(난자 채취)- Vaginal ultrasonography로 18~22 mm 크기일 때

④ IVF

⑤ Embryo culture & ET (4~6 cell stage)

⑥ Luteal phase support

- Ovulation된 시기부터 Progesterone 투여

⑦ Pregnancy 진단

- ET 후 16일에 β-hCG 측정

4. ICSI

1) 적응증

① IVF 로 수정 잘 안되는 정자이상(숫자 50만 이하, 정상형태 3% 미만)

② 운동성 없는 정자

③ 외과적 방법으로 고환이나 부고환에서 채취한 정자

④ 보통의 IVF 로 수정 안되는 경우

2) 방법

• 난자 cytoplasm 내로 viable 한 정자 injection

5. GIFT

1) 적응증

• IVF & ET와 같지만, 최소한 일측성이라도 난관의 Patency가 유지되어 있어야 한다 (Gamate를 직접 난관내로 이식하는 방법이기 때문).

2) 방법

① 과배란 유도 및 난자 채취 과정은 IVF-ET와 유사

② 체외에서 수정 및 배양 과정없이 생식세포(Gamate)를 Fimbria를 통해 직접 난관내로 이식

3) 장단점

• 난관의 Microenvironment를 거치게 되므로 보다 생리적이라는 장점이 있지만, 수정이 생체 내에서 일어나므로 확인할 수 없다는 문제점이 있다.

6. ZIFT

1) 적응증

- GIFT와 유사

2) 방법

- 체외에서 수정이 확인된 접합자(Zygote)를 직접 Fimbria를 통하여 주입

3) 장점

① 체외에서 수정 여부를 확인하게 되므로 진단적 정보를 얻을 수 있다.
(특히 남성요인 또는 원발성 불임환자들에서 중요한 임상적 의의)

② 초기 배아형성(Embryogenesis)를 위한 난관내 미세 환경을 이용(항정자 항체를 갖는 여성에서 유용한 방법)

7. Micromanipulation

1) 적응증

: male factor infertility, semen factor 가 IVF 시행하기 너무 안 좋은 경우

2) 방법

: assisted hatching, partial zona dissection, zona drilling, subzonal sperm injection, ICSI

3) ART 의 대표적 Complication

① 다태임신 증가

② OHSS

③ Ectopic pregnancy 증가

Section 3. Ovarian hyperstimulation syndrome ★

1. 정의

- hCG 투여 후 Ovarian follicular cyst 및 Corpus luteal cyst가 과잉생성되면서 이에 관련된 증상이 나타나는 것

2. 증상

- 증상 발현 시기

→ hCG 투여 7~12일 후

① Significant ovarian enlargement

② Excessive steroid production

③ Ascites, Pleural effusion

④ Hemoconcentration & Hypercoagulability

⑤ Ovarian torsion or Rupture

⑥ Severe electrolyte disturbance

⑦ Nausea, Vomiting, Diarrhea

⑧ Seizure

⑨ Respiratory compromise

⑩ Renal failure

⑪ Death

3. 치료

① Fluid & Electrolyte imbalance 교정

② Plasma expander

③ Ascites & Pleural effusion 제거

4. 예방을 위한 시도

① 발생 위험이 높을 때 임신 포기 및 동결 보존

② hCG 대신 GnRH agosint 를 투여한 난포성숙 및 배란유도

③ "Drift peroid"를 주는 방법(hCG 투여 전에 1~8일간 생식샘자극호르몬 투여 중단 기간을 갖는 "coasting"방법)

④ 알부민 투여(효과 없다고 보기도 함)

⑤ somatostatin 유사체(octreotide) 투여

⑥ metformin 투여

⑦ 방향화효소 억제제와 생식샘자극호르몬의 병합투여

⑧ Cabergoline(도파민 작용제)로 VEGF 억제

1) 경도, 중등도의 OHSS : 특별한 치료가 필요없다.

2) 중증 OHSS

① 입원 후 안정, 수분공급, 전해질 교정, 알부민 등의 대증요법

② 가장 중요한 것은 수분균형과 과도한 수액이 공급되지 않도록 하는 것

3) 지지요법

① 저혈압 또는 소변감소 있을 경우 : 생리식염수 1 L

② 복수천자

: 과다한 복수로 인해 심한 복부 불편감, 호흡장애 있을 때

③ 필요 시 항구토제, 진통제

21 폐경기

Power Gynecology

I. 폐경기

• 폐경기에 오는 신체적, 생리적, 정신적 변화의 원인

- Estrogen deficiency
- 나이가 들면서 생기는 Estrogen과 관계없는 다른 원인

1. 정의

1) 갱년기(Climacteric)

• 생식기(Reproductive stage)에서 비생식기(Nonreproductive stage)로의 이행기간

2) 폐경기(Menopause)

• 마지막 월경주기(Final menstrual period) 갱년기동안 일어나고 약 51세에 발생, 1년 이상 영원히 월경을 중단

2. Physiology ★

1) 난포와 난자의 숫자 감소, 기능 쇠퇴 → 폐경기 내분비 변화의 주요인자

• 기질은 증가

① Estrogen↓ → Hypothalamus에 대한 negative feedback↓
→ 생식선 자극 hormone↑

② Inhibin↓ → LH보다 FSH 증가가 더욱 일찍 현저히 나타남

2) 젊은 여성과의 차이 ★

① 주기내내 FSH↑

② 신속한 Follicular development &" 월경주기의 단축"

③ 월경 중기나 후기 혈중 E_2 농도가 젊은 사람보다 낮다.

3) 난소의 난포 수 감소

→ Estrogen 생성 감소 → LH surge 유발 안됨 → 배란 중단 또는 불규칙 배란

→ progesterone 감소

• 야기되는 임상 증상

① Irregular cycle & Short luteal phase

② Unopposed estrogen stimulation에 의한 endometrial hyperplasia

③ Anovulatory cycle

4) 1~2년 내 Readjustment 되기도 한다(임신 가능).

5) 폐경기 난소에는 Follicle은 없지만, Estrogen과 Progesterone은 분비

① Ovarian stromal cell ┐→ ADD 생산 → 피부에서 E_1으로 전환

② Adrenal gland ┘

③ Extraglandular tissue

6) ADD와 Testosterone은 폐경 후에도 어느정도 분비를 유지한다.

✚ 정리 - Menopause ★

● Primary follicle의 고갈, Ovarian function의 failure
→ Steroidogenesis↓
→ H-P-O axis의 Feedback mechanism의 장애
→ Gonadotropin↑ & GnRH↑
(E_2, Progesterone 생성이 급격히 감소하지만 Steroidogenesis 능력은 있다.)

3. 폐경 후 난소에서의 내분비 기능 변화

1) Androstenedione (ADD)

① 폐경 전보다 50%이상 생산 감소(1,500 pg/mL → 800~900 pg/mL)

② Ovarian vein > 말초 혈액(4배)

(모든 hormone의 농도는 말초 혈액보다 Ovarian vein에서 높다)

Steroid hormones – Premenopause and Postmenopause			
Hormone	Serum concentration (pg/mL)	Production rate (μg/24hr)	Clearance rate (L/24hr)
Estradiol (E_2)			
Premenopause	35~500	40~675	1,350
Oophorectomy 후	18		
Postmenopause	13	12	910
Estrone (E_1)			
Premenopause	30~200	65~450	2,210
Oophorectomy 후	27		
Postmenopause	30	45	1,610
Androstenedione			
Premenopause	1,500 (500~3,000)	3,000	2,000
Oophorectomy 후	800~900		
Postmenopause	800~900	1,500	1,850
Testosterone			
Premenopause	325 (200~600)	250	800
Oophorectomy 후	110		
Postmenopause	230	140	600

③ 난소 제거시 감소

④ 소량만이 Sex hormone binding globulin(SHBG)에 결합하고, Albumin과는 느슨하게 결합하므로 대사 제거율이 매우 높다.

2) Testosterone

① 폐경 후 난소에서 주로 생산되는 Hormone

② Ovarian vein > 말초 혈액(15배)

③ 난소 제거시 혈중 농도 감소

④ 폐경 후 주로 난소에서 생성되며, 동-정맥 농도 비교시 폐경 전에 비해 난소에서의 생성은 더욱 증가

⑤ 갱년기 이후 약간 감소

⑥ 폐경 전이나 이후 난소를 가지고 있는 경우가 없는 경우보다 2배 높다.

⑦ 대사 제거율이 낮다(SHBG과 강하게 결합).

3) Estrogen

①폐경 후 반드시 Estrogen 결핍이 오지는 않는다.

(난소에서 직접 분비되지는 않으나 Androgen이 Peripheral conversion되어 만들어지기 때문)

②폐경 전 E_2 : 90% 이상은 주로 난소에서 생산

폐경 후 E_2 : 폐경전 난소 제거시의 농도와 비슷(18 pg/mL)

③ E_1, E_2 각각은 폐경기에 난소를 제거해도 큰 차이 없다.

(폐경기에 난소의 Estrogen 분비 기능 - aromatase 활성이 거의 없다.)

④ 전체 E_2와 활성 E_2(bioavailable E_2)의 농도는 체격에 의해 결정

- Obese → Ⓐ ADD에서 E_1으로의 전환 증가(→ E_2 증가)

Ⓑ SHBG 농도가 낮다.

∴ Non-SHBG-bound E_2(활성 E_2)가 4배 증가(∴ 마른 여성에서 osteoporosis의 risk ↑)

⑤ E_1(Estrone) ★

- 폐경 후 혈중 Estrogen의 대부분을 차지(E_2의 2~4배)
- 대부분 ADD가 Extraglandular conversion 된 것
- ADD → E_1 으로의 전환율은

비만과 관계있다.

나이가 들수록 증가

폐경 후에는 2배까지 증가

⑥ E_2 (Estradiol)

- 모든 E_2는 E_1에서 비롯된 것(reduction)
- Testosterone의 0.1%만이 E_2로 전환된다.

(폐경 이후에는 Testosterone conversion은 중요하지 않다)

4) Progesterone

- 폐경 후 생산 감소(대부분 adrenal gland에서 생성)

→ ① PMS 소실

② estrogen의 자궁내막자극을 막을 수 없게 됨

∴ 자궁내막증식증(전암상태), 자궁내막암의 risk ↑ (esp. obese한 경우)

+ 요약

- 폐경기 전후 내분비 변화는 서서히 나타나며, 가장 중요한 인자는 난포 활동의 저하 및 정지이다(→ FSH ↑, LH ↑).
- 난소의 기질에서 LH 영향하에 ADD, Testosterone, 최소한의 E_1/E_2 분비 (ADD → E_1으로 conversion)
- 혈중 E_2는 대부분 ADD에서 전환된 E_1에서 유래된 것 ★
- E_1, E_2 농도는 나이와 관계없이 체중과 깊은 관련 ★
- Progesterone은 부신에서 유래(폐경전의 30%)
- Estrogen은 생식기능엔 부족 → Estrogen-dependent organ을 유지하는데 충분
- 폐경기는 자연적인 생리적 보호현상 - 원치않는 생식과 이와 관련된 성장 자극으로 부터 보호
- 폐경전 Ovary - Circulatory ADD의 50% 생성 / Testosterone의 25% 생성
- 폐경후 Ovary - Circulatory ADD의 20% 생성 / Testosterone의 40% 생성

4. 증상 ★ : m/c symptom

① 월경주기 단축 & 불규칙(첫 증상) → 무월경

② 급성 증상 : 얼굴홍조, 발한, 불면증, 전신통, 불안, 초조, 우울증

③ 아급성 증상 : 비뇨생식기 위축, 성교통, 성욕감퇴, 피부노화

④ 만성적 증상 : 골다공증, 심혈관 질환

1) 갱년기 증상의 3 components

(1) 난소 활동의 저하 → Hormonal deficiency

① Early symptom - Estrogen↓에 의한 증상

Ⓐ Hot flush

Ⓑ 발한(Perspiration)

Ⓒ End organ의 Metabolic change와 관련된 Late symptom

(2) Sociocultural factors – 여성의 환경에 의해 결정

(3) Psychologic factor – 여성의 성격 변화

① 약 25%에서는 의학적 치료를 요할 정도로 심한 증상을 보인다.

② Vasomotor symptom - 85%에서 나타남(15~20%에서 5년 이상 지속)

③ 2 Groups of menopausal symptoms

Ⓐ 즉각적인 월경 중단과 관련된 급성 증상

Ⓑ 폐경 후 몇 년 뒤 생기는 후기 증상

2) 폐경기의 나이와 관계없이 Estrogen loss와 관련된 증상 및 징후

① Amenorrhea, Irregular menstruation, DUB

② Vasomotor symptoms: hot flush

③ Genito-urinary atrophy

④ Osteoporosis

⑤ Insomnia

- Psychinitism(노쇠와 더불어 나타나는 불안에 의한 것)

3) 오랜 기간의 Estrogen 감소와 관련된 Last Symptom

(1) Dyspareunia

① Atrophic vaginal change 때문

② Vaginal size - Smaller, Mucosa - Atrophied

③ Secretion- Decreased, Vaginal epithelium - Thin & Dry

(2) Urethritis

① Atrophy of Urethral epithelium

② Mucosal eversion or prolapse → Irritation & Urination

cf) Urinary incontinence는 hormone deficiency의 직접적인 영향을 받지 않는다.

(3) Osteoporosis

(4) Arteriosclerotic cardiovascular disease

(5) Cystocele & Rectocele

• Aging process이지만 Hormonal deficiency가 가속화 시킴

4) Vasomotor symptom – Hot flush

① Estrogen 감소에 의한 것이긴 하지만, Neuroendocrine imbalnace에 의한 Thermoregulatory disorder이다.

② Finger, toe에서 피부온도가 4℃ 상승할 때 Hot flush 시작

③ Skin resistance 감소할 때, 전도성이 증가하여 피부 온도가 증가한다.

④ 증상 - 얼굴, 목, 가슴에 갑작스런 열감이 발생 - 피부 홍조, 발한, 두근거림 동반 대개 상체 중앙에서 시작되어 몸 전체로 퍼진다.

⑤ Vasomotor symptom은 폐경 초기에 잘 나타남(75%에서 최종 월경 12개월 내)

⑥ 시간이 지나감에 따라 증상도 감소

⑦비만한 경우 Hot flush가 적다.

Ⓐ Adrenal ADD

Ⓑ Ovarian testosterone

Ⓒ ADD의 전환율 Estrogen 생성의

Ⓓ E_2의 SHBG와의 결합율 Major determinant

혈관 운동 증상의 치료 선택			
호르몬 치료	비호르몬성 처방 약품	비처방 약품	생활방식의 변화
에스트로겐 요법 에스트로겐/프로게스토겐 병합 요법 프로게스토겐 요법	클로니딘 SSRI(paroxetine 등) 가바펜틴	이소플라빈 대두 승마 비타민E	체온감소 건강한 몸무게 유지 금연 호흡조절

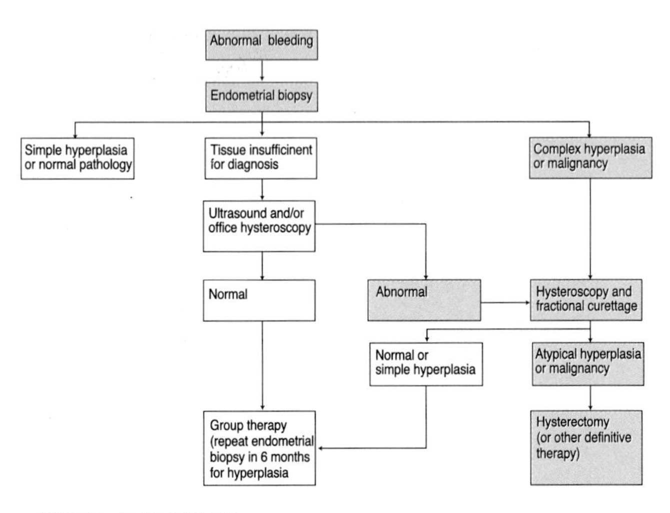

▶ 폐경 주변기 비정상 질출혈의 처치

5. 폐경의 진단

1) 폐경 진단의 확증적 검사 소견

① FSH & LH의 상승(Clinical finding과 함께 고려해야 한다)

Ⓐ FSH > 100 mIU/mL

Ⓑ LH > 75 mIU/mL

② 그러나, HPO feedback이 readjustment되어 Homeostasis가 재성립되면 일정 기간동안 정상화 될 수 있다.

③ 또한, 조기 폐경시에도 나타나므로 1년 이상의 관찰과 반복적인 Hormone 검사가 진단에 필요

2) 임상증상(예 : Early and Late symptom, 무월경, 수면장애 등)

6. 치료

1) General consideration

• 폐경 여성에서 Estrogen 치료 여부를 결정할 때는 잇점과 위험 요소에 대한 충분한 평가가 필요하다.

(1) 에스트로겐 투여의 분명한 이점

① 증상 완화

② Estimated gain in Life expectancy

③ 삶의 질 개선

④ Osteoporosis와 Bone fracture에 대한 예방 효과

(2) 에스트로겐 투여의 위험 요인

① Endometrial cancer : Progesterone의 병용치료로 오히려 감소효과

② Gallbladder disease

③ Breast cancer

④ Thromboembolism

⑤ Hypertension : 고용량의 경우에만 발생

에스트로겐 투여는 혈압에 영향 미미함 ★

(3) 호르몬 치료의 적응증과 금기증

Indications & Contraindications for Hormone therapy	
Indication	Contraindication
1. Menopause 2. Hot flush (m/c indication) 3. Vaginal atrophy 4. Urinary tract symptoms 5. High risk for Osteoporosis a. Family history b. Cigarette smoker c. Low body weight d. Radiographic evidence 6. High risk for Cardiovascular disease a. Previous MI / Angina b. Hypertension c. Family History d. Smoking	●Absolute ★ 1. Current Breast Ca, Endometrial Ca 2. Undiagnosed Uterine bleeding 3. Active thrombophlebitis 4. Current gallbladder disease 5. Liver disease ●Relative Hx of Breast Ca, endometrial Ca Hx of Recurrent thrombophlebitis Current 심질환, 편두통

2) 에스트로겐 치료

(1) 사용되는 Estrogen의 종류

① Physiologic estrogen

Ⓐ 종류 - E_2, E_1, E_3

Ⓑ Physiologic 17β-E_2

- 가장 active한 생리적 hormone이나 GI tract과 Liver에서 빨리 대사되는 단점

② Conjugated natural estrogen

Ⓐ 가장 많이 사용

Ⓑ 종류 - Estrone, Esquilin, Equilenin의 sulfate or ester form

Ⓒ Conjugated equine estrogen

- 경구투여로 쉽게 흡수

③ Synthetic estrogen

Ⓐ EE_2 (Ethinyl estradiol, Mestranol, DES)

Ⓑ 간독성 때문에 사용이 제한

Ⓒ DES → Vaginal cancer 유발

(2) 투여 방법

Oral, Vaginal, Transdermal, Subcutaneous, Sublingual, Intramuscular

경구 투여	Transdermal	Vaginal
적응증	• DM • Hypertension • 간질환 • 경구투여로 효과가 없을 때 • 경구투여로 고중성지질혈증이 나타나는 겨우	• 경구 투여에 대한 금기증이 있는 경우에 질위축증을 조절하기 위해 • 경구 투여가 불가능한 경우
장점 • 앞에서 언급된 이익을 얻을 수 있다. • 투여 간편	• 내복약에 잘 견디지 못하는 경우 • Breakthrough bleeding이 드물다. • Systemic side effect가 없다. • Plasma renin substrate & renin-activity의 변화가 없다. • Postmenopausal symptom 조절에 효과적	• 간을 거치지 않고, 표적장기에 도달 • 흡수량 조절 가능 • circulating level↑(E_2 → E_1으로의 전환 감소)
단점 • 표적장기에 도달 전에 간에서 배설 • first pass effect (renin substrate, binding globulin ↑) • E_2/E_1 ratio ↑ (GI tract에서 E_2 → E_1, E_1이 흡수됨)	• Irreversible(합병증 발생시 개선시킬 수 없다.) • 혈중 지질의 변화가 빠르지 않다. • 심혈관 질환 예방효과가 약함 • 가격이 비싸다. • 피부 자극 증상	• 경구 투여시 얻을 수 있는 장점이 없다. • 효과가 약하다.

(3) 사용 방법

① 지속적 estrogen - progesterone 투여 방법(m/c method)

- Estrogen, progesterone (MPA, 2.5 mg)을 같이 30~31일간

② 주기적 estrogen - progesterone 투여 방법(Irregula한 Bleeding 있을 경우)

Ⓐ

Estrogen (25일간)		휴약 기간 (5~6일)
	Progesterone (12일간)	

Ⓑ

Estrogen (30~31일간)
Progesterone (12~14일간)

- progesterone은 MPA, 10 mg

③ Acute onset symptom시 치료 원칙

Ⓐ 빠른 시간 내에 사용

Ⓑ Lowest amount(소량 사용)

Ⓒ Shortest period(단기간 사용)

④ Acute onset symptom의 치료 방법

Ⓐ Estrogen 치료전에 Endometrial biopsy를 항상 시행

Ⓑ Conjugated estrogen 1.25 mg/day를 2주간 사용

Ⓒ 2주 후 Hot flush의 감소 여부에 따라 0.625 mg으로 하향 조정

- Minimal effective bone-sparing dose : 0.625~1.25 mg/d

→ 이 용량이면 Endometrial hyperplasia, Endometrial cancer 유발 증가

→ 즉, Progesterone 병용이 필수적이다.

Ⓓ Progesterone의 병용

- Estrogen 투여의 마지막 10일간 투여

㉠ MPA 10 mg/d

㉡Norlutin(Norethindrone) 0.35 mg/d

- 계속적인 Estrogen + Progesterone의 장점

㉠ Amenorrhea

㉡ Endometrial atrophy

- 단점

㉠ Withdrawal bleeding

㉡ Abdominal bloating

㉢ Breast tenderness

㉣ Headache

㉤ Depression

- Estrogen + Progesterone 투여 시 Scheduled vaginal bleeding이 있을 수 있다.

  이러한 Breakthrough bleeding이 불규칙적으로 오면 반드시 Endometrial biopsy 해야 한다.

  불규칙적인 출혈이 없더라도 치료 2년 후에는 Biopsy 필요

- Endometrial hyperplasia 발생 시

  → E + P 중지 또는 Prolonged use of progestine

(4) 호르몬 요법시 문제점과 해결 방법

환자의 문제점	해결 방법
1. 유방암에 대한 불안	• 환자를 교육 안심시킨다.
2. 주기적 투여로 인한 규칙적인 출혈 (월경)의 불편	• 지속적 투여
3. 불규칙적인 출혈	• 투여용량을 조절, 주기적 투여 필요에 따라 자궁내막 생검, 질식 초음파
4. 오심	• 취침전 투여, 비경구 투여
5. 유방 압통	• 안심시킨다. Estrogen 또는 progesterone의 용량 조절
6. 체중 증가	• 환자를 교육, 식이 및 운동 요법
7. 기분 변화, 주기적 우울	• 환자를 교육, 지속적 투여로 변경 필요에 따라 정신과적 관찰

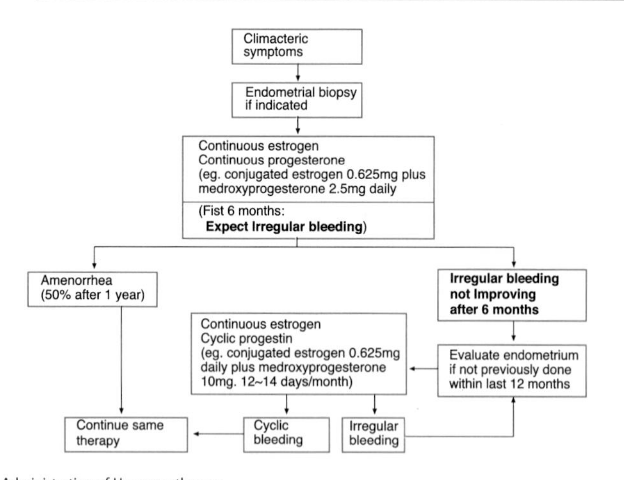

▶ Administration of Hormone therapy

II. 조기 폐경

1. 정의 ★

- 40세 이전에(30~45세)
  ① Menstruation이 없어짐
  ② Hypoestrogenism
  ③ Hypergonadotropism

2. 진단

① Hot flush

② Pituitary FSH↑

③ Histologic confirmation (Ovarian biopsy)

- Ovarian stroma에서 Oocyte와 Primordial follicle이 없어야 함
- But, Biopsy 결과가 필수적이기는 하나 충분한 정보를 주지 못하므로, 임신을 원하거나, 진단을 원하지 않는 경우는 보류해야 한다.

3. 원인

① Early completion of Atresia(조기 폐쇄의 완성)

Causes for Premature loss of Oocyte
1. Germ cell 수의 감소 ① Failure of germ cell migration ② Inherited reduction in germ cell number 2. Accelerated atresia (폐쇄과정의 촉진) ① Inherited tendency ② Chromosomal abnormalities ③ Defects in gonadotropin secretion ④ Congenital thymic aplasia ⑤ Enzyme defects ⑥ Gonadotropin receptor and/or Postreceptor defects 3. Postnatal destruction of Germ cell (후천적인 배아세포 파괴) ① Physical causes Chemotherapeutic agent Irradiation Infectious disease Surgical expiration ② Autoimmune disorders

② Secondary amenorrhea가 있으면 조발성 폐경을 의심하여야 한다.

4. 치료

① Estrogen replacement therapy

② High dose Human menopausal gonadotropin(HMG) therapy

③ 증여 난자로 인공 수정

III. Osteoporosis

1. 정의

• 골의 구조적 파괴를 일으킬 정도로 골의 성분이 감소하는 현상

2. Bone Physiology

1) Bone의 구성

• Ca^{2+}와 phosphate가 함유된 Collagen-rich organic matrix로 구성

① Compact cortical bone (80%)

- e.g. Proximal femur

② Trabecular or Medullary bone (20%)

- e.g. Vertebral body, Distal radius & Ulnar

- Osteoporosis 발생과 관련

2) Peak bone mass – 35세경(이후 평생동안 Bone mass의 감소가 일어난다)

3) Bone의 기능

① Supporting structure

② Ca^{2+} reservoir로서의 역할

- 체내 Ca^{2+} 중 98%가 bone내에 존재

- Daily calcium requirement - 1,500 mg(섭식한 양의 50%만 흡수)

3. 원인

Etiology of Osteoporosis
1. Rapid calcium exchange from Bone 2. Bone resorption 증가 ① PTH↑ ② Calcitonin↓ ③ Estrogen↓ ④ Thyroid hormone↑ ⑤ Cortisone↑ ⑥ Fluoride↓ ⑦ Smoking 3. Bone regeneration의 변화 ① Exercise↓ ② Muscle mass ↓ ③ Growth hormone ↓

4. 진단방법

Radiographic techniques to screen for Osteoporosis		
Test	장점	단점
1. Standard X-ray	total radiation exposure가 가장 적다.	Bone loss가 30~40% 이상인 경우만 발견 가능
2. Single photon Absorptiometry, hand	radius에서의 bone loss를 예측할 수 있다.	axial skeleton에서는 sensitivity가 감소한다.
3. Dual energy X-ray absorptiometry (DXA)	Measures radius, hip and spine	
4. Quantitative CT	WHO의 골다공증 진단기준을 적용할 수 있는 일차적 인 방법!!	Radiation exposure가 가장 많다.

• 현 시점에서 골다공증에 대한 radiologic screening technique은 없다.

5. 진단

① 정상 : T-값 ≥ -1.0

② 골감소증 : -2.5 < T-값 < -1.0

③ 골다공증 : T-값 ≤ -2.5

④ 심한 골다공증 : T-값이 ≤ -2.5이면서 하나 이상의 골절을 동반한 경우

6. 위험 요인 ★

Risk factors for Osteoporosis	High risk group for Osteoporosis
1. Reduce height for weight 2. 골다공증의 가족력 (+) 3. 조기 폐경 또는 난소 제거 4. Low calcium intake 5. 흡연 6. 과도한 음주 7. 과도한 Caffeine 섭취 8. Nulliparity	1. 피하 지방이 적을때 2. Heavy cigarette smoker 3. High protein diet or Junk food diet with soft drinks 4. 낙농 제품 섭취가 낮을 때 5. 햇빛에 대한 노출이 적을 때

7. 치료

1) 치료 원칙 ★

① 적절한 Calcium 섭취

② 운동(Muscle mass 유지)

③ Bone resorption의 예방

골다공의 예방과 치료 방법	
1. 생활 양식의 변화	금연, 금주, 과도한 운동의 금지
2. 식이	Calcium 섭취, 적절한 영양
3. 육체적 운동	
4. 약물 요법	골흡수 억제제 또는 골형성 촉진제의 사용
5. 통증 완화	진통제의 사용, 물리 치료
6. 정형외과적 처치	거들의 사용, 골절치료

2) 치료 목적

① 골질량의 증가

② 골흡수 억제 / 골형성 자극으로 골재형성과정 감소

③ 골절의 감소

3) 치료지침

BMD	Bone marker	예방/치료
100%	Low turnover High turnover	none estrogen, calcitonin, bisphosphonate
≥ 0.865 g/cm²	Low turnover High turnover	Ca^{2+}, 비타민 D estrogen, calcitonin, bisphosphonate
≤ 0.865 g/cm²	Low turnover High turnover	fluoride, anabolic steroid, 비타민 D, PTH estrogen, calcitonin, bisphosphonate

Bone marker는 osteocalcin, deoxypyridinoline, alkaline phosphatase 중 하나 측정

4) 적절한 Calcium 섭취

① 섭취량 - 1,000~1,500 mg/day

Ⓐ Premenopausal or Estrogen-treated woman - 1,000 mg/day

Ⓑ Postmenopausal without estrogen treatment - 1,500 mg/day

② 낙농 제품 섭취를 증가

③ Junk food, Soft diet, High protein diet의 섭취는 감소

④ 비타민 D

5) 운동 : Bone regeneration 자극

6) 약물 치료

(1) 에스트로겐

① 골흡수 억제

② 골절 위험 감소

(2) 티볼론

① 골교체율 감소

② 골절 위험 감소

(3) Bisphosphonate

① 뼈의 칼슘 친화력 상승과 골흡수 억제

② 위장관 장애, 장기간 사용 시 턱뼈 괴사, 비전형적 대퇴골 골절 위험 주의

③ 유방암 환자에서 골소실 예방, 유방암 재발 등의 효과 있음

④ 아로마타제 억제제 투여 중인 유방암 환자에서도 처방 가능함

(4) 선택적 에스트로겐 수용체 조절제(SERMs : raloxifene, bazedoxifene 등)

① 에스트로겐 길항 작용 : 자궁내막과 유방에서

② 에스트로겐 작용 : 뼈에서

③ 유방암 발생 감소 효과 있으나 치료목적은 안 됨.

(5) 부갑상샘 호르몬(PTH : teriparatide 등)

① 골흡수 억제

② 적응증 : 심한 골다공증, 골흡수 억제제에 대한 반응이 나쁠 때, 비스포스포네이트가 금기일 때

골흡수 억제제 및 골형성 촉진제 ☆		
골흡수 억제제		골형성 촉진제
1. Estrogen 2. Progesterone 3. Calcium 4. Calcitonin 5. Bisphosphonate	6. 비타민 D 7. Thiazide diuretics 8. Ipriflavone 9. Tibolone 10. SERM	1. Fluoride 2. Anabolic steroid 3. Parathyroid hormone and Peptide 4. Androgen 5. ADFR

22 자궁경부의 상피내 종양

Power Gynecology

I. 자궁경부 해부학 및 암선별 검사

1. 자궁 경부 해부학

1) 상피의 구성

① Endocervix : columnar epithelium(원주상피)

② Exocervix : squamous epithelium(평편상피) = vagina와 동일한 세포

③ 편평원주 접합부(squamocolumnar junction, SCJ) : 두 상피가 만나는 부분

2) Metaplasia & Transformation zone

① 초경 때 endocervix의 columnar epithelium이 vagina의 낮은 pH에 노출되어 exocervix의 squamous epithelium으로 화생과정을 밟게 됨

② 화생은 최초의 SCJ에서 external os를 향해 안쪽으로 진행

③ 이에따라 변형대(Transformation zone)가 만들어짐

: 최초 SCJ와 생리학적으로 활발한 SCJ 사이를 지칭

3) Cervical intraneoplasia (CIN) 발생의 특징

① 후순보다는 전순에서 발생하는 빈도가 2배

② 초경 때나 임신 후 Metaplasia가 활발할 때 발생하기 쉽고 폐경에 이른 여성은 기존에 CIN 병변이 없었다면 발생 위험성은 낮다.

2. 정상 변형대

1) Squamocolumnar junction (SCJ)

(1) 최초의 SCJ의 위치를 아는 방법

→ 원주상피에서 나타나는 Nabothian cyst나 자궁경 내막열의 입구를 확인

(2) SCJ의 임상적 의의

① 이 부위에서 Nabothian cyst(나보트 낭종)를 관찰할 수 있다.

② Gland opening이 관찰된다.

③ Squamous metaplasia에 의해 CIN이 생성된다.

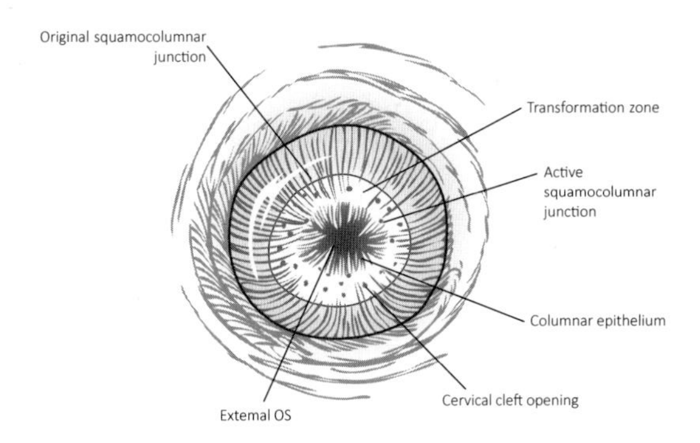

▶ Cervix & Transformation zone ☆

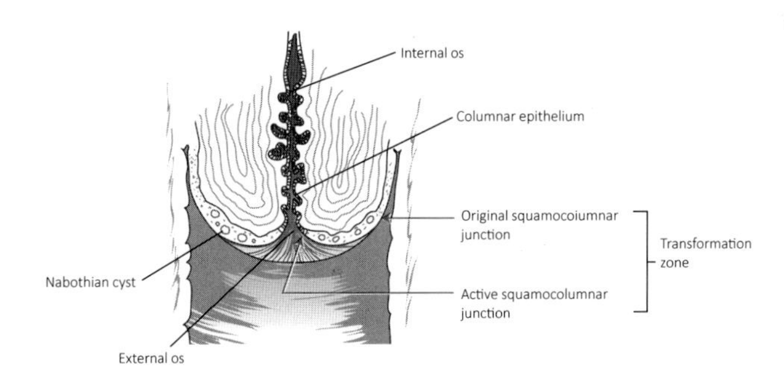

▶ Diagram of the Cervix and Endocervix

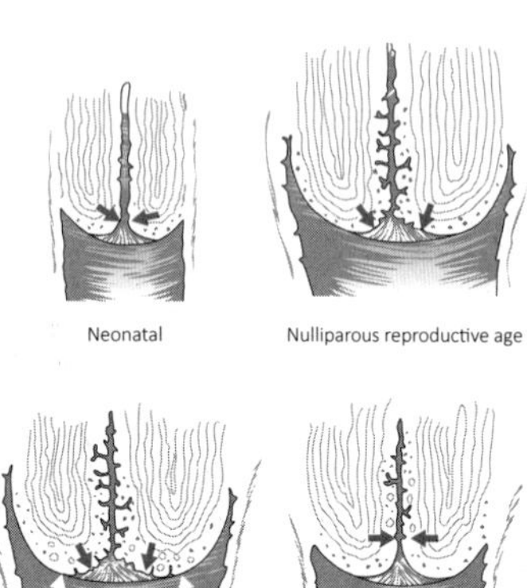

▶ Diagram of the Cervix and Endocervix

3. 인유두종 바이러스(human papilloma virus, HPV)

① HPV 16형이나 18형과 연관(Type 16이 m/c)

② Type 18형의 경우 침윤성 종양에서 더 특이적

③ HPV DNA가 발견되면 자궁경부 종양 발생 위험도는 10배 이상

④ 상피 내 종양의 90%는 HPV 감염에 기인하는 것으로 믿어진다.

⑤ But, 보통 HPV 감염은 지속성이 없다(많은 여성에서 감염은 결국 소실 또는 억제).

→ 소수의 여성에서만 지속적 감염을 일으켜 상피 내 종양으로 진행

자궁 경부암 발생과 관련된 HPV의 종류 ☆	
1. High risk	Type 16, 18, 31, 33, 35, 39, 45, 51, 52, 56, 58, 59, 68
2. Low risk	Type 6, 11, 34, 40, 42, 43, 44, 54, 61, 70, 72, 81

4. 세포진 검사의 분류

: HPV와 관련된 세포변화는 LSIL의 범주

Comparison of Cytology Classifiction Systems		
Bethesda System (PAP)	**Dysplasia/CIN system(생검)**	**Papanicolaou system (PAP)**
Within normal limits	Normal	I
Infection(organism should be specified)	Inflammatory atypia(organism)	II
Reactive and reparative changes		
Squamous cell abnormalities Atypical squamous cells (1) of undetermined significance (ASC-US) (2) exclude high-grade lesions (ASC-H)	squamous atypia HPV atypia, exclude LSIL Exclude HSIL HPV atypia	IIR
Low-grade squamous intraepithelial lesion (LSIL)	Mild dysplasia CIN 1	
High-grade squamous intraepithelial lesion (HSIL)	Moderate dysplasia CIN 2 Severe dysplasia CIN 3 Carcinoma in situ	III IV
Squamous cell carcinoma	Squamous cell carcinoma	V

ASC	Atypical squamous cells	비정형 편평세포
ASC-US	Atypical squamous cells of undetermined significance	의미미결정 비정형편평세포
ASC-H	Atypical squamous cells can not exclude high-grade lesions	고등급 편평상피내병변을 배제할 수 없는 비정형 편평세포
LSIL	Low-grade squamous intraepithelial lesion	저등급 편평상피내병변
HSIL	High-grade squamous intraepithelial lesion	고등급 편평상피내병변

- Pap smear 방법

① Plastic spatula를 exocervix에 대고 360°로 두 번 돌려 검체 채취

② Cytobrush를 endocervix에 넣고 가볍게 180°정도 돌려서 자궁경관 내피 세포를 채취

③ 검체 채취 후 건조되기 전에 가능한 빨리 95% Ethanol에 고정한다.

Ⓐ 주의 사항

㉠ 즉각 Slide에 고정하는 것이 필요(가능한 얇게 펴 바른다)

㉡ 폐경기 이전 여성에서는 도말 표본에 Endocervical cell이 존재하여야 한다.

㉢ 면봉이 가장 정확한 것은 아님

Ⓑ 위음성율 - 1.4~50%

II. 자궁경부 상피 내 종양의 진단

1. 특징

① 성행위가 그 원인이 된다.

② 전암단계를 거쳐서 침윤암으로 진행된다.

③ 전암단계가 7~20년 정도로 비교적 길어서 이 기간에 조기진단이 가능하다.

Ⓐ mild dysplasia → CIS : 7년

Ⓑ severe dysplasia → CIS : 1년

Ⓒ CIS → invasive ca. : 10년

④ 진찰이 용이하다.

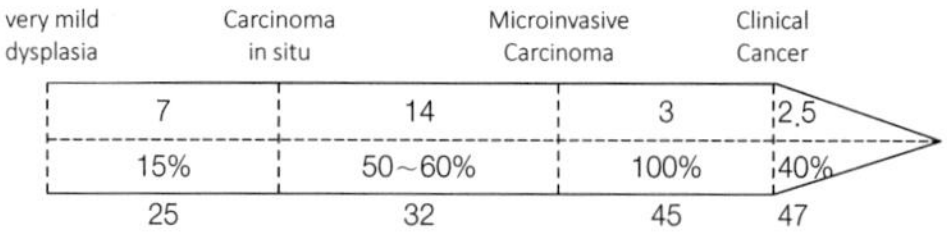

very mild dysplasia	Carcinoma in situ	Microinvasive Carcinoma	Clinical Cancer
7	14	3	2.5
15%	50~60%	100%	40%
25	32	45	47

2. 자궁경부 상피 내 종양의 진단 방법

1) 진단 방법의 분류

기본 진단 방법	보조 진단법
① Cytology (세포진 검사) ② Colposcopy ③ Biopsy (확진)	① HPV DNA test (type을 결정) ② Cervicography ③ 기타

• 기본 진단법은 순서대로 행해지며, 다른 것을 하지 않고 biopsy부터 해서는 안 됨.

3. 기본 진단 방법

1) 질 세포진 검사(Pap smear)

: 위음성률이 일반적으로 20~40%까지 보고

자궁경부 세포진 결과의 오류 원인	
① Inadequate sampling(m/c) ② Inadequate screening ③ Interpretive error	④ Inadequate follow-up ⑤ Exfoliating potential

(1) 단층표본

• 점액과 혈액 및 염증세포 등을 제거하여 매우 선명한 도말표본을 통하여 판독의 정확성을 높이는 방법

(2) 단점

① 침윤여부를 알 수 없다.

② 병변의 위치, 범위를 알 수 없다.

③ 탈락성 암종에서만 진단 가능

2) 질확대경(Colposcopy)

질=kólpos(그리스어)

• 세포진 검사에서 이상 소견을 보인 환자에게 적용되는 검사법

(1) 장점

① 세포진 검사의 높은 위음성률을 보완할 수 있다.

② 병변의 위치, 정도 및 종류를 알아낼 수 있다.

③ 조준 생검이 필요한 가장 좋지 않은 병변의 파악이 가능하다.

④ 임신 중의 비정상적 smear 소견에 대한 management 가능하다.

⑤ 초기 침윤성 cancer와 CIN, SPI에 대한 치료방법을 선택할 수 있다.

⑥ 침윤성 cancer, CIN에 대한 치료 및 경과 관찰에 도움이 된다.

⑦ 불필요한 biopsy를 줄인다.

(2) 단점

① 경관 내 상피나 Squamocolumnar junction이 경관 내로 상행한 폐경기 이후의 부인에서는 관찰이 어렵다.

② Benign과 malignant를 구분하지 못한다.

(3) 적응증

질확대경검사의 적응증
① All women with abnormal cytology ② All women with previous history of abnormal cytology ③ Gross suspicious cervical lesion ④ History of contact bleeding ⑤ Any suspicious lesion of vulva or vagina

(4) 질확대경 소견의 분류

질확대경 용어(IFCPC, 2011)		
정상 질확대경 소견	원편평상피(original squamous epithelium); 성숙 상피, 위축 상피 원주상피(columnar epithelium); 이소증/외반(ectopy/ectropion) 화생편평상피(metaplastic squamous epithelium); 나보트 낭; 선의 개구 임신으로 인한 탈락화(deciduosis)	
비정상 질확대경 소견	grade 1 (minor)	미세한 모자이시즘 미세한 점적반 얇은 초산 백색 상피 불규칙 지도 경계
	grade 2 (major)	예리한 경계 경계속징후(inner border sign); 얇은 초산 백색 상피와 두꺼운 초산 백색 상피 영역 간에 관찰되는 경계 융기징후(ridge sign); 변형대 내 백색상피영역의 불투명용기 짙은 초산 백색 상피 조잡한 모자이시즘 조잡한 점적반 빠른 초산 백색 변화 겹쳐진 선의 개구
	비특이적 (nospecific)	백반(leukoplakia); 각화증(keratosis), 과각화 루골 염색(schiller test); 염색, 염색 안 됨
침윤 의심 소견	비정형 혈관 불규칙적인 표면 취약한 혈관 외향 병변 괴사 궤양 육안 관찰 종양	
기타 소견	선청성 변형대 콘딜로마 용종 염증 협착 선천성 기형 치료 후 결과 자궁내막증	

• 질확대경 검사의 이상소견

① 백색상피(acetowhite epithelium)

- 초산으로 단백질이 응고되어 성숙되지 않은 상피를 희게 만든다.

② 백반증(leukoplakia)

- 초산을 뿌리기도 전에 백색상피가 보인다.

- 표면상피의 각질층 때문에 각질을 생산하는 자궁목질 점막은 비정상이다.

③ 점적반(punctation)

- 표면에 늘어난 모세혈관들의 끝이 보인다

- 백색상피의 잘 경계지어지는 영역에서 혈관이 보일 때

- CIN에서 가장 흔히 나타남

④ 모자이시즘(mosaic)

- 백색상피 내에 모세혈관들의 끝이 원형이나 다각형 모양을 형성하여 마치 모자이크 타일 같은 모습을 보일 때

- 모자이크의 모양이 불규칙하거나 그 간격이 넓어질수록 악성도는 증가

⑤ 비정형 혈관

- 침윤성 자궁목암의 특징

- 고리, 가지, 그물모양

✚ POINT!

비정상 질확대경 소견

1) CIN lesion의 질확대경 소견

① acetowhite epithelium

② leukoplakia

③ punctation

④ mosaic pattern

2) invasiva cancer의 질확대경 소견

① abnormal blood vesseis (looped, branching, or reticular pattern)

② irregular surface contour (ulceration of surface epithelium)

③ color tone change (pink or red → yellow-orange)

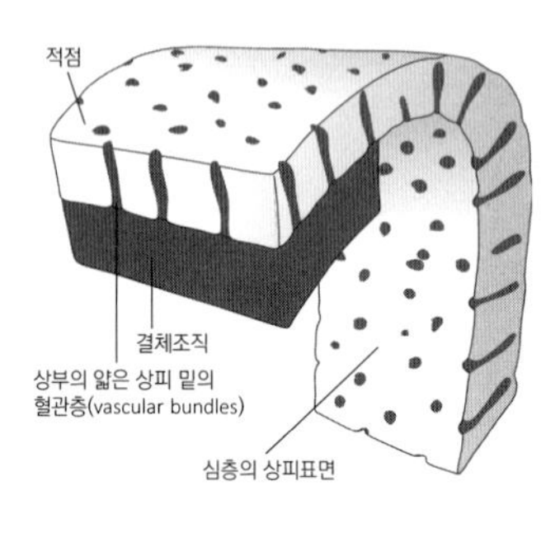

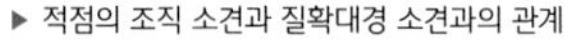
▶ 적점의 조직 소견과 질확대경 소견과의 관계

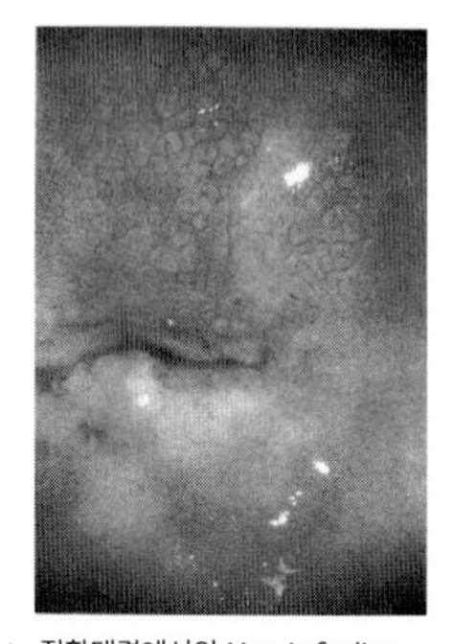
▶ 질확대경에서의 Mosaic finding

(5) 질확대경 검사시 혼란을 일으킬 수 있는 상황

• 질확대경 검사의 진단기준

① 혈관모양(vascular pattern)

② 모세혈관 간격(intercapillary distance)

③ 표면상태(surface contour)

④ 색조(color tone)

⑤ 경계의 명확도(clearity of demarcation)

(6) 질확대경 검사시 시행할 수 있는 진단적 수기

① 질확대경 하 조준 생검

② 자궁경관내 소파술(ECC)

③ 질확대경 검사시 세포진 검사

• Schiller test ★

- 기전 : Cervix나 Vagina의 Normal epithelium은 Glycogen이 풍부

→ iodine solution에 dark brown color를 보임(mahogany color)

- Schiller test(+)의 정의

Dysplasia나 Cancer cell 등의 경우 → iodine에 염색 안됨

- Schiller test 양성인 경우

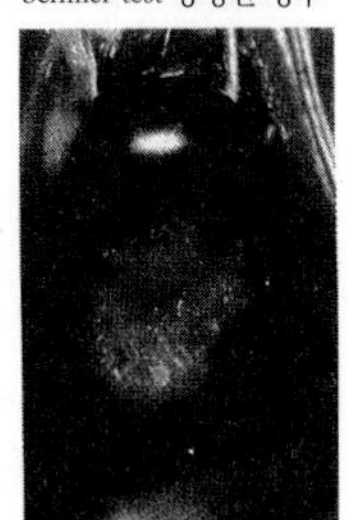

① Trauma

② Eversion

③ Erosion

④ Leukoplakia

⑤ Benign inflammation

⑥ Columnar epithelium

⑦ Squamous metaplasia

⑧ Focus of carcinoma

3) 조직생검(Biopsy)

(1) 조준생검(Colposcopically-directed biopsy)

• 조준생검의 적응증

① 세포진 검사에서 이상소견이 발견될 경우 질확대경하에서 선택적으로 실시

② 자궁경부에 육안적으로 의심스러운 병변이 있을 때

(2) 원추생검(Conization)

① 원추생검의 종류

Ⓐ Cold conization : 진단 목적으로 이용

Ⓑ Hot conization

- 치료 목적으로 이용(thermal injury를 받기 때문에 진단 목적으로 사용이 어렵다.)
- 방법 : laser, electrosurgical unit 이용

Ⓒ 루프 환상투열절제술(Loop Electrosurgical Excision Procedure, LEEP)

② 냉동생검의 적응증

냉동생검(Cold conization)의 적응증 ☆

1. Cervical biopsies suggestive of (but not diagnostic for) invasive cancer
2. Inadequate colposcopic study of the cervix
   ① cervical/vaginal atrophy
   ② vaginal strictures
   ③ stenosis of endocervical canal
   ④ displacements of the cervix due to other disease
3. Positive endocervical curettage specimens, suggesting high-grade SIL or invasion
4. High-grade SIL smears not explained by target biopsies or endocervical curettage

③ 폐경기에서는 자궁경부내전(endocervical inversion)으로 질확대경 검사가 부적절하게 됨으로써 원추생검이 더 필요하게 됨

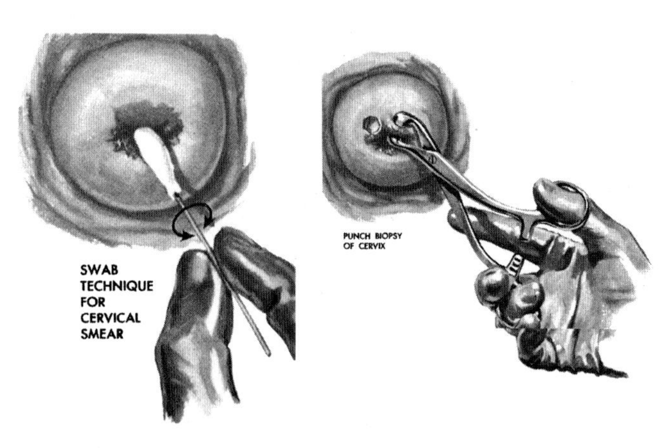

▶ Swab technique for Cervical smear

▶ Punch biopsy of Cervix

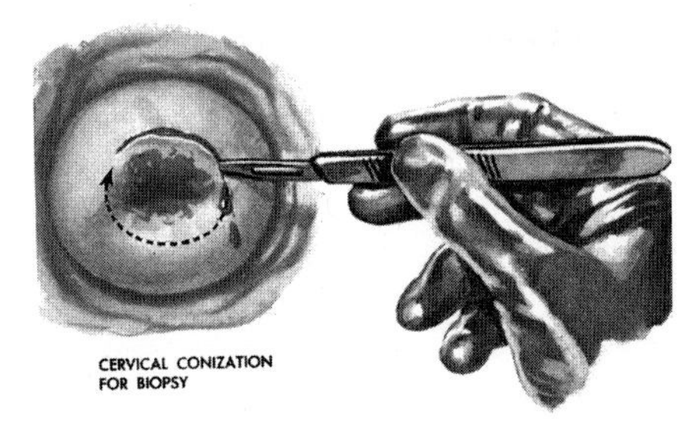

▶ Cervical conization for Biopsy

4. 보조 진단 방법

1) 인유두종 바이러스 염색체 검사(human papilloma virus DNA test)

① HPV 양성률과 Pap smear 양성률은 2 : 1

② 세포학적 구분이 명확하지 않을 경우 HPV의 양성발현율은 세포진 검사의 민감도를 증가시키는 데 도움

③ Type 16, 18 → high risk

HPV 분류의 임상적 적용(clinical application of HPV typing)
① Isolation of high-risk women for cervical cancer ② Possible adjuncctive role in population screening ③ Possible prognostic prediction of cervical cancer ④ Possible early detection of cervical cancer metastasis

2) 자궁경부 확대촬영술(cervicography)

(1) Indication

① 선별검사 : Pap test의 낮은 민감도를 보완하는데 큰 역할을 함

② 세포진 검사에서 비정형 세포의 소견을 보인 여성에서 처치의 방향을 결정하는 수단

(2) 장점 ★

① 결과가 객관적

② 관찰자간의 재현성이 높음

③ 민감도, 양성 예측도 및 음성 예측도가 높음

자궁경부 확대 촬영술의 적응증(Indication for cervicography)
① Combined with Papanicolaou smear for routine screening ② Intermediate triage for patients with ASCUS Papanicolaou smear results ③ Noncompliant patient ④ Interval follow-up for minor cervical changes ⑤ Follow-up after surgical treatment of cervidal lesions ⑥ In conjunction with learning and teaching cervical procedures including colposcopy ⑦ Photographic documentation of lesions ⑧ Quality assurance research

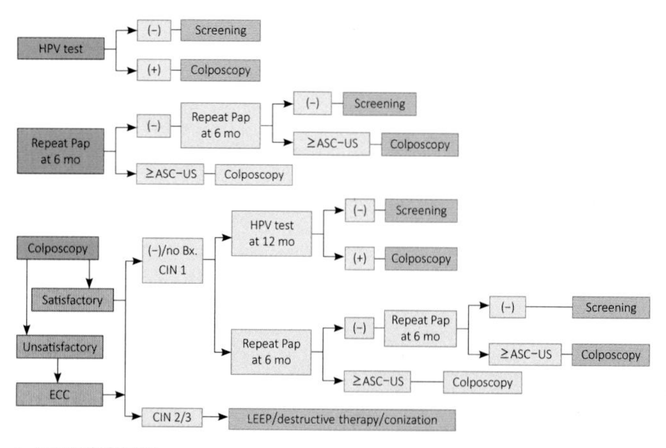

▶ ASC-US에 대한 처치

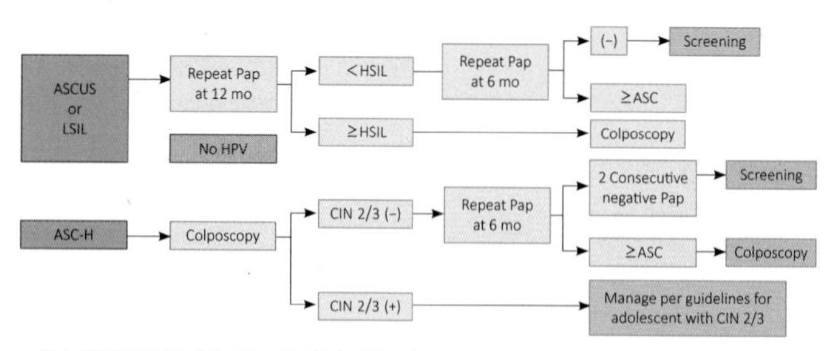

▶ 청소년기의 ASC-US, LSIL, 또는 ASC-H에 대한 처치

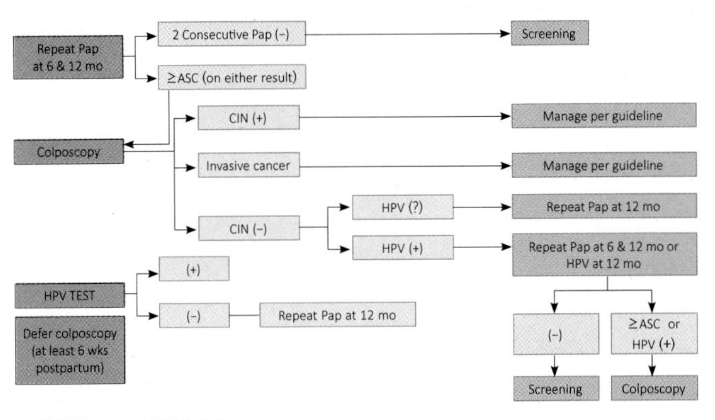

▶ 임신부의 ASC-US에 대한 처치

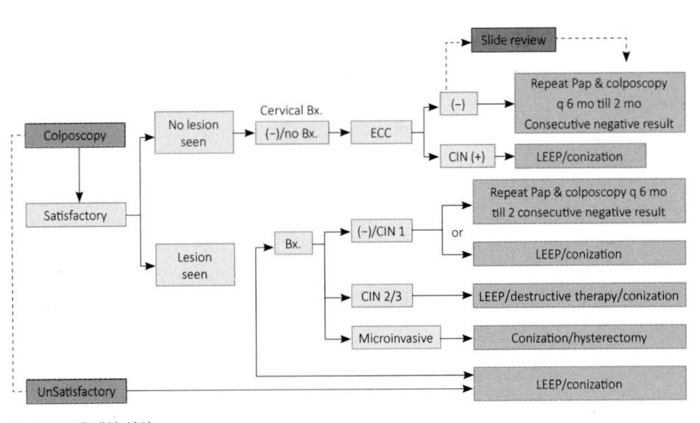

▶ ASC-H에 대한 처치

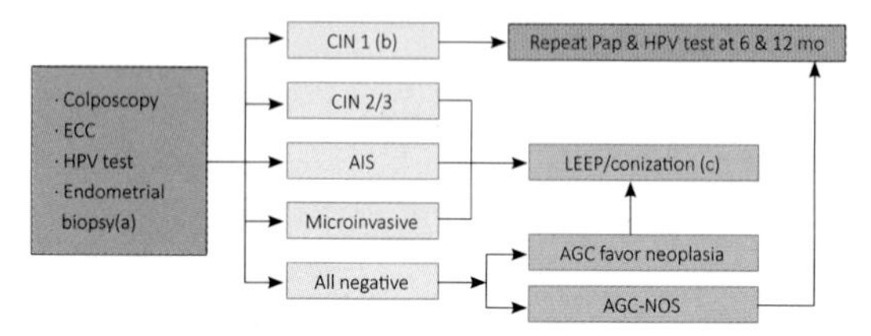

▶ AGC에 대한 처치

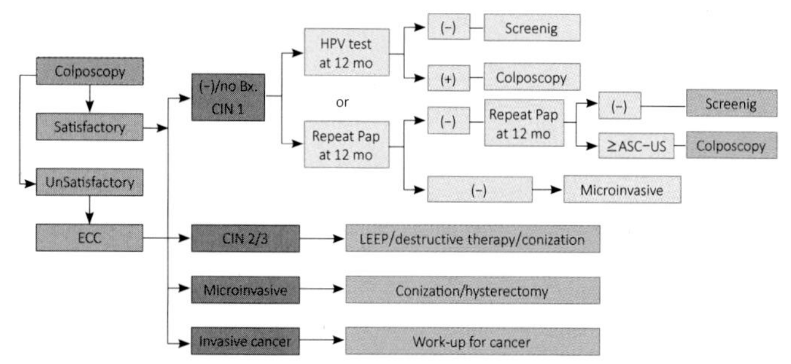

▶ LSIL에 대한 처치

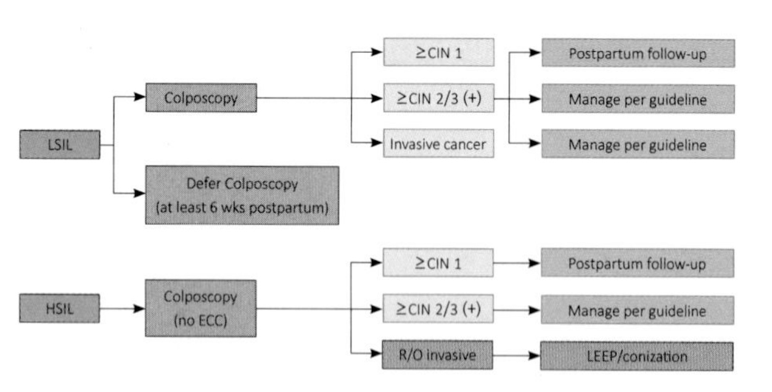

▶ AGC에 대한 처치

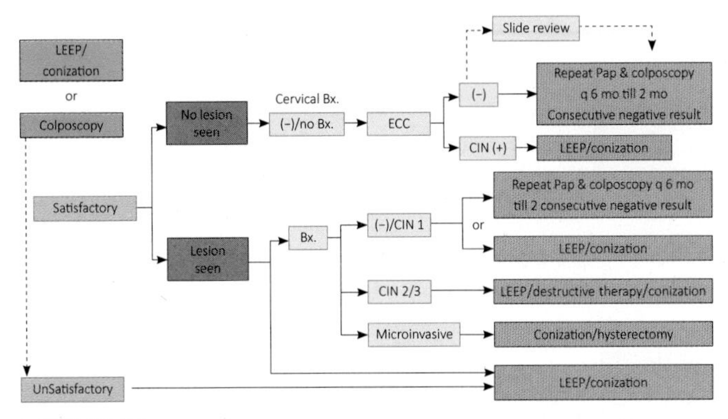

▶ AGC에 대한 처치

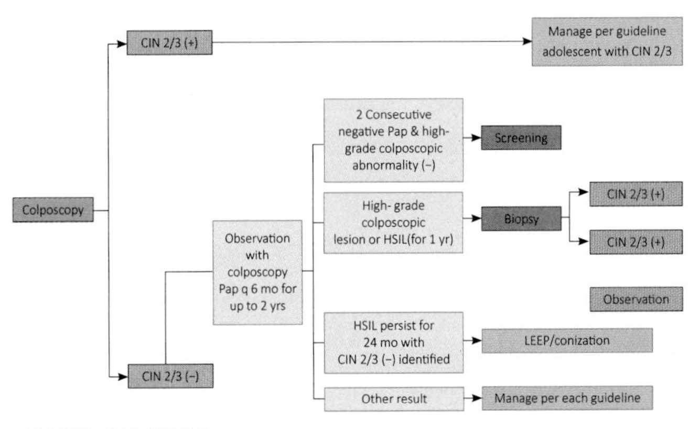

▶ 청소년기의 HSIL에 대한 처치

3) 기타

(1) Speculoscopy

(2) Polarprobe

(3) 질현미경(Colpomicroscopy)

4) Pap test 결과가 비정상일 경우 ★

(1) Pap test일 결과	
ASC-US	6개월 마다 Pap 또는 고위험군 HPV검사 또는colposcopy
LSIL, ASC-H	- Colposcopy - biopsy
HSIL, AGUS	〈Colposcopy〉 - biopsy, endocervical - curettage (ECC) - Loop excision
(2) Biopsy 결과	
CIN 1	observation, abllative therapy
CIN 2, 3 & ECC (-)	observation, abllative therapy
CIN 2, 3 & ECC (+)	conization
Microinvasive cancer	conization

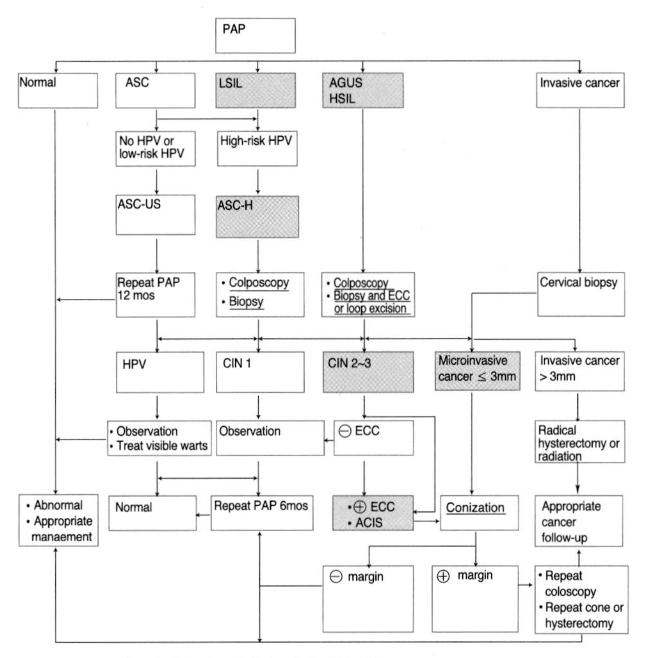

▶ Abnormal Pap smear의 평가, 치료 및 추적 관찰을 위한 과정

✚ POINT!

① Pap test 결과 ASC- US는 12개월 마다 Pap으로 경과관찰한다.

② ASC-US 제외한 모든 비정상 소견은 먼저 colposcopy와 biopsy를 시행해 그 결과 CIN 2,3 & ECC(+)가 나온 경우는 conization 시행해 준다.

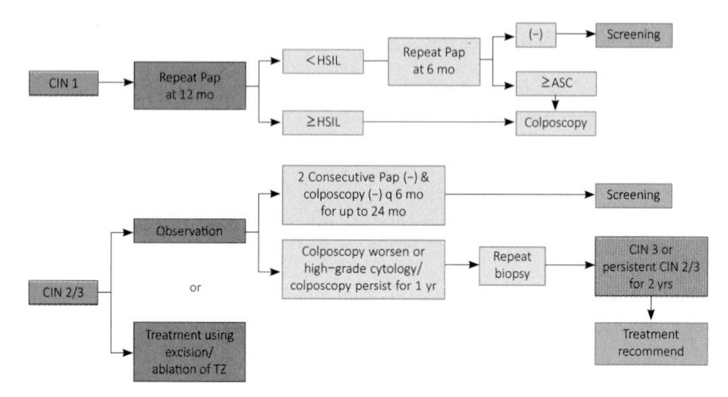

▶ 청소년기의 CIN 1~3 치료 및 추적 검사

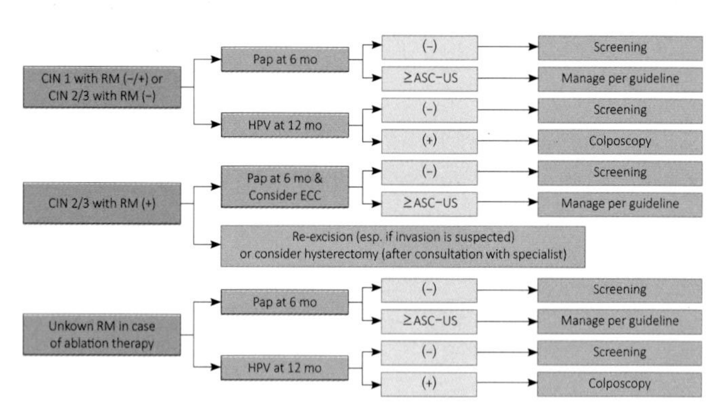

▶ CIN 1~3 치료 및 추적 검사

III. 자궁경부 상피내종양의 치료

1. 자궁경부 상피내종양의 치료

1) 냉동요법(Cryotherapy)

(1) Indication

① CIN I-II

② 작은 병변

③ 외자궁경부에 국한된 병변

④ 자궁경관 내에 병변이 없을 때

⑤ 조직검사상 자궁경관 내 gland 침범 없을 때

2) 레이저 요법(Laser therapy)- LEEP에 비해 조직검사에 불리

(1) Indication

① 병변이 넓어서 냉동치료가 불가능한 경우

② 자궁경부 표면이 불규칙하여 병변의 깊이가 다를 경우

③ 병변이 질까지 파급된 경우

④ 자궁경관 선내까지 병변이 있을 경우

(2) 비용 문제, special training의 필요성, early CIN의 증가로 인해 사용 감소

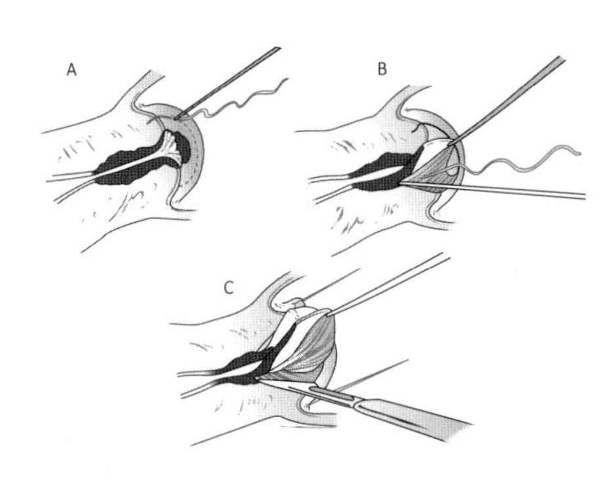

▶ 레이저 원추절제술의 방법

3) 루프 환상투열절제술(Loop Electrosurgical Excision Procedure, LEEP) ★

(1) 장점

① 절제 후 조직의 손상이 적어서 수술 후 조직 병리소견에 영향을 주지 않는다.

② 다양한 크기의 열선고리를 손쉽게 교체사용 가능하다.

③ 변형대를 한꺼번에 절제할 수 있으므로 1회의 시술로 진단과 치료를 동시에 가능하다.

④ 치료시간이 짧다.

⑤ 술기가 쉽다.

⑥ 출혈이 적다.

⑦ 자궁경관의 협착이 적다.

⑧ 외래에서 용이하게 시술 가능하다.

⑨ 수술 후 조직 진단이 용이하다.

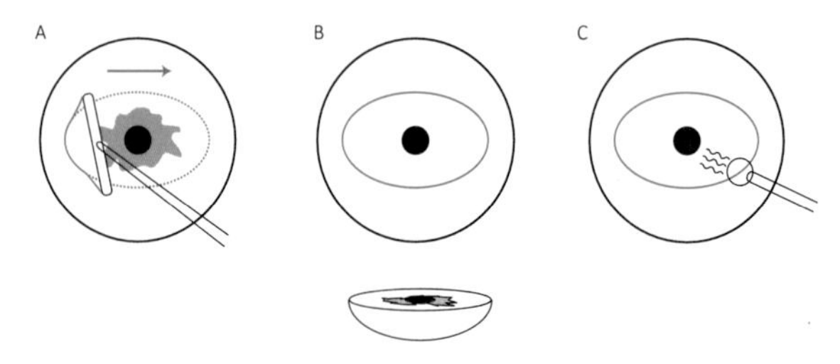

▶ 자궁경부 이행대가 완전하게 보일 때 LEEP 원추절제술의 방법

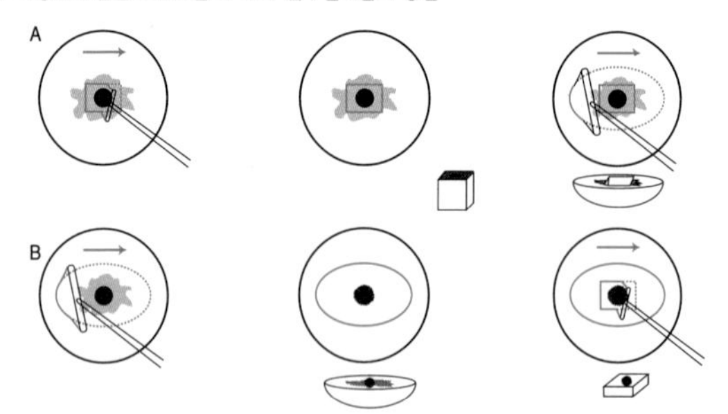

▶ 다양한 형태의 LEEP 방법

4) 원추절제술(Conization) ★

High Grade SIL 세포진 소견을 가진 여성에서 원추절제술의 적응증
① colposcopy로 lesion이 다 보이지 않을 때 ② SCJ이 보이지 않을 때 ③ Endocervical curettage에서 CIN Ⅱ or Ⅲ를 보일 때 ④ Cytology, Biopsy and Colposcopy가 일치하지 않을 때 ⑤ Cytology, biopsy or colposcopy에서 microinvasion이 의심될 때 ⑥ colposcopist가 invasive concer를 배제하지 못할 때

5) 전자궁적출술(Total hysterectomy)

(1) Indication

① Microinvasion (3mm 이내인 경우)

② CINⅢ at limits of conization specimen in selected patients

③ Poor compliance with follow up

④ Other gynecologic problems requiring hysterectomy

(fibroids, prolapse, endometriosis, pelvic inflammatory disease)

2. 임신부에서의 자궁경부 상피 내 종양 치료

1) 자궁 경부의 형태학적 변화는 estrogen이 관여한다.

: 초경, 임신 직후 여성은 CIN 위험이 높고 폐경 여성의 경우 CIN 위험성 낮다.

2) 진단

① 자유롭게 시행가능 한 것 : Pap smear, colposcopy

② 임신 중 피해야 할 시술 : ECC, cone biopsy

3) 치료

① Mild dysplasia : Pap test나 colposcopy로 경과 관찰(임신지속 가능)

② Moderate to severe dysplasia, microinvasive cancer : Pap test, colposcopically directed biopsy로 follow up → 일단 질식분만 하고 나서 치료

③ Invasive cancer : 자궁경부암에 준해 치료(6개월 이상 치료 delay 불가능)

23 침윤성 자궁 경부암

Power Gynecology

• 침윤성 자궁경부암이 예방 가능한 이유

① 전암 단계가 길다.

② 선별 검사가 잘 개발되어 있다(cytology screening).

③ 전암 병변의 치료가 효과적이다.

I. 역학 및 임상적 특성

1. 역학

1) 호발 연령 : 평균 47세(2번의 peak: 35~39세, 60~64세)

2) 원인 : 성 접촉성 감염질환 모델이 가장 널리 인정

(1) 자궁 경부암 발생의 위험요인 ★

① 조기에 시작된 성적 활동 : 16세 이전

② 다수의 성교상대자

③ 남성 요인 : poor penile hygiene, sperm of high risk male

④ Human papilloma virus (HPV) 감염(고위험군 : HPV 16, 18) → 자궁 경부암 발생의 가장 유력한 원인인자

⑤ 사회인구학적 특징 : Low socioeconomic status

⑥ 인종

⑦ 흡연

⑧ Chronic immune suppression

⑨ 경구피임약 : controversial

※ 가족력은 risk factor 아니다.

(2) HPV infection

① Squamous cell carcinoma의 99%까지 detection

② Cervical dysplasia와 carcinogenesis에서 첫 번째 event

2. 임상적 특성

1) 질 출혈(m/c) - 대부분 성교 후 출혈

2) 악취성 질분비물 : Adenocarcinoma에서 특징적

3) 병변이 진행된 경우 (Terrible triad)

① 골반통 ② 편측성 다리 부종 ③ 편측성 요관 폐쇄

- 진찰상 쇄골상 림프절, 서혜부 림프절을 촉지하여 전이 여부를 확인
- 질경을 사용하여 육안으로 질로 파급되었는지 여부 확인
- 직장진찰(Rectal examination) : 자궁주위, 골반벽, 자궁천골인대의 침범 여부, 자궁경부의 견고성과 크기를 평가
- 진단적 원추생검 : 외래에서 시행한 조직검사로 확진되지 않을 때

II. 병리

1. 미세 침윤성 자궁경부 편평세포암

- 원추생검 : 미세 침윤의 범위를 정확히 알기 위해서

2. 침윤성 자궁경부암

1) 편평 세포암

- 침윤성 자궁경부암중 m/c
- 예후 : 좋은 순서대로 대세포암 > 소세포암(미분화편평세포암 > 역형성암)

2) 선암

- 최근 20, 30대의 젊은 여성에서 선암의 빈도가 늘어나는 추세

• 전암 병변 : Adenocarcinoma in situ

3) 육종

• 태생성 횡문근육종(embryonal rhabdomyosarcoma)

4) 악성 흑색종(Malignant melanoma)

5) 전이암(Metastatic cancer)

6) 소세포암(Neuroendocrine carcinoma)

3. 침윤성 병변의 질확대경 검사

• 세포진 검사상 초기 침윤성 암이 의심되나 육안상 자궁경부가 정상적일 때 시행

• 침윤을 시사하는 질확대경 검사 소견

① 비정상 혈관

② 불규칙한 윤곽 및 표면 상피의 소실

③ 색상의 변화

1) 비정상 혈관

2) 불규칙한 표면 윤곽

3) 색상 변화

4) 선암

① 자궁경부 선암의 경우는 특이한 질확대경 소견이 없다.

② 질확대경검사와 더불어 자궁경관 소파술이 필요

III. 진단

1. 임상적 병기결정 ★

FIGO staging of Carcinoma of the Cervix Uteri	
Stage Ⅰ	• The carcinoma is stricly confined to the cervix (extension to the corpus would be disregarded)
ⅠA	• Invasive carcinoma which can be diagnosed only by microscopy, with deepest invasion ≤ 5mm and largest extension ≤ 7mm
ⅠA1	• Measured stromal invasion of ≤ 3.0mm in depth and extension of ≤ 7.0mm
ⅠA2	• Measured stromal invasion of 〉3.0mm and not 〉5.0mm with an extension of not 〉7.0mm
ⅠB	• Clinically visible lesions limited to the cervix uteri or pre-clinical cancers greater than stage ⅠA[a]
ⅠB1	• Clinically visible lesion ≤ 4.0cm in greatest dimension
ⅠB2	• Clinically visible lesion 〉4.0cm in greatest dimension

Stage Ⅱ ⅡA ⅡA1 ⅡA2 ⅡB	• Cervical carcinoma invades beyond the uterus, but not to the pelvic wall or th the lower third of the vagina • Without parametrial invasion • Clinically visible lesion ≤ 4.0cm in greatest dimension • Clinically visible lesion 〉4.cm in greatest dimension • With obvious parametrial invasion
Stage Ⅲ ⅢA ⅢB	• The tumor extends to the pelvic wall and/or involves lower third of the vagina and/or causes hydronephrosis or non-functing kidney[b] • Tumor involves lower third of the vagina, with no extension to the pelvic wall • Extension to the pelvic wall and/or hydronephrosis or non-functioning kidney
Stage Ⅳ ⅣA ⅣB	• The carcinoma has extended beyond the true pelvis or has involved (biopsy proven) the mucosa of the bladder or rectum. A bullous edema, as such, does not permit a case to be allotted to Stage Ⅳ • Spread of the growth to adjacent organs • Spread to distant organs

[a]All macroscopically visible lesions, even those with superficial invasion, are allotted to stage ⅠB carcinomas. Invasion is limited to a measured stroma invasion with a maximal depth of 5.0 mm and a horizontal extension greater than 7.0mm.
Depth of invasion should not be greater than 5 mm taken from the base of the epithelium of the original tissue squamous of glandular. The depth of invasion should always be reported in millimeters, even those cases with "early minimal stromal invasion"(~1mm). The involvement of vascular/lymphatic spaces should not change stage allotment.
[b]On rectal examination, there is no cancer-free space between the tumor and the pelvic wall. All cases with hydronephrosis or non-functioning kidney are included, unless they are known to be due to another cause.

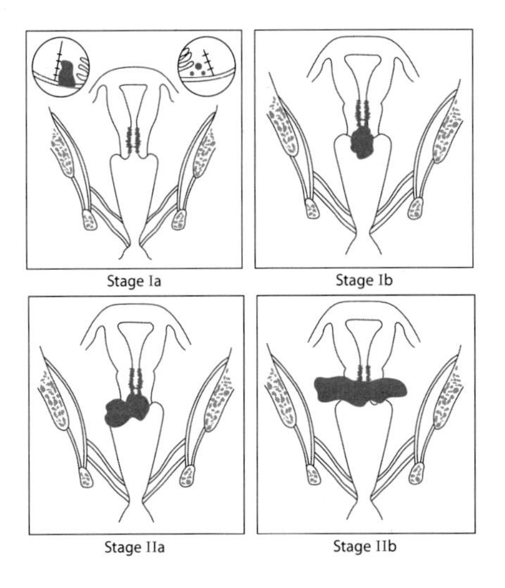
Stage Ia
Stage Ib
Stage IIa
Stage IIb

- 임상적병기결정에 필요한 검사
  - Cervical cancer는 clinical staging이 매우 중요함. 수술 후 stage가 달라지더라도 clinical staging을 절대 바꾸지 않는다.

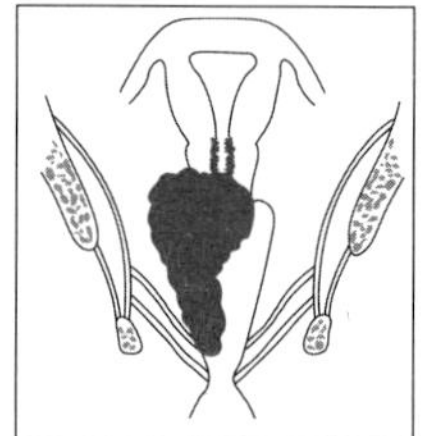

Stage IIIa

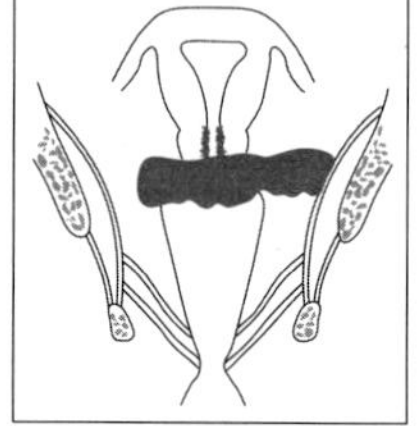

Stage IIIb

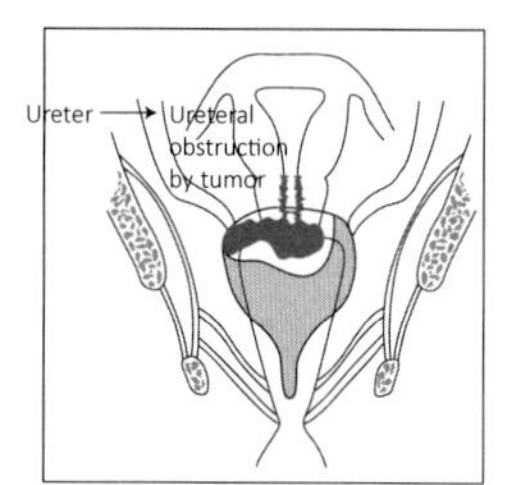

Stage IIIb(urinary)

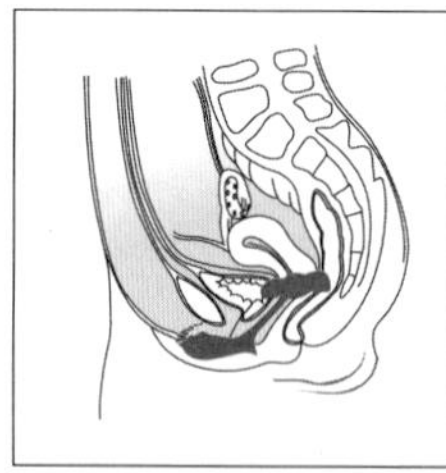

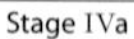

Stage IVa

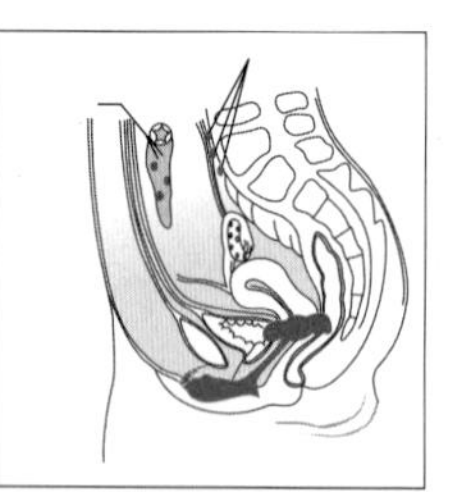

Stage IVb

2. 확장된 임상 병기결정

① 치료계획 설정에 사용됨(FIGO 병기설정에 사용되지는 않음)

✚ POINT!

간단히 staging 하기

① I_{a1} : 깊이(depth)≤3 mm
I_{a2} : 3 mm<깊이≤5 mm] I_a의 기본 조건 : 수평길이≤7 mm

② I_{b1} : 7 mm<크기≤4 cm
I_{b2} : 4 cm< 크기] I_b의 기본 조건 : 깊이가 5 mm이상일 경우 일단 I_b에 속함

③ II_a : 질 상부 2/3까지만 침범
II_b: parametrium 침범(자궁방 조직)

④ III_a : 질 하부 1/3까지 침범
III_b : 골반벽 침범 or 수신증 or non funtional kidney

⑤ IV_a : 방광, 직장 침범
IV_b : 방광, 직장 외의 distant meta

② Optional studies 사용해서 임상적 병기의 정확성을 높임

③ 림프절 전이가 의심시→ 세침 흡입생검(fine needle aspiration)

자궁경부암의 병기설정 검사	
Physical examination	Palpate lymph nodes Examine vagina Bimanual rectovaginal examination(under anesthesia recommended)
Radiologic studies	Intravenous pyelogram (IVP) Barium enema Chest x-ray Skeletal x-ray
Procedures	Biopsy Conization Hysteroscopy Colposcopy Endocervical curettage Cystoscopy Proctoscopy
Optional studies (Optional study의 결과는 stage에 전혀 반영되지 않음)	Computerized axial tomography Lymphangiography Ultrasonography Magnetic resonance imaging Positron emission tomography Radionucleotide scanning Laparoscopy

3. 외과적 병기결정

4. 전파 양상

① 자궁경부 간질, 자궁체부, 질과 자궁방결합조직으로 직접 침윤

② 림프성 전이

• LN metastasis의 비율

③ 혈행성 전이

④ 복강 내 파급

5. Early stage cervical cancer의 수술 후 예후인자

(1) High risk factors

Stage Ⅰ	Stage Ⅱ	Stage Ⅲ	Stage Ⅳ
15~20%	25~40%	>50%	50~80%

① Lymph node의 status (most dependent variable)

② Parametrial tissue involvement

③ Surgical margin status

(2) Intermediate risk factors

① Tumor size

② Invasion depth

③ LVSI (lymphovascular space invasion) 유무

Ⅳ. 외과적 치료

1. 일차적 치료로서 자궁경부암 근치술을 위한 환자의 선택

(1) 병의 진행도(병기 Ib 및 IIa) - IIb 부터는 RTx

(2) 환자의 연령 - 젊은 여성에서 난소의 기능을 보존하고자 할 경우

(3) 환자의 전신적인 건강상태 및 질환의 유무

① 수술 후 chronic bladder, bowel problem이 적다.

② 수술 후 Sexual dysfuncion이 적다.

③ 감염된 점막하 자궁근종이 있을 때에는 일차적 치료로써 수술방법을 채택

2. 치료 방법

1) Hysterectomy의 종류

① Type I : Simple hysterectomy(단순 자궁 절제술) - 더 이상 임신을 원하지 않을 때

② Type II : Extended simple hysterectomy(변형 광범위 자궁 절제술) - Modified radical hysterectomy

③ Type III : Standard radical hysterectomy(광범위 자궁절제술) → m/c 사용

Surgical management of early invasive Cancer of the Cervix		
Stage Ia1	깊이≤ 3 mm invasion, 림프혈관강 침범(-) ≤ 3 mm invasion, 림프혈관강 침범(+)	Conization or type I hysterectomy(임신X) Radical trachelecomy or type II radical hysterectomy with pelvic lymph node dissection
Ia2	깊이〉 3~5 mm invasion 길이≤ 7mm	Radical trachelecomy or type II radical hysterectomy with pelvic lymphadenectomy
Ib1	깊이〉 5 mm invasion, 길이〈 2 cm	Radical trachelecomy or type III radical hysterectomy with pelvic lymphadenectomy
Ib2	깊이〉 5 mm invasion, 길이〉 2 cm	Type III radical hysterectomy with pelvic lymphadenectomy Type III radical hysterectomy with pelvic and para-aortic lymphadenectomy or primary chemoradiaion
Stage IIa	질상부 2/3에 국한	Type III radical hysterectomy with pelvic and para-aortic lymphadenectomy or primary chemoradiaion
Stage IIb, IIIa, IIib		primary chemoradiaion
Stage IVa		primary chemoradiaion or pelvic exenteration
IVa		primary chemotherapy ± radiation

④ Type IV : Extended radical hysterectomy(확대 광범위 자궁절제술)

⑤ Type V : Ultra-radical hysterectomy (=pelvic exenteration)

2) Pelvic lymph node

3) 자궁경부암 근치술의 시술방법(Radical hysterectomy)

① 자궁 및 질의 상부 1/3~1/2, 자궁천골인대와 자궁방광인대 및 양측 자궁방결합조직을 암의 진행정도에 따라 제거

② 주요 골반 림프절 즉 요관림프절, 폐쇄림프절, 내장골반 림프절 및 외장골반 림프절을 제거

✚ POINT!

① stage Ⅱa 까지만 수술이 가능하다.
② 3mm〈깊이 인 Ⅰa2부터는 pelvic lymph node dissection 무조건 추가한다.

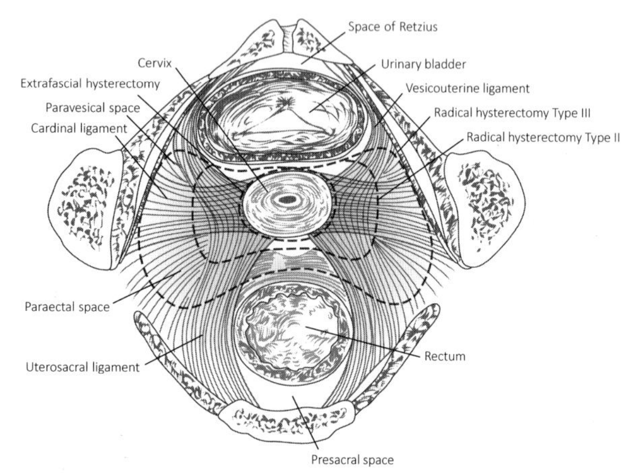

▶ The Pelvic ligaments, space & Radical hysterectomy type II, III

광범위 자궁절제술의 Piver-Rutledge-Smith 분류		
군	설명	적응증
Ⅰ	근막외자궁절제술 치골경부인대 (pubocervical ligament) 절제	자궁경부상피내종양 미세침윤암(Ⅰa1기)
Ⅱ	기인대(cardinal ligament) 및 자궁천골인대(uterosacral ligament) 내측 절반 및 질상부 1/3 절제	미세침윤암(Ⅰa2기)
Ⅲ	기인대 및 자궁천골인대 전체 및 질상부 1/3 절제	자궁경부암 Ⅰb기 및 Ⅱa기
Ⅳ	요관 주위조직 전체 상방광동맥 및 질 3/4 절제	방광의 보존이 가능한 전방에 발생한 중앙재발암
Ⅴ	원외부 요관 및 방광 부분 절제	원외부 요관 혹은 방광을 침범한 중앙재발암

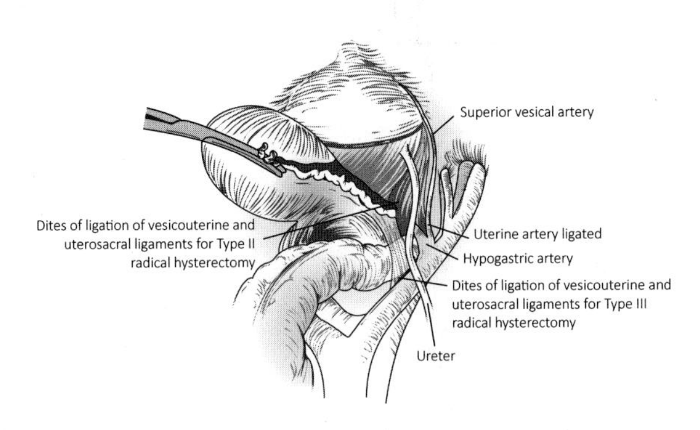

▶ Radical hysterectomy

4) 자궁 경부암 근치술의 장점

Primary lymph node (TypeⅢ때 반드시 제거)	Secondary lymph node (TypeⅢ때 선택적 제거)
① external iliac LN ② internal iliac LN ③ obturator LN ④ paracervical LN ⑤ ureteral LN	① common iliac LN ② paraaortic LN ③ presacral LN ④ inguinal LN

① 자궁경부 및 체부가 제거됨으로써 그 장기에서의 재발은 있을 수 없다.

② 젊은 연령층의 여성에서는 난소를 보존함으로써 계속적으로 여성에 필요한 호르몬을 공급할 수 있다.

③ 치료 전 개복시에 암의 파급정도의 정확한 결정은 다른 방법에서 얻어진 결과에 준하는 것보다. 더 확실한 예후를 제공할 수 있다.

④ 방사선에 잘 치료되지 않는 암을 제거할 수 있다.

⑤ 방광이나 직장에서 발생하는 방사선 조사로 인한 후기 합병증을 피할 수 있다.

⑥ 만성 골반장기염의 존재시 방사선 치료로 급성 악화될수 있는 위험성을 피할 수 있다.

⑦ 정상 장기에 불필요한 방사선 조사를 피할 수 있다.

⑧ 감염되거나 낭종이 있는 자궁 부속기를 제거할 수 있다.

5) 자궁 경부암 근치술의 단점

① 침윤성 자궁 경부암 환자에서 자궁 경부암 근치술을 받기에 적절한 대상자는 많지 않다.

② 이와 같은 광범위 수술로 인한 급성 합병증으로 사망할 위험성이 방사선 치료에 비해 더 높다.

③ 질이 짧아진다.

④ 방사선 치료에 비해 요관 및 직장에 누공의 발생이 더 많다.

⑤ 방광기능 이상이 흔하고 만성 요잔류와 요실금이 가끔 발생한다.

⑥ 때로는 수술중에 발견된 전이에 대한 수술 후 방사선치료가 필요하다.

3. 자궁경부암 근치술 및 양측 골반 림프절 절제술의 결과

1) 생존율

- 제 1기 말(병기 Ib) : 85~90%
- 제 2기 초(병기 IIa) : 75%

(1) Acute complications

① Blood loss

② Ureterovaginal fistula (1%~2%)

③ Vesicovaginal fistula (1%)

④ Pulmonary embolus (1%~2%)

⑤ Small bowel obstruction (1%)

⑥ (m/c) Febrile morbidity (25%~50%)

- Pulmonary infection
- Pelvic cellulitis
- Urinary tract infection

(2) Subacute complications

① Bladder dysfunction

② Lymphocyst formation (< 5%)

(3) Chronic complications

① (m/c) Bladder hypotonia

② Ureteral stricture postop RTx시

③ Recurrent cancer

④ Lymphocyst formation

2) 수술사망률

가장 흔한 원인은 폐동맥 색전증

V. 방사선 치료

- 자궁경부암의 모든 병기에서 사용될 수 있음
- **방사선 치료의 성공 여부**

① 정상 세포에 비해 암세포가 전리방사선(ionizing radiation)에 대한 민감도가 커야함

② 방사선 조사후 정상 조직의 회복능력이 암조직보다 커야 함

③ 환자의 건강이 양호해야 함

Cervical cancer Stage Ib/IIa에서 Surgery와 Radiation의 비교		
	Surgery	Radiation
1. Survival	85%	85%
2. Serious complication	Urologic fistula in 1~2%	Intestinal and Urinary Strictures and Fistulas in 1.4~5.3%
3. Vagina	Initially shortened, but may lengthen with regular intercourse	Fibrosis and possible Stenosis particulary in Postmenopausal patients
4. Ovaries	Can be conserved	Destroyed
5. Chronic effect	Bladder atony due to Nerve denervation in 3%	Radiation fibrosis of Bowel and Bladder in 6~8%
6. Applicability	Best candidates are younger than 65 years of age, 〈 200 lb and in Good health	All patients are potential candidates
7. Surgical Mortality	1%	1% (from Pulmonary embolism during Intracavitary therapy)

1. 합병증

① 자궁천공

② 발열

③ 급성 이환증 : 설사, 복통, 오심, 빈뇨, 혈뇨, 혈변

④ 만성 이환증 : 장과 방광 누공

⑤ 직장 S상 결장염

⑥ 직장질 누공

⑦ Small bowel complications

⑧ Chronic urinary tract complication

2. 방사선 치료와 항암화학요법 병행치료(Concurrent Chemoradiation therapy)

- Cisplatin이 방사선 감작제로 병행치료시 단독치료보다 좋은 성적을 보임
- High risk group

① 골반 림프절 전이

② 거대 종괴

③ 심층부 자궁 경부 실질 침윤

④ 림프 혈관강 침범

⑤ 질 혹은 자궁방 경계부위 침윤

3. 치료 후 추적관찰

- 방사선 치료 후 3개월 이내에 종괴의 크기가 감소되지 않고 커지는 경우에는 외과적 처치를 고려

VI. 진행된 자궁경부암에서 선행화학요법의 역할

1. 선행 화학요법

1) 수술 전 선행 화학요법

- cisplatinum을 기조로한 약제의 투여로 유효한 결과를 얻음
- 선행 화학요법의 목표 : 자궁경부암 I기 또는 II기에서 종괴가 큰(4 cm 이상) 국소적 진행암 환자에서

① 수술이 불가능한 환자(IIb 이상)를 가능케 함(Stage down and operation)

② 림프선 전이율을 낮춤

③ 국소적(골반) 및 전이성 재발률을 낮춤

④ 5년 생존율을 높힘

VII. Management of Cervical Cancer in Pregnancy

1) 빈도 : 1.2/10,000

→ 모든 임신부에게 initial prematal visit 시 Pap test 시행

2) Pap test(+)이고 colposcopy와 Bx상 invasive cancer 진단 불가능시 → 진단적 원추생검

But, 1st trimester 시기에 conization할 경우 Abortion (33%), hemorrhage, infection의 risk가 증가

∴ 2nd trimester에 적응증에 한하여서만 시행

- Conization의 indication(임신 시)

  ① Colposcopy findings consistent with cancer

  ② Biopsy-proven microinvasive cervical cancer

  ③ Strong cytologic evidence of invasive cancer

3) Conization 후 Stage I A1은 만삭까지 기다린 후 치료

① 3 mm 이하 invasion (Stage I A1) & No LVS I: term 이후 vaginal delivery

(But, 최근 연구에 따르면 vaginal delivery를 한 group에서 recurrence rate가 높고 이 경우 특히 distantmetastasis의 형태로 나타나서 Stage IA1 & no LVSI에서의 이상적인 delivery 방법은 확정된 바가 없다)

② 더 이상 아이 원치 않을 경우 : 출산하고 6주 후 hysterectomy

4) 3~5 mm invasion (Stage I A2) & LVSI

① Term 이후 C-sec or 태아의 폐성숙이 이루어진 후 C-sec

② 그 후 즉시 modified radical hysterectomy (type II) & pelvic lymphadectomy

5) 5 mm 이상 invasion (stage I B)

: Invasive cervical cancer와 같이 취급하여 치료, 재태기간과 환자의 의사에 따라 치료법 고려

6) Stage Ⅱ,Ⅲ,Ⅳ (Advanced stage)

① Radiotherapy가 TOC

② 1st trimester : Radiation으로 자연 유산

2nd trimester : Delay of Treatment(아이가 살 가능성 있으면 폐 성숙까지 기다림)

임신중 침윤성 자궁경부암의 치료 ☆	
수술적 치료	방사선 치료
1. First trimester & Early second trimester •자궁내 태아가 있는 상태에서 광범위 자궁절제술 및 골반내 림프절 절제술 시행 2. Late second trimester •태아가 생존력이 생길 때까지 기다렸다가 고전적 제왕절개술을 시행한 후 즉시 광범위 자궁절제술 및 골반내 림프절 절제술을 시행 3. Third trimester •고전적 제왕절개술 후 광범위 자궁절제술 및 골반내 림프절 절제술을 시행 4. Postpartum •광범위(=근치적) 자궁절제술 및 골반내 림프절 절제술을 시행	1. 태아가 생존력이 없을 때(First & Second trimester) •치료는 비임신시에 준하여 시행. 골반에 체외 방사선 조사 시행. 태아는 자연적으로 배출됨이 좋음 2. 태아가 생존력이 있을 때 (Third trimester) •고전적 제왕절개술 후 체외 방사선 조사 시행을 마친 후 Cesium implant 시행 3. Postpartum •비임신 시기에 준하여 방사선 치료 시행. 체외 방사선 조사 후 자궁강내 방사선 치료 시행

VIII. 재발성 자궁경부암(Recurrent cervical carcinoma)

•지속성(persistent)암 : 생존능(viable)이 확인된 암이 치료 완료 후 첫 6개월 이내 입증될 때

•재발(recurrence)암 : 치료 완료로 임상적 및 생화학적 완전관해를 달성한 6개월 이후에 질환이 다시 발생된 경우

•지속성, 재발암의 악성도는 일차암보다 더욱 심함

1. 진단

① 골반 직장의 양수촉진(bimanual examination)으로 골반벽의 비대칭, 결절(nodule) 등으로 의심

② 요로폐쇄

③ 하지부종, 좌골통은 요로폐쇄와 함께 절제가 불가능한 재발의 특이 증상들이다.

④ 무증상이 m/c

⑤ 확진 - 세침 천자 흡인 생검

2. 치료 ★

- 일차 치료 방법과 재발 부위에 따라 치료 방법 결정
- 치료원칙 : ① 근치적 자궁절제술 후 재발된 경우 - 방사선 치료
  ② 방사선 치료 후 재발된 경우 - 수술적 치료
  ③ 수술이나 방사선 치료로 조절이 불가능한 경우 - 화학적 치료

1) Radiation retreatment

- 뼈, 중추신경계에 전이된 경우, 심한 요로 혹은 대정맥 폐쇄 시 제한적으로 사용

2) Surgical therapy

① Anterior exenteration : bladder, vagina, cervix, uterus 제거

② Posterior exenteration : rectum, vagina, cervix, uterus 제거

③ Total exenteration : bladder, rectum, vagina, cervix, uterus 제거

- 금기 : tumor가 pelvic wall로 extension한 경우
  - Unilateral leg edema
  - Sciatic pain
  - Ureteral obstruction

3) Chemotherapy

- palliative treatment, surgery나 radiation therapy가 불가능한 경우

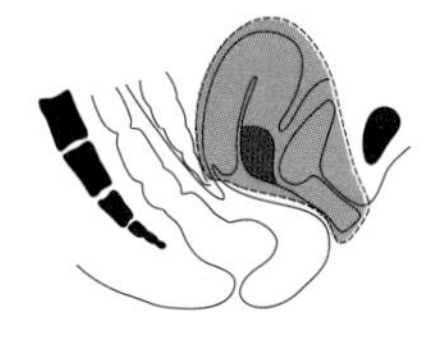
Anterior pelvic exenteration

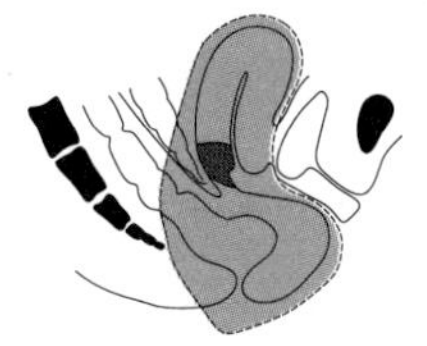
Posterior pelvic exenteration

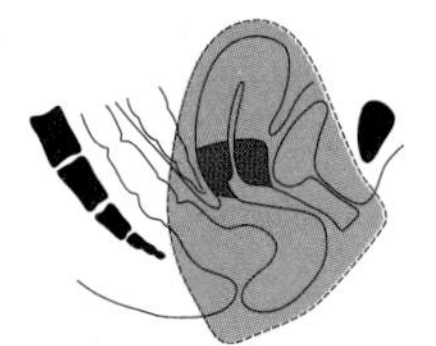
Total pelvic exenteration

24 자궁 내막 증식증

Power Gynecology

I. 정의(Definition)

• 비정상적인 자궁출혈을 동반하는 병적상태로서 자궁내막의 비정상적인 증식

II. 특징

① 과도한 생리적 변화에서 상피내암까지의 다양한 모습을 보인다.

② 황체호르몬(progesterone)의 길항작용 없이 지속적인 난포호르몬(estrogen)의 자극시 증식기 자궁내막에서 발생(Unopposed estrogen에 노출된 경우)

③ 정상적인 증식기 자궁내막보다 기질에 대한 선의 비율이 증가(Gland/Stroma ratio↑)

④ 임상적인 중요성

Ⓐ 비정상적인 출혈 야기

Ⓑ Unopposed estrogen stimulation (estrogen-producing ovarian tumors, hormonal therapy 등)과 연관성 ↑

Ⓒ Endometrial cancer의 전암 병변이거나 동시에 발생

III. 원인

1. Mechanism

: Progesterone의 길항작용 없이 Estrogen이 자궁내막을 지속적으로 자극해서 발생

1) 가임여성의 경우

: 무배란주기 때 황체가 형성되지 않아 황체호르몬의 길항작용 없이 난포호르몬의 지속적인 자극으로 자궁 내막이 과도하게 증식

- 난포 하나가 자랄경우 → 난포낭종(follicular cyst)으로 표현됨
- 여러개가 자랄 경우 → Polycystic ovarian syndrome과 비슷한 양상

2) 폐경 후 여성의 경우

: 난포호르몬이 지속적으로 자극할 경우 발생

① 난포호르몬의 생산은 난소가 아니라 부신의 androstenedione이 말초조직(특히 지방조직)에서 Estrone (E1)으로 전환되어 발생

② 비만여성에서는 이러한 현상이 두드러져 Estrone 혈중농도가 증가되어 있음

③ 폐경 후 여성의 난소문세포(Hilus cell)에서도 적은양의 Testosterone이 생산되나 난포호르몬 생산에는 크게 영향을 미치지 않음

2. 원인 ★

1) Androstenedione의 대사에 변화가 있을 경우

① 비만

② 당뇨병

③ 고혈압

④ 간질환

2) 난포호르몬을 분비하는 질환이 있을 경우 ★

① 과립막세포종(granulosa cell tumor)

② 난포막세포종(thecoma)

③ 부신피질증식증(Adrenocortical hyperplasia)

④ 다낭성 난소질환(polycystic ovaries)

3) 호르몬 요법(황체호르몬의 길항작용이 적절하지 못할 때)

① 젊은 여성에서 양측 난소를 절제한 경우

② 난소발육부전(Ovarian agenesis)

③ 조기난소 부전증(Premature ovarian failure)

: Progesterone의 생산이 줄어들어 estrogen에 대한 길항 작용을 충분히 하지 못하는 조기 폐경 상황임

④ 갱년기증후군 여성

IV. 병리 및 분류(Pathology and Classification)

1. 육안소견

- 증식증이 있는 내막은 육안적으로 별 변화가 없을 수도 있고 상당히 두꺼워지기도 함
- 이형성이 없는 낭성 증식을 보임

2. 현미경적 소견

- 자궁내막 증식증의 특징

① 기질에 대한 선의 비율(glandular-to-ratio) 증가

② 다양한 구조적 변화

③ 세포학적 비정형(cellular atypia) → 진단시 가장 중요한 것

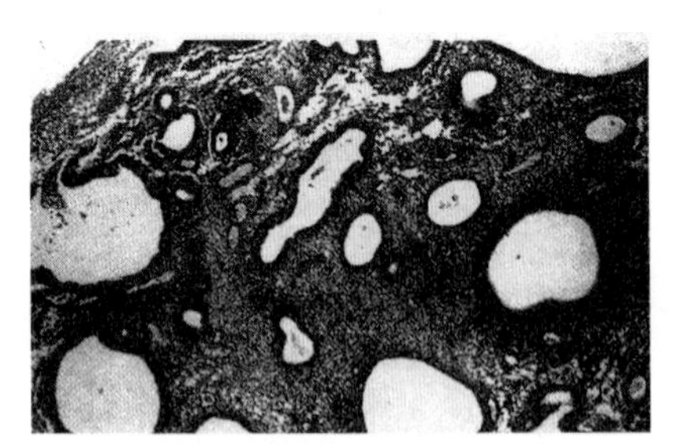

▶ 자궁내막 증식증의 병리학적 소견

3. 자궁내막증의 분류

• 기준 : 복합성, 비정형성

자궁내막 증식증의 분류	
종류	자궁내막암으로의 이행률(%)
1. 단순성 (Cystic without Atypia)	1
2. 복합성 (Adenomatous without Atypia)	3
3. 비정형성 (Atypia)	
① 단순성 (Cystic with Atypia)	8
② 복합성 (Adenomatous with Atypia)	29

1) Cancer로 진행하는 risk는 cytological atypia의 정도와 관련성이 크다.

2) 자궁 내막 생검이나 소파 검사에서 확인된 비정형성 증식증이 있는 환자에서 자궁 절제술을 시행하면 25% 정도에서 자궁내막암이 동반되어있다.

→ 복합성 비정형 선종성 증식증은 자궁 내막암으로 진행할 확률이 높으므로 전자궁적출술(TAH-BSO)를 시행해 주는 것이 좋다.

V. 증상

1. 폐경 전 여성 ★

① 월경과다(Menorrhagia)

② 불규칙 빈발월경(Metrorrhagia)

③ 연장월경(Prolonged menstruation)

2. 폐경 후 여성

• 질출혈이 주 증상

자궁내막 증식증의 임상증상	
증상	%
불규칙 빈발월경 (Metrorrhagia)	42.1
과다월경 (Hypermenorrhea)	16.8
불규칙과다월경 (Menometrorrhagia)	14.0
폐경후 자궁출혈	8.4
복부동통	3.7
월경곤란증	1.9
복부종괴	7.5
대하증	2.8
기타	2.8
Total	100.0

- 자궁내막 증식증은 임상적 진단이 아니라 병리적 진단이므로 이를 진단하기 위해서는 조직검사가 필요 ★

  → 분할소파술(Fractional curettage) 혹은 자궁내막 생검 시행

VI. 진단

- 분할소파술(fractional curettage) 혹은 자궁내막생검(endometrial biopsy)

  ① 내막증식증은 암과 자주 공존한다(atypical hyperplasia의 25% - grade I cancer 동반).

  ② Cervix Pap. smear에서 atypical endometrial cell발견시 자궁내막생검시행

VII. 감별진단(Differential diagnosis)

1. 비분비성인 경우(Nonsecretory patterns)

① 낭성 혹은 선종성 구조를 가진 위축성 자궁내막(Atrophic endometrium with Cystic or Adenomatous architecture)

② 정상 증식기 자궁내막

③ 무질서한 증식기 자궁내막

④ 자궁내막 용종(Endometrial polyp)

⑤ 유두상 선섬유종(Papillary adenofibroma)

⑥ 잘 분화된 선암

2. 분비성인 경우(Secretory pattern)

① 정상 분비기 자궁내막

② 이상 분비기 자궁내막

3. 편평세포 화생(Squamous metaplasia)

4. 자궁내막 증식증과 자궁내막암과의 감별

• 침윤성 암의 소견 - 소파조직에서 기질침윤, 핵의 비정형성 증가, 핵분열, 세포중첩 및 상피조직의 괴사를 보임

VIII. 치료

• **치료시 가장 중요하게 고려해야 할 점**

① 환자의 나이 ★

Ⓐ 10대의 자궁내막 증식증 - 대부분의 경우 보존적 치료 시행

Ⓑ 폐경기 이후의 여성(특히 선종성 혹은 비정형 선종성 증식증) - TAH & BSO

② 조직학적 양상 → 자궁내강의 생검이 보존적 치료를 고려하기 전에 요구됨

1. Surgery : Hysterectomy

① Uterus 보존을 원하지 않는 경우

② Atypical complex hyperplasia

2. Hormonal therapy : Progestin

① Cyclic or continuous

② Atypia가 없는 경우에는 자궁내막을 정상으로 되돌리는데 매우 효과적

③ Continuous progestin+megestrol acetate는 atypical or complex hyperplasia에도 효과적

Ⓐ Uterus 보존을 원하는 경우

Ⓑ Simple hyperplasia : low dose

Ⓒ Atypical or complex hyperplasia : high dose, continuous

④ Atypical hyperplasia의 medical treatment 후 : 주기적 F/U 필요

Endometrial biopsy or transvaginal

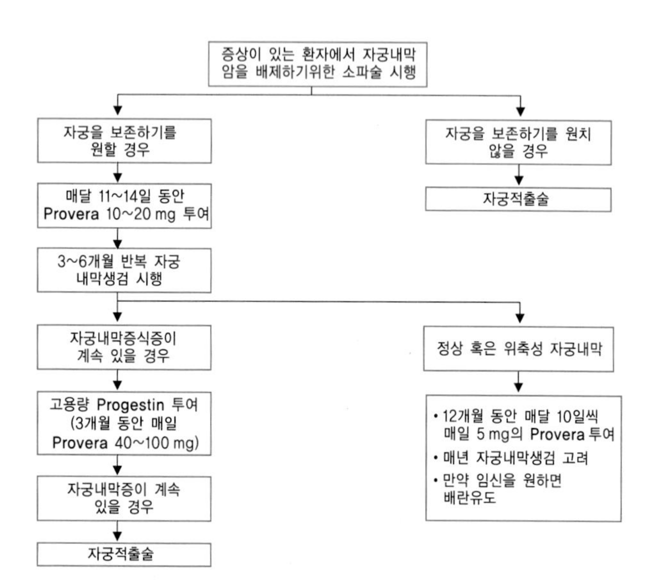

▶ 자궁내막증식증의 치료도식 ☆

cf) premarin-estrogen, provera-progesterone

25 자궁 내막암과 육종

Power Gynecology

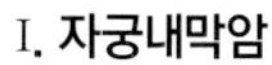

I. 자궁내막암

- 최근 발생빈도가 높아지는 원인 ★

① 자궁경부암 발생빈도의 저하와 평균 수명의 연장으로 인해 자궁내막암이 호발되는 폐경기 후의 연령층이 많아짐

② 폐경 후 호르몬 보충요법의 활용증가

③ 자궁내막암 치료 및 진단에 대한 지식의 축적으로 인한 조기진단

※ 자궁내막에 프로게스테론의 길항작용이 없는 에스트로겐에의 노출은 자궁내막암의 위험도를 증가시킴

1. 역학 및 위험인자(Epidemiology and Risk factors)

1) 역학

① 자궁경부암, 난소암 다음으로 3위의 발생 빈도

② 호발 연령: 폐경 후 여성(60~70대)

③ 중요한 risk factor : unopposed estrogen exposure

2) 자궁내막암의 병인

•2가지 다른 병인이 존재

① 에스트로젠-의존성 종양(Type 1) - m/c

Ⓐ Unopposed estrogen 노출력이 있는 younger, perimenopausal women

Ⓑ Hyperplastic endometrium에서 발생 - e.g. Granulosa-Theca cell tumor

Ⓒ 분화 및 예후가 양호

3) 위험인자 ★

(1) 자궁내막암 발생의 위험요인

① 미산부(경산부 보다 2~3배 증가)

② 무배란성 월경에 의한 불임증 또는 월경불순

③ 52세 이후에 폐경(49세 이전 폐경보다 2.4배 증가)

④ 과체중

⑤ 다낭성 난소증후군, 기능성 난소종양(→ 장기간의 에스트로젠 노출 때문)

⑥ 폐경 후 Progestine을 함유하지 않은 에스트로젠 보충요법시

⑦ 항에스트로젠 제제인 Tamoxifen

⑧ 당뇨병

⑨ HNPCC

- 복합 경구 피임제제 → 자궁내막암, 난소암의 발생 빈도 감소

- 고혈압이나 갑상선 기능장애 같은 내과적 질환들과의 관계는 아직 확인되지 않음

Risk Factors for Endometrial Cancer

Characteristic	Relative Risk
Nulliparity	2-3
Late menopause	2.4
Obesity	
21-50 lb overweight	3
〉50 lb overweight	10
Diabetes mellitus	2.8
Unopposed estrogen therapy	4-8
Tamoxifen therapy	2-3
Atypical endometrial hyperplasia	8-29
HNPCC syndrome	20

4) 선별검사

(1) 적절한 검사방법이 없다.

Routine Pap test : 부적절, 30~50%에서만 양성

(2) 선별검사가 필요한 고위험군

① Progestins없이 estrogen therapy받는 폐경 후 여성

② HNPCC 가족력

(3) 대부분 자궁내막암 환자들은 초기에 비정상 자궁출혈이 나타나므로 조기진단과 시기적절한 치료가 가능하여 높은 완치율을 보인다.

2. 임상적 특성

1) Symptoms

• 평균발생 연령 - 60세(75%에서 50세 이후 발생)

• 40세 이전이나 70세 이후에는 드물게 발생하며 이런 경우는 예후가 매우 나쁨

(1) 비정상 질출혈과 질분비물(90%에서 유일한 증상으로 나타남)

참고: 난관암 증상 중 하나도 질분비물이다.

① 폐경 후 질출혈 - 자궁내막암 환자의 90%에서 나타남

폐경기 질출혈의 원인	
원인	빈도(%)
1. 위축성 자궁내막염 (m/c) (endometrial atrophy)	60~80
2. 에스트로젠 보충요법	15~25
3. 자궁내막용종	2~12
4. 자궁내막 증식증	5~10
5. 자궁내막암	10

② 이상 대하(abnormal discharge) - 처음에는 옅으나 곧 혈성대하가 된다.

(2) 자궁내막암으로 인한 자궁비대, 자궁 밖으로의 전이가 있는 경우 골반압통이나 둔통

(3) 무증상(자궁내막암으로 진단된 환자 중 5% 이내)

2) Signs

① 보통 비만과 고혈압을 동반한 폐경기 여성에서 많으나 진찰에서 증상이 안 나타날 수 있다.

② 골반진찰에서는 전이 및 비정상 질 출혈의 다른 원인을 배제하기 위해 주요 전이부위인 peripheral LN과 breast를 평가하고 외음부, 질, 자궁경부를 주의 깊게 시진 및 촉진하여야 한다.

③ 자궁 부속기, 더글라스와를 진찰하기 위해 질 직장 진찰도 필수적이다.

④ 자궁내막암이 주로 많이 전이되는 부위에 대한 진찰을 해야 하며 특히 말초림프절 및 유방 진찰을 시행해야 한다.

3. 진단

1) 자궁내막 흡인생검(Office-based Endometrial aspiration biopsy)

① 정확도 90~98%

② 비정상 자궁출혈이 있거나 자궁내막의 병리소견이 의심스러운 환자를 평가하는 첫 단계

2) Hysterectomy and D&C (Dilatation and Curettage)

① Cervical stenosis, 환자가 aspiration biopsy에 비협조적일 경우

② Hysterectomy는 용종이나 점막하 자궁근종을 감별하는 데 자궁내막생검 또는 소파술 단독적인 검사보다 정확하다.

3) Pap test

① Detection rate이 30~50%뿐으로 자궁내막암 진단에는 좋은 선별법이 아니다.

4) Transvaginal US(질식 초음파검사)

① 비정상 자궁출혈을 평가하고 추가검사를 필요로 하는 환자를 선택하기 위한 보조적 검사 방법

② 질식 초음파검사상 자궁내막의 두께가 >4 mm이거나 용종양 자궁내막종양, 자궁강내 수종의 소견을 보이는 경우 추가검사를 필요로 한다.

4. 병리(Pathology)

1) 현미경적 소견

① Desmoplastic stroma

② Back-to-back pattern glands

③ Extensive papillary pattern

④ Squamous epithelial differenciatio

2) 조직학적 분화도(histologic grading)

① 분화도는 조직의 구조적 모양과 핵의 특징에 기초하여 구분

② 구조적 분화도는 잘 분화된 선(glandular component)과 비교하여 종양세포의 고형성 부분

(solid growth pattern)의 범위에 의하여 결정된다.

③ 자궁내막암의 가장 중요한 예후 인자

④ 대부분은 G1,G2이고 15~20%가 G3이다(G3으로 갈수록 분화도가 나쁨).

FIGO Definition for Grading of Endometrial Carcinoma	
Histopathologic degree of differentiation :	
G1	<5% nonsquamous or nonmorular, solid growth growth pattern 보이는 경우
G2	6~50% nonsquamous or nonmorular, solid growth growth pattern 보이는 경우
G3	>50% nonsquamous or nonmorular, solid growth growth pattern 보이는 경우

3) 병리학적 분류(Pathological classification)

① Endometrioid type이 m/c

② Mixed carcinoma에서 가장 흔히 동시에 발생하는 type

: Endometrial and ovarian cancers(1.4~3.8%), 분화 및 예후가 양호

자궁내막암의 병리학적 분류
1. Endometrioid adenocarcinoma (80 %) ① Variants ② Villoglandular / Papillary ③ Secretory ④ With squamous differentiation 2. Mucinous carcinoma (5%) 3. Papillary serous carcinoma (3~4%) 4. Clear cell carcinoma (<5%) 5. Squamous carcinoma (rare) 6. Undifferentiated carcinoma 7. Mixed carcinoma

5. 치료 전 평가(Pretreatment evaluation)

- comlete histroy and P/E
- chest X-ray – 폐 전이를 배제하고 환자의 심폐상태를 평가
- serum CA125 – advanced or metastatic endometrial cancer일 때 증가

  치료반응 평가와 병기설정에 도움

1) 임상적 병기결정(Clinical staging)

: Surgical staging을 할 수 없는 경우

① poor medical condition

② disease spread ↑

2) 수술적 병기결정(Surgical staging)

(1) 자궁내막암의 치료기준으로 수술적 병기결정이 채택되어 사용된다 ★

2009 FIGO surgical staging for endometrial carcinoma	
병기 Ⅰ*	자궁몸통에 국한
ⅠA*	< 자궁근층의 1/2 침윤
ⅠB*	≥ 자궁근층의 1/2 침윤
병기 Ⅱ*	자궁목 기질 침윤 있으나 자궁에만 국한**
병기 Ⅲ*	국소적 그리고/또는 지역적 확산
ⅢA*	자궁몸통 그리고/또는 부속기의 장막침윤*
ⅢB*	질 그리고/또는 자궁주위 침범*
ⅢC*	골반 그리고/또는 대동맥주위 LN에 전이*
ⅢC1*	골반 LN(+)
ⅢC2*	대동맥주위 LN(+) ± 골반 LN(+)
병기 Ⅳ*	방광 그리고/또는 창자점막, 그리고/또는 원격 전이
ⅣA*	방광 그리고/또는 창자점막
ⅣB*	복강내전이 포함 원격전이 그리고/또는 살LN

*분화도 G1, G2 or G3.
**자궁목내공샘(Endocervical gland)침범은 병기 Ⅰ이고 Ⅱ가 아니다.
*세포검사 (+)은 병기변경 없이 따로 보고해야 한다.

※수술적 병기 설정 : 자궁내막 / 난소 / 난관암
임상적 병기 설정 : 자궁목암

(2) Surgical procedures

① Pritoneal fluid sampling : cytologic evaluation

② Abdomen and pelvis exploration : 전이 의심 부위 biopsy or excision

③ TAH & BSO

④ Uterine specimen 평가 : size, myometrial involvement depth, cervical extension

⑤ 의심스러운 pelvic or para-aortic LN sampling

(3) 예후인자

① 암의 surgical staging이 가장 중요한 예후 인자이다.

자궁내막암의 예후인자 ☆	
• 연령(고령에서 예후 나쁨) • Histologic type • Histologic grade • 자궁근층 침윤 • 림프관 침범* • 자궁경부 침범 • 자궁부속기 침범	• 림프절 전이 • 복강내 종양 • 종양의 크기 • 복강내 세포병리학적 검사 • 호르몬 수용체 • DNA Ploidy/Proliferative index • Genetic/molecular tumor markers

* 초기 자궁내막암의 림프관 침범 빈도는 15%

② LN metastasis-The most important prognostic factor in clinical early-stage endomerrial cancer

6. 치료

• **자궁내막암 치료의 기본 : 자궁적출술 및 양측 부속기 절제술(TAH & BSO)** ☆

1) 수술(Surgery)

(1) 자궁적출술 및 양측 부속기 절제술(TAH + BSO)

• 수술할 수 있는 모든 환자의 처음 시도는 자궁 및 양측 부속기 절제술

① 림프절 절제를 포함한 수술 병기결정의 적응증

Selective Pelvic and Para-aortic Lymph node dissection의 적응증
1. 분화도 2-3일 때 2. 암의 직경이 2 cm 이상일 때 골반림프절 암 전이가 있을 경우 3. 조직학적 분류상 선편평암, 투명세포암, 유두상선암일때 4. 자궁근층 침운이 50%이상일 때 5. 자궁외 조직을 침범했을 때

② 대동맥 주위 림프절 양성일 가능성이 높은 경우

Ⓐ 골반 림프절이 육안적으로 양성일 때

Ⓑ 자궁부속기가 육안으로 침윤되었을 때

Ⓒ 자궁근층 2/3 이상 침범된 분화 2도 또는 3도 병변일 때

(2) 질식 자궁적출술(Vaginal hysterectomy)

(3) 골반경 수술(Laparoscopic management)

(4) 광범위 자궁적출술 및 골반림프절 절제술(Radical surgery and pelvic lymphadenectomy)

• Clinical Stage Ⅰ 환자를 치료하는 데 있어서 부적당한 치료 (예후 및 생존율에 차이 보이지 않음)

2) 방사선 치료(Radiation therapy)

- 초기 자궁내막암 환자의 치료는 일차적 수술 후 추가적으로 방사선 치료를 하는 것이 보편적으로 사용되고 있다.

3) 수술 후 보조치료 요법(postoperative adjuvant therapy) ★

(1) 경과 관찰(Observation)

: 다음의 경우 예후가 좋아서 보조적인 방사선 조사를 필요로 하지 않는다.

① Myometrial invasion이 없는 Stage Ⅰ, 분화도 1도 또는 2도

(2) 질단부 방사선 조사(Vaginal vault irradiation)

: Stage Ⅰa G3 / Ⅰb G1,G2

(3) 외부 골반 방사선 치료(External pelvic irradiation)

: Stage Ⅰ 자궁내막암의 중등도, 고위험군 환자의 생존율에 큰 영향을 미치지 않는다.

- 적응증

① 자궁 외 전이가 있는 경우 : adnexal spread, parametrial involvement, pelvic LN

② 동시에 골반 외 전이는 없는 경우

(4) 확대 골반 방사선 치료(Extended field irradiation)

- 적응증

① 대동맥 주위 림프절 전이가 있을 때

② 골반 외 전이의 증거가 없을 때

③ 다수의 골반 림프절 전이가 있을 때

④ 자궁 부속기 전이가 있을 때

(5) 전 복부 방사선 치료(Whole abdomen irradiation)

: Stage Ⅲ, Ⅳ 환자에게 많이 사용된다.

(6) 32P 복강내 투입(Intraperitoneal 32P)

(7) 보조적 황체 호르몬 투여(Progenstin)

(8) 항암 화학요법(Chemotherapy)

4) Clinical Stage II 자궁내막암 치료 – 보편적으로 사용되고 있는 치료방법

① TAH & BSO, Pelvic and para-aortic lymphadectomy

② Radiation therapy와 surgery 병용(즉, 수술 전의 외부 골반 방사선 치료와 질강에 라디움 또는 세슘 조사 6주 후에 자궁 및 양측 부속기 절제)

5) Clinical Stage Ⅲ, Ⅳ 자궁내막암 치료

(1) Stage Ⅲ(7~10%) : individualized

① Adnexal mass 있을 시 : TAH & BSO

② Parametrial extension 시 : Radiation therapy 먼저 시행

(2) Stage Ⅳ(<3%): individualized

① Surgery, radiation therapy, hormonal therapy, chemotherapy 병용

② palliative treatment

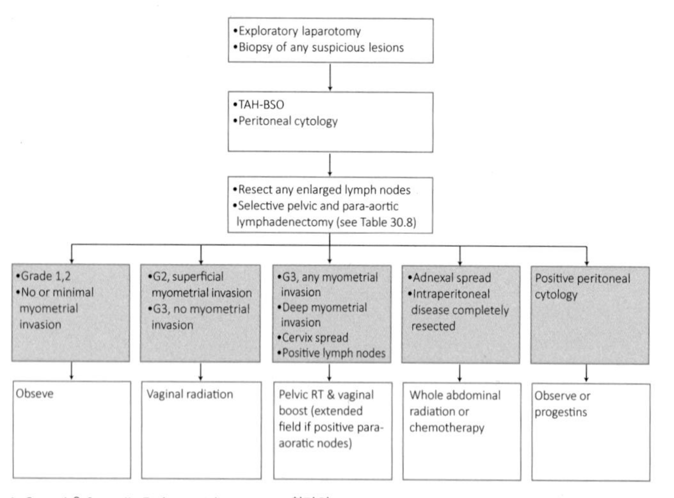

▶ Stage I & Stage IIa Endometrial carcinoma 환자의 Management

+ POINT!

치료 간단 정리

- TAH-BSO가 기본 치료이다.
  ① Ⅰa G1, G2 : TAH-BSO 후 추적 관찰
  ② Ⅰa G3 / Ⅰb G1, G2 : TAH-BSO 후 vaginal cuff irradiation
  ③ Ⅰb G3 이상부터 : TAH-BSO 후 Ecternal pelvic irradiation
  * 추가적으로 selective pelvic & para-aortic LN dissection의 적응증 중요

7. 재발성 질환(Recurrent disease)

1) 재발 및 전이

(1) 초기 자궁내막암으로 치료받은 환자의 약 1/4이 재발

(2) 재발 환자의 1/2 이상이 2년 이내, 3/4이 3년 이내 재발

(3) 재발 부위

① Vaginal wall (33%)

② Pelvis(20%)

③ Lung (17%)

④ Lymph node (2%)

2) 재발 및 전이암의 처치

① 수술

② 방사선치료

③ 호르몬요법

④ 항암화학요법

8. 치료 후 추적(Follow-Up after treatment)

① History taking, P/E : 가장 effective method

② 처음 2년은 3~4개월 간격, 이후 6개월 간격으로 검사

③ Chest X-ray : 12개월마다

④ Serum CA-125 : 재발 시 증가

9. 치료 후 호르몬 보충요법

① 자궁내막암 환자에서 치료 후 HRT는 예후에 영향을 주지 않는다.

② HRT의 시작시기는 수술을 시행하고 1~3년 후에 시행이 바람직하다.

③ 투여방법 : progesterone을 포함한 병합지속요법이 권장된다.

II. 자궁육종(Uterine sarcomas)

1. 특징

1) 중배엽(mesodermal) 기원의 종양

2) rare, uterine malignancies의 2~6%

2. 분류

1) 단순형(pure type)

① 오직 malignant mesodermal element만 존재

② Endometrial stromal sarcoma, Leiomyosarcoma

2) 혼합형(mixed type)

① malignant mesodermal, epithelial element가 혼재

② Malignant mixed mullerian tumor

3) 동질성(homologous)종양과 이질성(heterologous)종양

- 동질성 종양은 정상 자궁에 존재하는 조직, 즉 평활근, 자궁내막기질, 혈관, 섬유성 결체조직에서 발생한 경우이며, 이질성 종양은 정상 자궁에는 존재하지 않는 조직 즉 횡문근, 연골, 골, 지방 등에서 발생한 경우이다.

• 자궁육종 중에서 가장 흔한 3종류

① 자궁내막간질성 육종(Endometrial stromal sarcoma, ESS)
② 자궁평활육종(Leiomyosarcoma, LMS)
③ 동질성 및 이질성의 악성 혼합 Müller씨 종양(Malignant mixed Müllerian tumor, MMMT)

3. Endometrial stromal tumors

1) 역학

① 45~50세의 폐경기 여성

Classification of Uterine sarcomas
I. Pure nonepithelial tumors A. Homologous 1. Endometrial stromal tumors a. Low-grade stromal sarcoma b. High-grade or undifferentiated stromal sarcoma 2. Smooth muscle tumors a. Leiomyosarcoma b. Leiomyoma variants 1. Cellular leiomyoma 2. Leiomyoblastoma (epithelioid leiomyoma) c. Benign metastasizing tumors ① Intravenous leiomyomatosis ② Benign metastasizing leiomyoma ③ Disseminated peritoneal leiomyomatosis B. Heterologous 1. Rhabdomyosarcoma 2. Chondrosarcoma 3. Osteosarcoma 4. Liposarcoma II. Mixed epithelial-nonepithelial tumors A. Malignant mixed mullerian tumor 1. Homologous (carcinosarcoma) 2. Heterologous B. Adenosarcoma

② 그 중 1/3은 폐경 후 여성

2) 증상 및 진단

① abnormal uterine bleeding(m/c), abdominal pain and pressure

② ESS는 intramural이지만 대부분 endometrium 침범 : 수술 전에 uterine curettage로 진단

3) 분류: 3가지 type

(1) 자궁내막 간질성 결절(Endometrial stromal nodule)

① 자궁에 국한된 팽창성, 비침윤성의 고립된 병변, 림프관이나 혈관침범 없음

② 핵분열상이 10HPF상 5개 미만 → 양성

(2) Endometrial stromal sarcoma(formerly termed low-grade stromal sarcoma)

① Uterine sacroma의 15%

② 핵분열상이 10HPF상 10개 미만

③ 자궁 외 전이는 40%이고 이중 2/3가 골반에 국한됨

(3) High-grade ESS or undifferenciated endometrial sarcoma)

① ESS보다 더 파괴적인 경과와 나쁜 예후를 보임

② 핵분열상이 10HPF상 10개 이상

4. 자궁평활근육종 ★(leiomyosarcomas, LMS)

1) 역학

① 43~53세(다른 육종보다 다소 낮다)

② Uterine sacroma의 40%

③ 골반 방사선 치료의 기왕력(4%), 양성 자궁근종에서 변화(0.13~0.82%)

④ 전이 : 자궁근, 골반 혈관 및 림프관, 폐

⑤ 생존율 : 평균 47%

2) 증상 및 진단

① 평균 6개월 동안 vaginal bleeding, pelvic pain or pressure, pelvic mass

② severe pelvic pain이 pelvic tumor와 동반 시 의심(특히, 폐경 후 여성)

③ 대부분 surgery 후 진단

3) 자궁평활근육종의 변종

① 정맥 내 평활근종증(Intravenous leiomyomatosis)

② 양성 전이성 평활근육종(Benign metastasizing leiomyoma)

③ 평활근 모세포종(Leiomyoblastoma)

④ 범발성 복막근종증(Disseminated peritoneal leiomyomatosis)

⑤ 점액성 평활근육종(Myxoid leiomyosarcoma)

5. 악성 혼합 Müller씨 종양(malignant mixed Müllerian tumors, MMMT)

1) 역학

① Sarcoma+carcinoma

② Uterine sacroma의 40%

③ 평균 연령 : 62세, 폐경 후 여성

④ 내과적 질병과 연관 : 비만, 당뇨병, 고혈압

⑤ 골반 방사선 조사 기왕력(7~37%)

2) 증상 및 진단

① 폐경 후 출혈(m/c, 80~90%), vaginal discharge, pelvic pain

② P/E → 자궁비대(50~95%)

③ 폴립성 종괴가 endocervical canal로부터 protrusion(50%)

④ 수술 전에 uterine curettage로 진단

⑤ 가장 중요한 단일 예후 인자 : 치료 시, 종양의 파급정도(extent)

6. 자궁육종의 병기

자궁내막 간질성 육종(ESS)과 샘육종(Adenosarcoma)		
병기		정의
I		자궁에 국한
	IA	자궁내막/내자궁목에 국한되며 자궁근 침범 없음
	IB	자궁근침범 ≤ 1/2
	IC	자궁근침범 〉1/2
II		골반으로 확장된 종양
	IIA	부속기 침범
	IIB	자궁 바깥 골반조직으로 확장된 종양
III		복부 조직을 침범하는 종양(복부로 돌출만 하는 것이 아님)
	IIIA	한 곳
	IIIB	〉한 곳
	IIIC	골반 그리고/또는 대동맥주위 림프절에 전이
IV	IVA	방광 그리고/또는 곧창자에 침습된 종양
	IVB	원격전이

7. 자궁육종의 치료

• 자궁육종 환자의 1/2이상에서 재발

• 자궁육종 1기와 2기의 대부분 환자에서 치료는 전자궁적출술과 양측 자궁부속기 절제술을 시행하고 방사선 치료나 수술방법으로 골반림프절을 치료해야만 한다.

1) 수술방법(surgery)

① 초기 자궁육종치료의 첫 번째 단계는 탐색 개복술이어야만 한다(최초치료로서 방사선치료나 항암화학요법을 시행함으로써 수술요법을 앞서가거나 지연시켜서는 안 되기 때문이다.).

② 모든 환자에게 TAH & BSO(예외 : 폐경 전 leimyosarcoma 환자)

2) 방사선치료(radiotherapy)

① 골반부에 국한된 MMMT와 ESS의 치료에서 수술요법과 병용할 때 재발률을 줄이고, QOL을 증가시킨다.

② 생존율을 증가시키지는 않는다.

③ 환자들의 삶의 질을 향상시킨다.

3) 항암화학요법(cytotoxic chemotherapy)

① Doxorubicin이 자궁평활근육종 치료에 가장 효과가 좋은 단일 약제이고 그 반응률은 25%이다.

② 생존율을 증가시키지는 않는다.

26 상피성 난소종양

Power Gynecology

Modified WHO Comprehensive Classification of Ovarian Tumors

1. Common "epithelial" tumors
   1) Serous
   2) Mucinous
   3) Clear cell
   4) Brenner
   5) Transitional
   6) Small cell
   7) Malignant mixed mesodermal
   8) Unclassified
2. Sex cord stromal tumors
   1) Granulosa stromal cell
      (1) Granulosa cell
      (2) Thecoma-fibroma
   2) Sertoli stromal cell
      (1) Sertoli cell tumors
      (2) Sertoli-Leydig cell tumors
         ① Well differentiated
         ② Intermediately differentiated
         ③ Poorly differentiated
         ④ With heterologous elements
      (3) Sex cord tumor with annular tubules (SCTAT)
      (4) Leydig (hilus) cell tumor
   3) Lipid (lipoid) cell tumors
   4) Gynandroblastoma
3. Germ cell tumors
   1) Dysgerminoma
   2) Endodermal sinus tumor
   3) Embryonal carcinoma
   4) Polyembryoma
   5) Choriocarcinoma
   6) Teratoma
      (1) Immature
      (2) Mature (dermoid cyst)
      (3) Monodermal (struma ovaries, carcinoid)
   7) Mixed forms
   8) Gonadoblastoma
4. Metastasis
5. Other

I. 역학(Epidemiology)

① Female genital canal의 모든 악성 종양의 25%

② 난소의 악성 종양중 상피성 난소암이 가장 흔히 발생(90%)

③ 진단시 이미 2/3에서 Advanced stage (Stage III or IV)

→ 여성생식기에서 발생하는 악성종양들 중 가장 예후가 나쁨(5년 생존율 - 25%)

④ 호발연령 – 56~60세(70대 중반까지 이후에는 감소)

⑤ 지역 · 인종별 차이

Ⓐ Black women, Japan, Spain, India - Low incidence

Ⓑ US, Western, Europe(산업화된 공업국가들) - High incidence

⑥ Screening

Ⓐ 명확한 guideline이 없음

Ⓑ Tumor markers (CA-125) & transvaginal US

→ but, 폐경 전 여성에서는 false positive rate가 높고 cost-effective 하지 않아 routine으로 사용해서는 안됨

Ⓒ New approach

㉠ SELDI-TOF technology

㉡ Plasma DNA level & allelic imbalance의 측정

Ovarian cancer의 Risk factor와 관계되는 요인 ☆

1. Marital status
   - 미혼인 경우
2. Hormone & Parity
   - Ovulation의 횟수가 많을수록 발생증가
     ① Parity가 적은 경우
     ② 경구피임제 복용 경험이 없는 경우
     ③ 초경이 빠르거나, 폐경이 늦은 경우
3. Environmental factors
   - Talc, Asbestos
4. Familial & genetic factors
   - 난소암 환자의 95%에서는 가족력이 없다.
   - Hereditary breast/ovarian familial cancer syndrome
     - BRCAI gene
   - Hereditary nonpolyposis colon cancer syndrome
     - Peutz-Jeghers 증후군(5~14%)
   - Lynch II syndrome : Lynch I + ovary, endometrium, breast, GI, GU의 multiple adenocarcinoma
5. Others
   - A형에서 높은 빈도
   - Breast cancer, Endometrioma, 난소의 양성질환, Cervical polyp, 담낭질환, 갑상선질환, obesity, hypertension과 동반하는 경우가 많다는 보고가 있다.
   - 고지방식사, 커피, 학령기 (12~18세)의 mumps, measle, rubella 같은 virus 감염력, Stilbesterol 같은 여성 hormone사용, 골반부위의 radiation 기왕력이 관련
   - 수술적으로 자궁을 제거받은 여성은 난소암 위험 감소
   - 한 개의 난소를 갖고있는 경우 발생 빈도가 감소하지는 않는다.
   - Bilateral salphingo-oophorectomy를 한 경우에도 100% 난소암을 예방하지는 못한다. (peritoneal carcinoma는 발생할 수 있기 때문)

⑦ 보호 인자 ☆

Ⓐ Multiple pregnancy (High parity)

Ⓑ 초산 연령이 빠른 경우

Ⓒ Lactation

Ⓓ Increased incomplete pregnancy

Ⓔ Oral contraceptives 사용 경험이 있는 경우

Ⓕ 초경이 늦고(14세 이상), 폐경이 이른 경우(45세 이전)

→ epithelial inclusion의 감소

→ carcinogen에 대한 opportunity감소

⑧ Current recommendations for management of women at high risk group

Ⓐ 난소암이나 유방암의 위험인자가 있을 경우

→ Genetic counselling & 필요시 genetic testing for BRCA 1 & BRCA 2

Ⓑ 수정능력을 보존하기 원하는 여성의 경우

→ Transvaginal ultrasonography every 6 months (efficacy는 controversial함)

Ⓒ 아직 자녀 계획이 없는 경우

→ Oral contraceptives

Ⓓ 더 이상 수정능력을 보존하지 않아도 되는 경우

→ Prophylactic bilateral salpingo-oophorectomy

Ⓔ 난소암이나 유방암의 가족력이 있는 경우

→ 30세 이후부터 매년 breast screening (mammography)

Ⓕ HNPCC의 여성인 경우

→ periodic breast screening, colonoscopy & endometrial biopsy

II. Pathology

- Ovarian cancer의 90%가 coelomic epithelium or mesothelium에서 기원
- Types of Histological & Cellular pattern

Histological & Cellular types and Incidence of Epithelial ovarian tumors		
Histologic type	Cellular type	Incidence
1. Serous tumor	Endosalpingeal	75%
2. Mucinous tumors	Endocervical	20%
3. Endometroid tumors	Endometrial	2%
4. Clear cell tumors	Mesonephroid	1% 미만
5. Brenner tumors	Transitional	1% 미만
6. Mixed epithelial tumors mixed	Mixed	
7. Undifferentiated carcinoma	Anaplastic	1% 미만
8. Unclassified epithelial tumors	Mesothelioma	

• 경계성종양과 악성종양의 감별진단 ★

감별점	Borderline*	Malignancy
1. Cellular stratification	3층 미만 (복합적인 선구조)	3층 이상(세포 다층화)
2. Mitosis	Few	many
3. Nuclear atypia	Mild	Severe
4. Stromal invasion (m/i)	–	+
5. Gland to gland	–	+ (Back to back)
6. Stroma between glands	+	–
7. Inflammation	–	+
8. Prognosis	Very good	Bad
9. Peak age	30~50	50~70

* low malignant potential 가지고 있는 tumor

1. Serous tumors

1) Benign (Serous cystadenoma)

(1) 역학

① Epithelial ovarian tumor 중 가장 흔함

② 모든 양성 난소종양의 15~25% 차지

③ 연령 - 20~50세(30~40대가 호발연령)

(2) 특징

① Malignant change- 25%

② bilaterality- 12~50%

(3) 육안적 소견

① Smooth and Free external surface

② Papillomatous tendency

→ papillary ingrowth가 흔함, Serous growth의 특징적 경향

③ Content : Watery, hemorrhagic or brownish color fluids

(4) 현미경적 소견

① Psammoma bodies (Small calcareous granules)

: good prognostic factor

② Low columnar type

③ Ciliation of many of the cells

(5) 증상 – asymptomatic

(6) 진단 – 내진 or 초음파

(7) 치료

- 양측성, 악성의 가능성, 유두상돌기의 존재 여부 및 앞으로 아기를 원하는지의 여부고려

① 임신을 원하는 경우 - 보존적 치료

② 임신을 원하지 않는 경우 - 자궁적출술 및 양측부속기절제술

2) Borderline serous tumors

(1) 연령

① 50%이상이 40대 이전에 발생(젊은 여성)

(2) 특징

① 40%가 extraovarian implants가 있다(50%이상에서 ovary에 국한 → Stage I).

② True malignancy인 경우 3/4이 ovary를 벗어남

③ Frequently bilateral

(3) 육안적 소견

① Multiloculated cystic lesions with Internal papillary growth

(4) 현미경적 소견

① Psammoma bodies

② Malignant소견은 나타나나 destructive stromal invasion은 없다.

3) Malignant (Serous cystadenocarcinoma)

(1) Ovarian cancer 중 가장 많은 형태(40~50%)

(2) Frequently Bilateral (60%)

(3) 육안적 소견

① External & Internal papillation

② Stromal invasion

(4) 현미경적 소견

① Pleomorphism, Abnormal nucleoli

② Formation of Papillae

③ Psammoma bodies (80%)

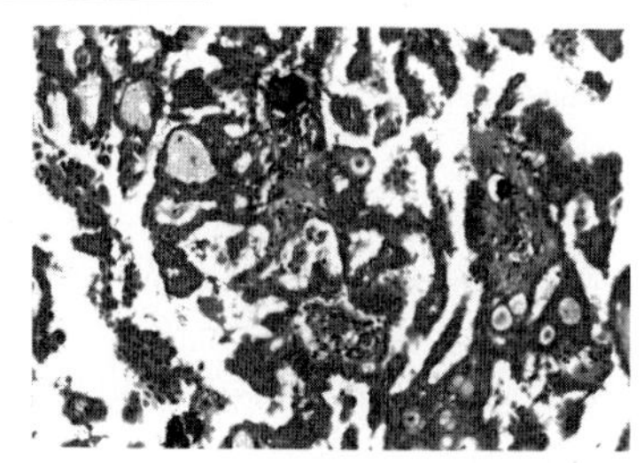

▶ Serous cystadenocarcinoma의 병리학적 소견: Malignant cell의 cluster와 papillae를 볼 수 있음

2. Mucinous tumors

1) Benign(Mucinous cystadenoma)

(1) 호발 연령 : 30~50대

(2) 특징

① 가장 큰 종양의 하나 - Huge size(복부가 Pregnant or Full-term size)

② 악성화 - 5~10%

③ Bilaterality : 10%

(3) 육안적 소견

① Rounded, Ovoid, 때로 분엽화(Lobulated)

② Smooth outer surface

③ 외부에 papillomatous growth은 없다.

(4) Contents- Clear mucinous fluid, Mutilobular cyst

(5) 현미경적 소견

① Tall columnar epithelium으로 lining

② "picket fence" type of cell(말뚝울타리형 세포)

③ Goblet cells, Paneth's cells, Argentaffine cells 등이 보임

(6) 치료

① 일측 부속기절제술

② 더 이상 아기를 원치 않을 때 - 자궁적출술과 양측부속기 절제술

cf) Cystadenofibroma(낭선 섬유종)

- 점액성 낭선종(mucinous cystadenoma)의 변형

- uncommon

- Benign, 일측성

- 일부는 낭성, 일부는 충실성(낭성인 부분은 장액성 낭선종과 비슷)

2) Borderline mucinous tumors

(1) 발생빈도 – Non-benign mucinous tumors의 40%

(2) 특징 – Internal papillary growing, 때로 stromal invasion은 없음

3) Malignant(Mucinous cystadenocarcinoma)

(1) 빈도 – 난소암의 5~15%, 점액성 난소종양의 5~10%

(2) 호발 연령 – 30~60대

(3) 대부분 양측성

(4) 현미경적 소견

① 다낭성 낭포와 유두양 돌기 모양의 세포증식

② "Sarcoma-like"mural nodule; very poor prognosis

③ Serous tumor보다 예후는 더좋다(∴ Early stage에 진단).

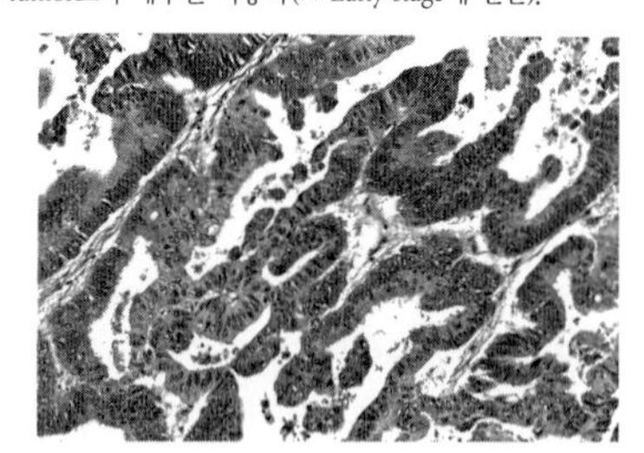

▶ Mucinous cystadenocarcinoma의 병리학적 소견 : Tall columnar epithelium으로 lining이 되어 있는 irregular space를 볼 수 있음

(5) Serous cystadenoma와의 차이

Serous cystadenoma와 Mucinous cystadenoma의 차이점 ☆		
	Serous cystadenoma	Mucinous cystadenoma
1. Age 2. Incidence 3. Bilaterality 4. Malignant change 5. Growth rate 6. Pathology	35~45세 60% 20% 20~25% Slow Psammoma body Papillary projection	20~50세 40% 10% 5~10% Rapid Large tall epithelium Goblet cell

4) Pseudomyxoma peritonei(복막가점액종)

(1) 정의 – 장내 기관의 점액성 종양에 의해 2차적으로 점액성 복수가 발생하는 것

(2) 원인 : Benign or Borderline mucinous cyst의 Rupture

① Appendix mucocele

② Ovary의 mucinous tumor

③ Well-differentiated colon cancer

(3) 예후 – Poor(조직학적으로는 양성이나 임상적으로 Malignancy)

(4) 치료 – Surgery(반복수술요법), Chemotherapic treatment(별효과 없음)

3. Endometrioid tumors ★

1) 발생 빈도 – 모든 난소암중 두 번째로 빈도가 많다.

상피성 난소암의 약 20~30%

2) 호발 연령 – 40~50대

3) 특징 – 대부분 악성(80%, 양성 및 경계성종양은 rare: 3%)

4) Benign (Endometrioma)

(1) 발생 빈도 – 드물다.

(2) 육안적 소견

① Complex, with both cystic & solid areas

② Contents : chocolate-brown fluid (old blood)

(3) 현미경적 소견 – Hemosiderin-laden Macrophages within the tumors

5) Borderline

① Back-to-back 증식

② 자궁내막 폴립 또는 복합 자궁내막증식증 닮은 샘들이 군집

6) Malignant

(1) 양측성 – 1/3(30%)

(2) 현미경적 소견 – endometrial endometrioid carcinoma와 동일

(3) Adenocarcinoma with squamous metaplasia (Adenoacanthoma) : Excellent prognosis

① Endometrioid carcinoma의 25~50%에서 관찰

(4) Adenosquamous carcinoma : poor prognosis

(5) Multifocal disease

① Metastasis from uterus : poor prognosis

② Synchronous lesion : good prognosis

(6) 감별진단 – Sertoli–Leydig cell tumor, 자궁내막선암의 난소 전이

(7) 예후 : 장액성 난소암보다 좋다.

(∵ 암의 국소화하는 경향, 암세포의 고분화)

4. Clear cell carcinoma

1) 발생 빈도 – 난소암의 5%(Endometrioid carcinoma와 잘 동반)

2) 호발 연령 – 50~55세

3) 특징

① 거의 악성(양성과 경계성 종양은 매우 rare)

② Bilaterality : 30%

③ Hypercalcemia와 endometriosis와 잘 동반됨

(1) 현미경적 소견

① Tubular and cystic spaces by irregular epithelium

② Large irregular hyperchromatic nuclei

③ Collapsed or draped cytoplamic membrane

④ Clear cell

⑤ Hobnail cell

⑥ Large accumulations of cytoplasmic glycogen → PAS stain(+)

5. Brenner 종양

1) 호발 연령 – 약 50세 (폐경기 이후)

2) 특징

① 대부분 양성

② 양측성 - 10~15%

3) 흔한 임상 증상

① uterine bleeding (50%)

② hormone production (estrogen, testosterone)

4) 동반질환

① Mucinous cystadenoma

② Serous cystadenoma

③ Dermoid cyst

5) 육안적 소견 – 섬유종과 비슷

6) 현미경적 소견

① Epithelial cell nest in Fibromatous matrix

- straw-berry appearance

② "Coffee-bean" appearance

- Brenner tumor, Granulosa theca cell tumor에서 관찰가능

③ Central cystic degeneration (oophoroma folliculae)

7) Malignant Brenner tumor

① 호발 연령 - 평균 38세

② 특징

Ⓐ 단단한 고무모양

Ⓑ 양측성 5~8%

③ 편평세포 이형증, 편평세포암도 동반가능

6. Undifferentiated carcinoma

• 상피성 난소암중 예후가 가장 나쁨

7. Unclassified carcinoma

III. 임상 증상 및 진단

- 대부분 증상이 없거나 비특이적이고 서서히 진행
- 여성의 cancer 중 가장 예후가 안좋다.
  - 이유

    조기 진단이 어렵다 : 증상이 없다. → 진단시 Stage III 이상(advanced)

    노년층에 많음(old age)

    (cf. germ cell tumor는 젊은 여성에 많음)

1. Symptoms and Signs

- 3기 이상 - 동통(57%), 복부팽창(51%), 질출혈(25%)

(1) Palpable mass

① m/i sign

② solid, Irregular, Fixed pelvic mass (with ascites)

(2) Irregular of Heavy menses or Postmenopausal bleeding

(3) Pain or Fullness

(4) Abdominal distention

(5) Thrombophlebitis

① clear cell carcinoma(m/c)

② large pelvic tumor (due to venous obstruction)

(6) Ascites

① Fibroma

② Brenner tumor

③ Granulosa-Theca cell tumor

④ Krukenberg tumor

⑤ Mucinous cystadenoma

(7) Omental mass

(8) Hypercalcemia

(9) mesonephroma (clear cell carcinoma)

(10) 내분비장애 – 월경전 긴장, 심한 유방팽창과 동반되는 월경과다, 기능성 출혈

(11) 막연한 위장장애

2. 정기적 골반진찰

- 조기발견을 위한 선별검사 : 질식 초음파, tumor marker (But, routine으로 시행하는 것은 추천되지 않음)
- Recto-Vaginal examination
  - 부속기 병변 또는 동시에 더글러스와의 결절성 변화를 발견하는데 가장 확실

악성인 경우 흔히 보이는 소견 (내진시 경계해야 할 소견) ☆	
1. 유착이나 고정으로 인하여 종양의 이동성이 작다.	5. 관찰중 종양 크기가 커질 때
2. 종양이 불규칙하다.	6. 양측성
3. 견고성의 증가	7. 복수
4. Cul-de-sac 내의 종양	8. 간장비대

3. 검사실 검사

(1) Pap smear : But, 그 효용성은 매우 제한적임

(2) Endocervical curettage, Endometrial biopsy

: Irregular mense 또는 폐경 후 질출혈이 있는 환자에서 ovary로의 metastatic Ca. 가능성을 배제하기 위해

(3) Tumor marker ★

① 진단보다는 F/U에 이용(∵ specificity가 낮다.)

Ⓐ CA-125

② Serous ovarian tumor

Ⓐ Ovarian cancer associated antigen (OCAA)

Ⓑ NB/70k

③ Fine needle ovarian aspiration Biopsy는 금지 ★

4. Imaging techniques

① US

② CT, MRI : ascites가 있거나 definie pelvic mass가 없을 시에만

③ Barium enema, upper GI series, Colonoscopy : Sx이 있거나 위장관암이 의심될 때만

④ Mammography : Breast mass가 있을 때만

⑤ Scan (bone, liver, brain) : metastasis 의심될 때

5. 탐색개복술 ★

1) 적응증

① 폐경 후에 나타난 부속기 종양

② 연령과 관계없이 수 개월 관찰중 5 cm 이상으로 계속 커질 때

③ 피임제 복용에도 불구하고 난소낭종이 나타나거나 계속 존재할 때

④ 10 cm 이상의 부속기 종양, 난소암인지 자궁근종인지 감별이 안될 때

IV. 수술적 병기진단(Surgical staging)

- 적절한 치료방침을 결정하고 예후 파악
- Ovarian cancer는 수술후에 Stage를 나눈다.
- Cancer spread pattern- Transcoelomic / Lymphatic / Hematogenous

1) 수술시 실시할 Procedure

(1) Abdominal incision

- Midline or paramedian abdominal incision

(2) Ascites cytology or Washing cytology(가장 먼저 시행) ★

- Washing cytology의 시행 방법

- 복막 표면을 50~100 mL의 식염수로 세척한 후 다음 3군데에서의 세척액을 분석

① pelvic cul-sac

② paracolic gutter

③ hemidiaphragm 아래

(3) Inspection & Palpation

- All the intraabdominal surfaces & viscera

(4) Biopsy

① Peritoneum : 모든 의심스러운 부위와 유착 부위(Any suspicious areas or adhesions)

② Diaphragm sampling

③ Infraclic omentectomy

(5) L/N Evaluation

① Pelvic and Para-aortic lymph node ← retroperitoneal surfaces 열어서

② Any enlarged lymph nodes dissection

(6) Debulking of advanced cancer mass

• 환자의 예후를 결정짓는 중요한 요인

(7) Histologic grading은 occult metastasis의 중요한 지표

V. 치료 ☆

1. Operation

1) 경계성 난소암의 치료

• low malignant potential tumors

• the principal Tx : primary tumor의 수술적 절제

(1) Stage I

① 출산을 원하지 않을 때

→ TAH with BSO

② 출산을 원할 때

→ Ovarian cystectomy

Unilateral oophorectomy

Unilateral salpingo-oophorectomy

- 반대측 난소의 관찰, 필요하다면 복강 내 세포진 검사, 조직검사 및 결장 하 대망절제술 시행

- 추가적인 항암, 방사선 치료의 효과는 입증되지 않음

(2) Stage II, III, IV

• TAH with BSO

- 더욱 진행된 경우 복강내 세포진 검사, 대망절제술, 선택적 골반 및 부대동맥 림프절 절제술
- 보조요법에 대해서 확립되지 않음

2014 FIGO 난소, 난관, 복막암 병기 체계	
Stage Ⅰ 난소(난관)에만 국한	
Stage Ⅰa	한쪽 난소(난관)에만, 피막 깨끗, 무복수, 난소(난관) 표면에 종양(-)
Stage Ⅰb	양쪽 난소(난관)에만, 무복수, 난소(난관) 표면에 종양 (-), 피막, 깨끗
Stage Ⅰc	Ⅰa or Ⅰb이면서 한쪽 or 두쪽 난소(난관) 표면에 종양 (+), 피막 피열 or 악성 세포가 있는 복수 or 복강 세척에서 악성세포 (+) Ⅰc1 수술 중 피막파열 Ⅰc2 수술 이전 피막파열 or 난소/난관 표면에 종양 Ⅰc3 복수 or 복강 세척에서 악성세포 (+)
Stage Ⅱ 골반 내 파급을 동반한 한쪽 or 양쪽 난소(난관)에 국한 또는 복막암	
Stage Ⅱa	자궁 혹은 난관(난소)으로 파급(or 전이)
Stage Ⅱb	다른 골반 조직으로 파급
Stage Ⅲ 한쪽 or 양쪽 난소(난관) 또는 복막에 종양 (+)이고 골반을 넘어 복강내 전이가 있고/있거나 후복막 림프절 (+)	
Stage Ⅲa	후복막 림프절(+) 그리고/또는 골반바깥 복강에 현미경적 파종(+) Ⅲa1 후복막 림프절 ONLY (+) Ⅲa1(i) 전이 종양 ≤ 1 cm Ⅲa1(ii) 전이 종양 > 1 cm Ⅲa2 골반바깥 복막강 현미경파종 (+) 그리고/또는 후복막 림프절 (+)
Stage Ⅲb	골반바깥 복막에 육안적 전이, 종양 ≤ 2 cm 그리고/또는 후복막 림프절 (+). Ⅲb는 간/지라의 피막에 파급 포함(실질에 전이되면 Ⅳb).
Stage Ⅲc	골반바깥 복막에 육안적 전이, 종양 > 2 cm 그리고/또는 후복막 림프절 (+).
Stage Ⅳ 원격전이를 동반한 한쪽 또는 양쪽 난소(난관) 종양	
Stage Ⅳa	흉강삼출액 (+)
Stage Ⅳb	복강 바깥 장기(샅림프절과 복강 바깥의 림프절 포함) 전이와 간 그리고/또는 지라의 실질에 전이

Notes:
1. Includes extension of tumor to capsule of liver and spleen without parenchymal involvement of either organ.
2. Parenchymal metastases are Stage Ⅳ B.

2) 상피성 난소암의 치료

종양감축술(cytoreduction) 또는 부피감소수술(debulkng) 등의 용어가 쓰이는 이유는 '완전 제거가 어렵기 때문입니다.

(1) Stage Ia, Ib (Grade 1, 2) 의 치료

① TAH & BSO

② 단, 임신을 원하는 경우

Ⓐ 일측 난소에만 국한되고 분화도가 좋은 경우에 한해서

보존적 치료 : USO 가능(즉, Stage Ia, Grade 1 or 2인 경우에 한해서)

Ⓑ 반드시 정기적인 F/U 필요(혈중 CA-125 등)

③ 추가적인 항암요법 불필요

(2) Stage Ia, Ib (G3) or Stage Ic ★

① TAH & BSO후 추가적인 adjuvant chemotherapy를 반드시 요한다.

② Young women - carboplatin + paditaxel (3~6 cydes)

Older women - single ogents (carboplatin or paclitaxel)

③ 주기적인 F/U (CA-125 등)

- Cisplatin 부작용

Ⓐ Myelosuppression

Ⓑ Alopecia

Ⓒ Nausea & Vomiting

Ⓓ Peripheral neuropathy

Ⓔ Nephrotoxicity

Ⓕ Cardiac toxicity

Ⓖ High frequency ototoxicity

(3) Stage II, III, IV 난소암 환자의 치료

• 종양감축술(Cytoreductive surgery) + 복합 항암화학요법(combination chemotherapy)

① 종양감축술(Cytoreductive surgery = debulking surgery)

Ⓐ 개념 - 최초 개복술 시 원발 종양을 포함하여 전이가 이루어진 모든 부위를 가능한 한 많이 제거하는 것

Ⓑ 전이 종양의 크기가 클수록 항암제에 저항성을 가지므로, 종양 감축술로 예후를 향상 시킬 수 있다.

② Chemotherapy : Paclitaxel-containing regimen이 추천 됨

Ⓐ 단일 제제

㉠ IV carboplatin or paclitaxel(병합요법에 intolerance가 있을 때만)

Ⓑ 복합 항암화학 요법

㉠ Intraperitoneal or Intravenous route

㉡ Carboplatin + Paclitaxel(IV)

㉢ Cisplatin + Paclitaxel(Intraperito neal)

ⓒ 항암제 투여 시 독성

㉠ Cisplatin

- 신독성

→소변량이 100㎖/h이상 증가하도록 투여 2~4시간 전에 Half normal saline으로 hydration

→6~9회 이상 투여금지

- 급성위장관 독성- 구토와 구역감 발생

→ Ondancetron, Diphenhydramine, Lorazepam, Metoclopramide

㉡ Paclitaxel, Carboplatin

- 신독성과 위장관 독성은 경미 → 투여 전 처치는 불필요

- 골수 독성에 의한 백혈구 감소증 유발 → G-CSF를 투여하기도 함

③ Radiation therapy

④ Immunotherapy ; interferon, interleukin

⑤ Hormonal therapy ; Tamoxifen(약 15~20%에서 response)

2. Postoperative treatment

(1) 방사선치료

(2) Intraperitoneal radioisotopes

- Radioactive zinc / gold (198Au) / Phosphorus (32P)

(3) Chemotherapy

(4) Immunotherapy, Hormonal therapy, Gene therapy

(5) Combined therapy

3. 임신 중 난소암의 치료

임신 중 난소암의 치료 ☆
1. 비임신상태(Non-pregnant state)와 같이 치료한다. 2. 탐색 개복술(Exploratory laparotomy)을 시행한다. 3. 골반강과 복강으로부터 세포진 검사를 위한 체액(복수)을 흡인, 채취한다. 4. 종양의 분화도가 낮고(Low grade), 편측성(Unilateral)이며, 피막(Capsule)이 잘 형성되어 있을 경우 a. 편측성 난소난관 절제술을 시행한다. b. 반대측 난소의 조직검사를 시행하여, 종양 조직이 없으면 적절한 치료로 간주한다. c. 임신은 만삭까지 유지시킨다. 5. 종양이 난소를 넘어서 파급되어 있는 경우 a. 세포진 검사(Cytology)를 위한 복수의 흡인, 채취를 한다. b. 전자궁적출술을 시행한다. c. 양측 난소난관 절제술을 시행한다. d. 충수절제술(Appendectomy)을 시행한다. e. 대망절제술(Omentectomy)을 시행한다. f. 적응증에 따라 항암화학요법을 시행한다. g. 림프절의 채취(Node sampling)를 시행한다

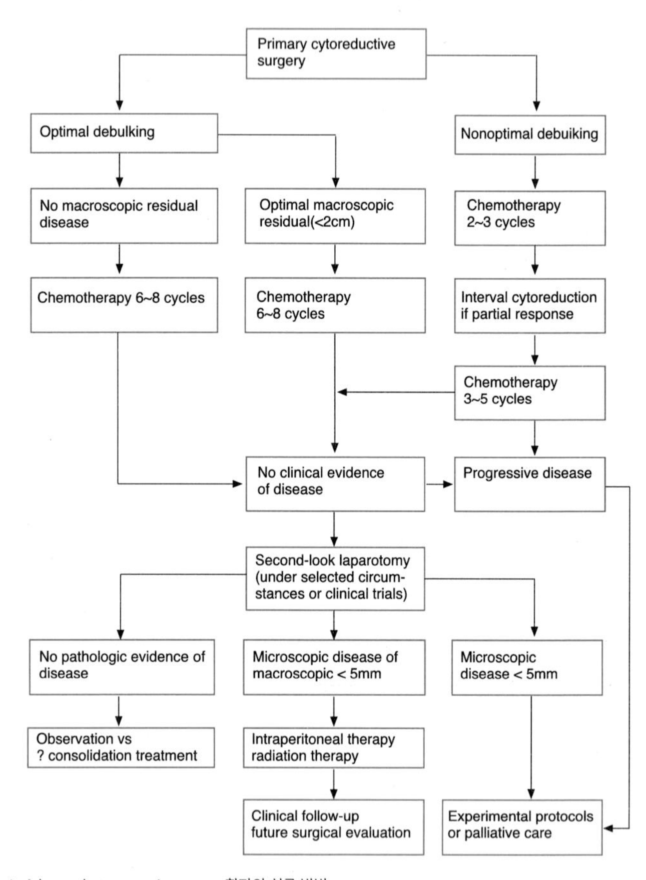

▶ Advanced-stage ovarian cancer 환자의 치료 방법

VI. 치료판정 및 추적

1. 추적 검사

① Physical examination

② Tumor marker (CA-125) : Elevation이 persistent disease를 의미하나 Negative finding이 잔여 병소가 없음을 의미 하지는 않는다.

③ 영상의학적 검사 : CT, PET/CT, MRI

④ Second-look laparotomy or laparoscopy

⑤ Cervicovaginal cytology

⑥ Vaginal speculum examination

⑦ Mammography

2. 치료 판정

1) 종양표지자(Tumor markers)

- CA-125
  - 양성 예측률 100% / 음성 예측률 56%
    → 즉, CA-125가 증가하는 경우 대부분 질환이 있으나, CA-125가 정상일 지라도 질환이 있는 경우도 많다.

2) Radiologic assessment

3) 이차 추시 수술(Second-look operation)

- 2차 추시 개복술(Second-look laparotomy, SLL)

(1) 적응증 및 목적 ☆

① 목적 ☆

- 1차 수술 후 6~12 cycle의 계획된 항암요법이 완료된 후 각종 검사에서 임상 검사상 완전 관해(Clinical complete response)가 이루어진 무증상의 환자를 대상으로 철저한 수술적 병기 진단 및 향후 치료 계획을 수립하기 위해 실시

Ⓐ 이전의 치료효과 판정

Ⓑ 현재의 질병 정도 파악

Ⓒ 현재 Histology 결정

Ⓓ Residual tumor 제거

Ⓔ 장차 치료 계획의 수립

② 주요 적응증 ★

Ⓐ 항암화학요법에 근거한 수술 후 측정 불가능한 잔류 종양의 진행의 증거가 없음을 증명하기 위해

Ⓑ 과거력상 국소에 국한된 종양이 있었음에도 불구하고 1차 수술시 적절한 병기 설정이 안되었던 경우 병기를 다시 하기 위해

Ⓒ 잔존 암 종괴가 존재할 경우 안전한 상태에 있는 종양이나 항암화학요법에 부분적인 반응을 보이는 잔류 종양을 제거하기 위해

Ⓓ 항암화학요법에 대한 완전한 임상적 관해를 관찰하기 위해

(2) 시기

- 항암화학요법의 치료가 끝난 후 4주 후

(3) 실시해야 할 procedure – 병기설정 위한 laparotomy와 동일

① Free peritoneal fluid or peritoneal washing cytology

② Inspection, Both hemidiaphragm palpation

③ Pelvic lymph node, Paraaortic lymph node Palpation & Biopsy

④ Residual tumor removal

(4) 치료중단 결정

① Negative apparent disease

② Negative peritoneal washing

③ Negative biopsy

(5) Residual tumor 많이 발견되는 곳

① Residual ovary (95%)

② Pelvic peritoneum (35%)

③ Omentum (34%)

(6) 장점 ★

① 종양이 존재하는데도 치료가 조기에 종결되는 것 방지

② 조직학적 증거하에 화학요법을 중단하여 부작용을 최소화 함

③ 예후에 대한 정보를 제공하고 환자를 안심시킴

(7) 단점

① 수술에 의한 잔류 종양의 제거가 생존율을 향상시키지 않음

② Major operative procedure

③ Extension의 창구 역할을 할 수도 있음

④ 수술의 위험성

⑤ 수술의 경비

• 2차 추시 복강경 수술(Second-look laparoscopy)

3. 이차 치료(Second-line therapy)

1) Secondary cytoreduction

일차 항암화학요법이 완료된 후에 종양을 감시키기 위한 수술.

• 적응증

① 무병 생존 기간 ≥ 6개월

② 복수 없음

③ 육안적으로 남아 있는 종양을 제거할 수 있을 때

④ 미만성으로 산재한 암종증(carcinomatosis)이 아니라 한두 개의 고립적인 재발성 병변은 완전 절제가 가능소

2) Second-line chemotherapy

3) Intraperitoneal therapy or immunotherapy

4) Whole abdominal radiation

• 급성, 혹은 만성적 위장 장애를 발생시킬수 있다.

5) 고용량 화학요법

• 자가골수이식과 말초 조혈모세포 사용과 함께 시행할 경우 효과적

6) 장폐색(Intestinal obstruction)

① 폐색이 장의 한 부분에만 국한된 경우 - 이차적 종괴제거시행, 잘라냄

② 폐색이 장의 여러 부분에 존재할 경우 - 장 우회로 수술 결장루 설치

VIII. Prognosis

• Prognostic factors

1) Pathologic factors

- Histologic type, Grade

2) Biologic factors

- Ploidy, S-phase Fraction, Proto-oncogene (e.g. HER-2/neu oncogene), Clonogenic growth in vitro

3) Clinical factors

- Age, Stage, Residual disease, Ascites의 양, Second look status, Performance status, Response of initial therapy, Tumor rupture 여부

Prognostic Variables in Early-stage Epithelial Ovarian Cancer	
Low Risk	**High Risk ☆**
Low grade Non-clear cell histologic type Intact capsule No surface excrescences No ascites Negative peritoneal cytologic findings Unruptured or intraoperative rupture No dense adherence Diploid tumor	High grade Clear cell histologic type Tumor growth through capsule Surface excrescences Ascites Malignant cells in fluid Preperative rupture Dense adherence Aneuploid tumor

27 비상피성 난소종양

- 빈도 – 전체 난소암의 10%
- 종류

  I. Germ cell tumor

  II. Sex-cord stromal tumor

  III. Metastatic ovarian tumor

  IV. Sarcoma, Lipoma

I. 생식 세포암(Germ cell malignanies)

- 빈도 – Ovarian tumor의 약 20~25%
- 난소암의 5~15% 차지
- 호발 연령 – Children & 가임기의 젊은 여성
  - 10세 이하에서 난소 종양의 70%는 Germ cell tumor
  - 20대 이후에는 드물다.

1. 병인

- Embryonic gonad에 있는 Primitive germ cell로부터 생겨난 것으로 생각
- 정상 생식세포의 발생과정과 생식 세포종의 발생과정과의 비교

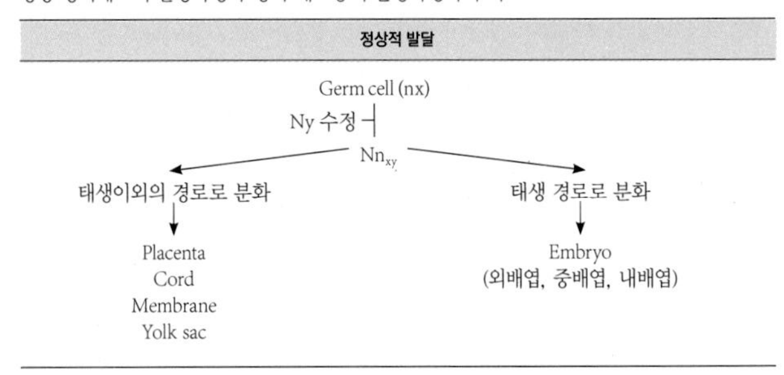

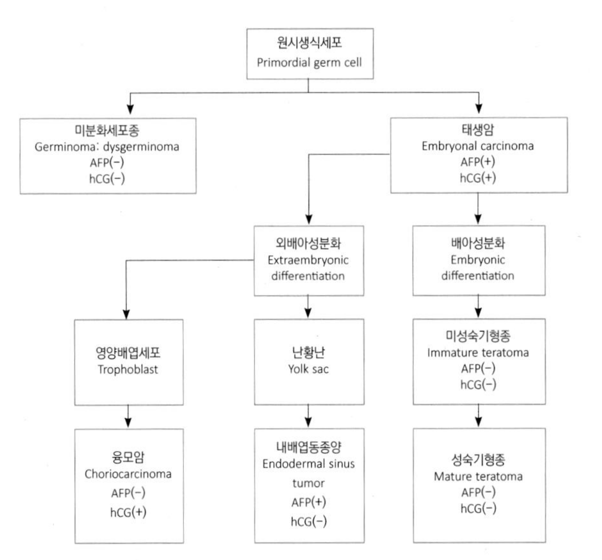

▶ 악성 생식세포종의 분화 및 Tumor marker

2. 분류

Histologic typing of Ovarian Germ cell tumor

1. Primitive germ cell tumors
   A. Dysgerminoma
   B. Yolk sac tumor
   C. Embryonal carcinoma
   D. Polyembryoma
   E. Non-gestational choriocarcinoma
   F. Mixed germ cell tumor
2. Biphasic or triphasic teratoma
   A. Immature teratoma
   B. Mature teratoma
      1) Solid
      2) Cystic
         ① Dermoid cyst
         ② Fetiform teratoma (homunculus)
3. Monodermal teratoma and somatic-type tumors associated with dermoid cysts
   A. Thyroid tumor
      1) Struma ovarii
         ① Benign
         ② Malignant
   B. Carcinoid
   C. Neuroectodermal tumor
   D. Carcinoma
   E. Melanocytic
   F. Sarcoma
   G. Sebaceous tumor
   H. Pituiary-type tumor
   I. Other

3. Clinical features

1) Signs & Symptoms

- 상피 세포 종양과 달리 생식세포종은 진행이 빠르다.

① Pelvic Pain ← capsular distention, hemorrhage, necrosis

② Gastrointestinal or Genitourinary symptoms ← pelvic mass

③ Menstrual irregularities

④ Acute Symptoms ← torsion or rupture of the adnexa

⑤ Abdominal distention ← Ascites, Mass

⑥ Palpable adnexal mass

2) Diagnosis

① surgical exploration : 초경 전 2 cm 이상 또는 폐경 전 8 cm 이상 adnexal mass

② Tumor marker (AFP, hCG, CEA) ★

	AFP	hCG	CEA
Dysgerminoma	−	−	−
Immature teratoma	−	−	−
Endodermal sinus tumor	+	−	−
Embryonal carcinoma	+	+	+
Polyembryoma	+	+	−
Choriocarcinoma	−	+	−

• AFP가 증가하는질환

① Endodermal sinus tumor

② Embryonal carcinoma

③ Gastrointestinal tumor

④ Breast tumor

⑤ Hepatitis & Cirrhosis

4. Dysgerminoma(미분화 세포종)

1) 정의

• Early gonadal developmental stage에서 sexually undifferentiated neutral germinal tissue로부터 origin하는 tumor

2) 역학 및 특징

① 가장 흔한 'Malignant' Germ cell tumor (30~40%)

② 호발 연령 - young women (10~30대, 75%)

③ 임신과 연관된 난소암의 20~30%

④ Most Radiosensitive tumor

3) 육안적 소견

① size - 일반적으로 5~15 cm

② 엷은 황갈색, 회갈색

③ cut surface : solid & 매끄러운 양상

4) 현미경적 소견

① Solid nature

② Hyalinized connective tissue septum with lymphocyte infiltration

③ PAS stain(+) - Cytoplasmic glycogen 때문

rim of alkaline phosphatase by histochemical techniques

syncytiotrophoblastic giant cells, hCG 분비

→ may, precocious puberty or virilization

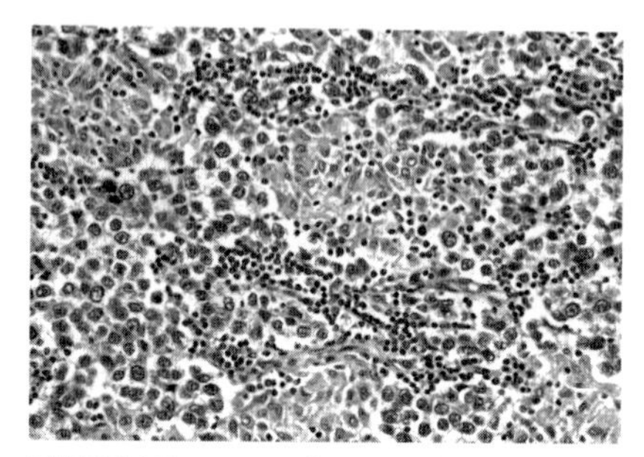

▶ Dysgerminoma의 병리학적 소견 : lymphocyte가 infiltration되어 있는 connective tissue septum이 보임

5) Clinical characteristics

① Tumor of Early life

② Mass & Pain in Lower abdomen(m/c 초기 증상)

③ No characteristic effect on menstruation

④ Phenotypically normal females

- 5%에서는 Phenotypic female with Abnormal gonads

→ 초경 이전에 골반종괴가 관찰되면 염색체 검사가 필수

46,XY or 46,XY pure gonadal dysgenesis

45X/46,XY mixed gonadal dysgenesis

46,XY Androgen insensitivity syndrome

⑤ 양측성 - 10~15%

⑥ 65%는 진단당시 stage I

⑦ 전이 방식

Ⓐ Lymphatics(m/c) → LN, mediastinum

Ⓑ 기타 혈액, 복막전이, 골전이(하측 척추골 but, rare)

6) Treatment ★

• 이 질환은 소아나 젊은 여자에서 발생하므로 향후의 임신에 대해 고려해야 한다.

(1) Surgery

- early dysgerminoma의 1st treatment
  ① fertility를 보존하는 경우 : unilateral oophorectomy
  ② fertility를 보존하지 않는 경우 : TAH & BSO
  ③ 핵형분석 결과 Y염색체가 있는 경우 : 양쪽 난소는 제거하되 자궁은 남겨둔다.

(2) Radiation therapy

① very sensitive

② 불임을 초래할 수 있어 1st treatment는 아님

(3) Chemotherapy

① metastatic dysgerminoma인 경우

② BEP (Bleomycin, Etoposide, Cisplatin) 3~4 cycle

(4) 임신과의 관련

- 미분화 세포종은 젊은 여성에서 발생하므로 임신과 동반될 수 있다.
  ① Stage IA - 종양만 제거, 임신 유지
  ② Advanced stage
  - 임신주수에 따라 임신 지속여부 판단
  - 항암제의 경우 임신 중기 또는 후기에는 비임신시와 동일한 약제, 용량 투여 가능

(5) 예후

① Ovarian malignancy 중 가장 예후가 좋다.

② Stage IA - Disease free 5 - year survival rate는 95%

Advanced disease - Surgery with Radiotherapy or chemotherapy(80% 이상 cure rate)

③ 치료 후 1년 이내 75%에서 재발

④ 재발이 잘 되는 장소 : 복강 내, 후복막 림프절

⑤ 재발을 증가시키는 경우

Ⓐ Mixed with other germ cell tumor

Ⓑ Large tumor (>10~15 cm)

Ⓒ 젊은 환자 : < 20세

Ⓓ 조직학적으로 Numerous Mitotic, Anaplastic, Medullary pattern

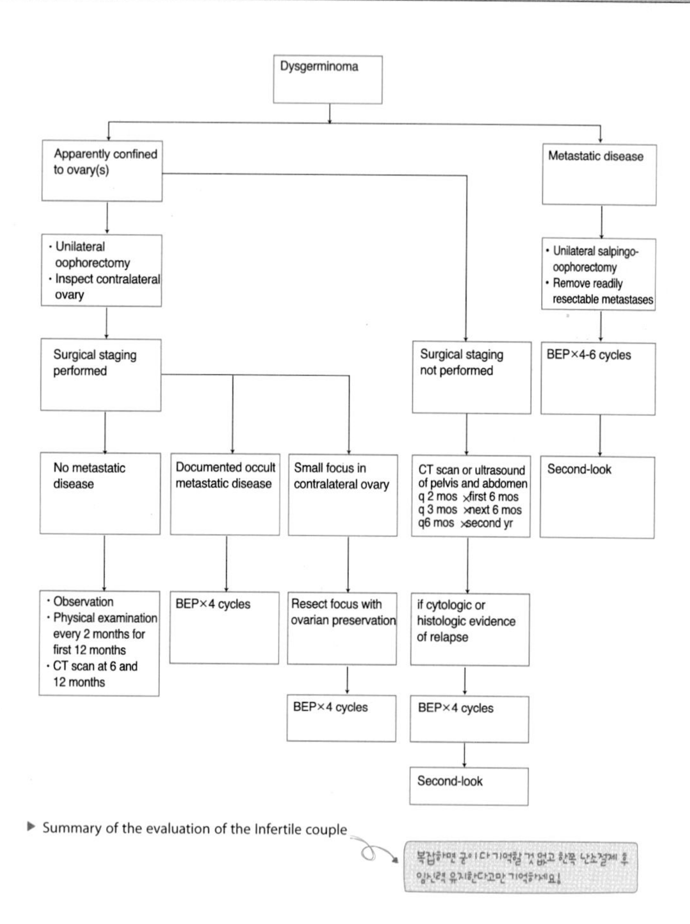

▶ Summary of the evaluation of the Infertile couple

복잡하면 굳이 다 기억할 것 없고 한쪽 난소절제 후 임신력 유지한다고만 기억하세요!

5. Malignant (immature) teratoma(미성숙 기형종)

1) 특징

① Malignant germ cell tumor 중 두 번째로 흔함

② Children and Young adult (10~20대)

③ Benign cystic teratoma의 악성 전환율

- 0.5~2% of case(일반적으로 40세 이후)

④ No characteristic Hormonal pattern or Tumor marker

2) 증상

① Abdominal pain & Tenderness

② Pelvic or Abdominal mass (80%) - m/c Sx

③ Menstrual irregularity - Uncommon

3) 분화도

• 가장 중요한 예후인자

① Grade 0 - No immaturity

② Grade I - Some immaturity

Immature neuroepithelium - 1 / LPF(x40) in any slide

③ Grade II - Greater degree immaturity

Immature neuroepithelium - < 3 / LPF(x40) in any slide

④ Grade III - Prominant degree immaturity

Immature neuroepithelium > 4 LPF(x40) in any slide

4) 치료

(1) Surgery

① Unilateral oophorectomy & Surgical staging

Ⓐ 폐경 전 여성

Ⓑ Unilateral ovary에 국한된 경우

② TAH & BSO

Ⓐ 폐경 후 여성

③ 이 종양은 양측성이 드물기 때문에 반대측 난소의 절개 및 생검은 필요없다.

그러나 복강 내의 의심스러운 부위는 반드시 생검 실시(∵ m/c 전이 장소가 복막)

(2) 항암 화학 요법

① No adjuvant chemotherapy

Ⓐ Stage IA / grade 1

② Adjuvant chemotherapy(BEP(Bleomycin, Etoposide, Cisplatin) regimen)

ⒶStage IA, grade 2, 3

Ⓑ Grade 상관없이 Ascites 있으면

(3) Second-Look Laparotomy

① 필요성은 아직 의문시 된다.

② 일차 수술 후 육안적 소견상 잔여 종괴가 있는 경우에 항암 화학요법 실시 후 2차 추시 개복 실시

5) 예후

① Most important prognostic feature - Grade

② Overall 5 years survival rate - 70~80%

stage I의 경우 90~95%

GradeI(82%) / Grade II(62%) / Grade III(30%)

6. Benign mature teratoma(Dermoid cyst, 피부모양 기형낭종)

1) 발생 빈도

① 난소의 Germ cell neoplasm 중 m/c

(20세 이전 젊은 여성에서 가장 흔한 난소 종양)

② about 10% of all ovarian tumors

③ 80%가 가임기 동안에 발생(평균 연령 - 30세)

2) 특징

① 양측성 - 10%

② Torsion : 15%(high fat ·Float)

③ 악성화 - < 2%

④ Contents - 외, 중, 내배엽에서 유래된 성숙된 조직

(특히 Ectodermal origin : 피부모낭, 피지선, 땀분비선, 머리카락, 치아, 연골, 뼈 등)

3) 육안적 소견

① Thick, Well-formed, Tense capsule

② Sebaceous material과 Hair를 함유

③ 흔히 Teeth, Bone이 발견된다(X-ray상 Calcific lesion으로 관찰).

④ Rokitansky's nodule (protuberance)

4) 현미경적 소견

① Ectodermal / Mesodermal / Endodermal origin의 tissue가 발견

cf) Struma ovarii

② Dermoid cyst 내에 Thyroid tissue가 존재

→ Thyrotoxic or characteristic Thyroid malignant degeneration

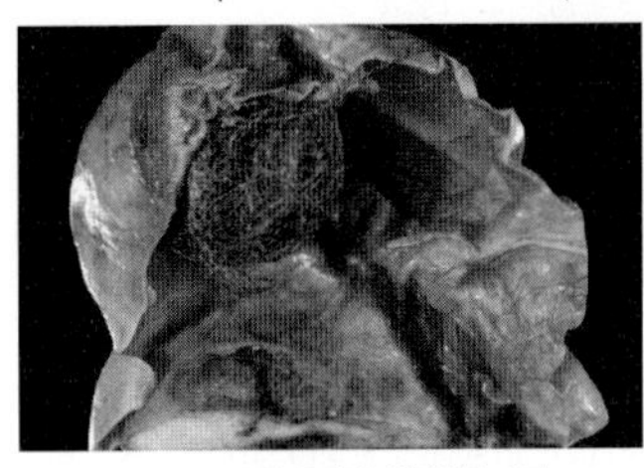
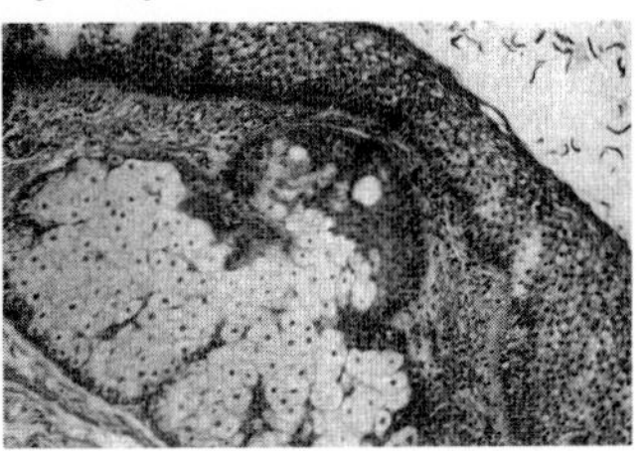

▶ Mature teratoma의 육안적, 병리학적 소견

5) 합병증 ★

(1) Torsion of pedicle

① 빈도 - 약 16%

Large보다 Small or Moderate size에서 흔함

② Kastner's rule - Ovarian tumor의 Torsion시 그 방향을 설명한 법칙

(Rt side의 ovarian cyst는 Rt side로 torsion)

③ acute pain, temperature elevation, tenderness, vomiting

(2) Rupture of cyst

① Rare

② Surgical emergency

6) 치료

① Fertility 보존위해 Ovarian cystectomy

- 가능한 한 수술을 시행하는데, 난소전체를 제거하진 않고 종양만 제거
  (대개 환자가 젊고, 난소기능 보존 및 임신이 중요문제이기 때문)

② 반대측 난소의 관리

Ⓐ Careful gross inspection

Ⓑ Selective ovarian biopsy

Ⓒ If necessary, oophorectomy

7. Endodermal sinus tumor (Yolk sac carcinoma, 내배엽동 종양)

1) 특징

① Malignant germ cell tumor 중 세 번째로 흔함

② 100% Unilateral(즉, 반대측 난소생검은 금기)

③ 젊은 여성 : 중간값 16~18세(평균연령: 18세), (1/3: 초경 전)

④ 악성도가 높고, Very rapid growing

⑤ 환자의 71%는 Early stage

⑥ AFP↑ ★

2) Signs & Symptoms

① Abdominal or pelvic pain (75%) - m/c Sx

② Asymptomatic Pelvic mass (10%)

3) 병리학적 소견

① Very large mass with necrosis and hemorrhage

② Schiller Duval bodies - Small blood vessels이 irregular cuboidal epithelial cells에 의해 덮혀 있다.

③ AFP(+) - Immunofluorescent staining으로 확인

4) 치료 ★

(1) Surgery

① Surgical exploration, USO, frozen section for diagnosis

② Surgical staging은 Not indicated

(2) Chemotherapy (adjuvant or Therapeutic) (BEP) (Bleomycin, Etoposide, Cisplatin) regimen)

• 모든 환자에게 Adjuvant or Therapeutic chemotherapy 필요

5) 예후

① Poor prognosis

② 진단 후 2년 내에 75% 사망

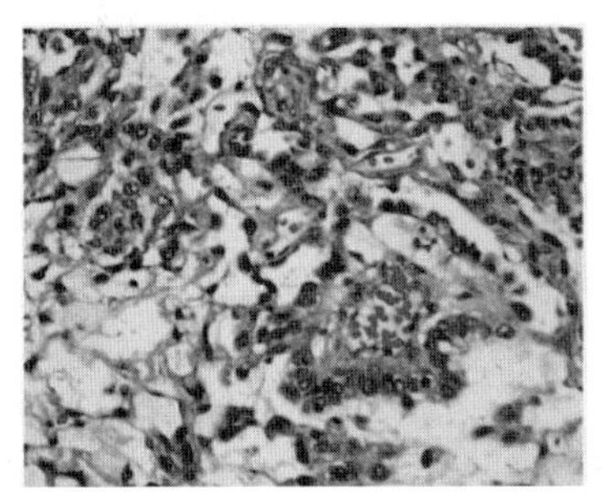

▶ Endodermal sinus tumor의 병리학적 소견: Central vessel과 endoderm의 mantle에 전형적인 Shiller Duval body가 보임(Shiller Duval body: Endodermal sinus tumor에서 볼 수 있는 현미경적 세포 구조물)

8. Embryonal carcinoma(태생암)

1) 특징

① 빈도 - 극히 드물다.

② 호발 연령 - 평균 14세(4~28세)

③ Syncytiotrophoblastic and Cytotrophoblastic cells 없음

④ Tumor marker - hCG ↑, AFP ↑ → 태아 관련물질은 모두 상승

2) 임상 증상

① Abdominal pain, Abdominal or Pelvic mass

② Abnormal hormonal milieu (60%) → estrogen 생성

→ Precocious puberty(조발사춘기), 무월경, 불임증, 조모증, 간헐적 질출혈

3) 치료

① Endodermal sinus tumor와 동일

② Surgery (unilateral oophorectomy) with postoperative chemotherapy (BEP)

comparison of embryonal carcinoma with endodermal sinus tumor

	Endodermal sinus tumor	Embryonal carcinoma
Median age	16~18세	14세
precocious puberty	0%	43%
Positive pregnancy test	None	All
survival, stage Ⅰpt	16%	50%
hCG	−	+
AFP	+	+

9. Choriocarcinoma (Pure nongestational, 순수 비임신성 융모막암종)

1) 특징

① Primary - very rare

② 호발 연령 - 20세 미만

③ Tumor marker - hCG↑

2) 치료

• MAC, BEP

3) 예후

• 매우 불량(대개 최초 진단시 organ parenchyma 전이)

10. Polyembryoma(다배아종)

1) 특징

① 호발 연령 - Very young, Premenarchal girls

② Embryoid bodies (Endoderm, Mesoderm, Ectoderm)로 구성

③ AFP ↑, hCG ↑ → 태아 관련물질은 모두 상승

④ Precocious puberty

2) 치료

• Chemotherapy (VAC)

11. Mixed germ cell tumor(혼합 생식세포종)

1) 특징

① 2~3가지의 생식세포종의 구성요소로 형성된 종양

② Germ cell malignancy의 8%

③ 호발 연령 - 평균 14세

④ 양측성 여부는 미분화 세포종 존재 여부에 따름

⑤ Tumor markers - hCG and AFP

2) 병리학적 소견

(1) Two or more elements

① Dysgerminoma(m/c, 80%)

② Endodermal sinus tumor (70%)

③ Immature teratoma (53%)

④ Choriocarcinoma (20%)

⑤ Embryonal carcinoma (16%)

(2) 가장 흔한 조합형 : Dysgerminoma + Endodermal sinus tumor

3) 치료

- Combination chemotherapy(BEP)

4) 예후

(1) Most prognostic factors

① Size

② 가장 높은 악성도를 가진 구성성분의 비율

(2) 종양의 구성분이 Endodermal sinus tumor 또는 Choriocarcinoma 또는 분화도가 3인 미성숙 기형종의 요소가 1/3미만이면 예후 양호, 그 이상인 경우 예후가 나쁘다.

(3) Stage IA & 〈 10 cm – 100% survival

II. 난소의 성기삭 기질 종양(Sex Cord – Stromal tumors)

WHO classification of Sex cord-Stromal tumors

1. 과립막-간질세포종(Granulosa-stromal-cell tumors)
   ① 과립막세포종(Granulosa-cell tumor)
   ② 난포막종-섬유종군(Tumors in thecoma-fibroma group)
      Ⓐ 난포막종(Thecoma)
      Ⓑ 섬유종(Fibroma)
      Ⓒ 미분류종양(Unclassified)
2. 세르톨리-라이디히 세포종(Sertoli-Leydig-cell tumors)
   ① 고분화도(Well-differentiated)
      Ⓐ 세르톨리 세포증(Sertoli cell tumor)
      Ⓑ 세르톨리-라이디히 세포종(Sertoli-Leydig-cell tumor)
      Ⓒ 라이디히 세포종(Leydig-cell tumor ; hilus cell tumor)
   ② 중등 분화도(Moderately differentiated)
   ③ 미분화도(Poorly differentiated)
   ④ 이질성요소(With heterologous elements)를 갖는 경우
3. 남여성 세포함유종(Gynandroblastoma)
4. 미분류 종양(Unclassified)

• 일반적 특징

① Ovarian malignancies의 5~8%

② Gonadal and Adrenal steroid hormones 합성

(Estrogens, Progesterone, Testosterone, Androgenic compounds, corticosteroids)

③ Ovary & testis parenchyma : same primitive gonadal stroma origin

1. Granulosa cell tumors(과립막 세포종)

1) 특징

① Low grade malignancy

② Usually Unilateral

③ 연령 - All age group(평균 52세)

2) 임상 증상 ★

(1) 대부분 난소암의 증상

① Pelvic or Abdominal pain

② Pelvic mass

(2) Hormonal effect: Estrogen

① Prepubertal girls

Ⓐ Precocious puberty

Ⓑ Development of Secondary sexual characteristics(유방증대, 주기적 자궁출혈, 액와모 및 음모성장)

② Reproductive age

Ⓐ Menstrual irregularities

Ⓑ Secondary amenorrhea

Ⓒ Cystic endometrial hyperplasia

③ Postmenopausal women

Ⓐ Mens-like Abnormal uterine bleeding

Ⓑ Uterine hypertrophy

Ⓒ Endometrial hyperplasia (25~50%)

Ⓓ Endometrial cancer(최소 5%)

(3) Ascites (10%)

(4) Hemoperitoneum-Rupture tendency 때문

(5) Tumor marker-Estrogen, Inhibin (granulosa cell)

3) Pathology

① 수 mm~20 cm 이상 크기, smooth, lobulated surface

② Granulosa cells with large, pale, oval nuclei (Coffee-bean grooved nuclei)

③ Patterns - 예후와는 무관

Ⓐ Microfollicullar pattern (Call-Exner bodies) - m/c

Ⓑ Cylindromatous or Trabecular pattern

Ⓒ Insular pattern

Ⓓ Diffuse pattern

Ⓔ Watered silk pattern

4) 치료

(1) Surgery

① Unilateral salpingo-oophorectomy

: 양측성이 2%에 불과하므로 Stage IA의 children이나 가임기 여성에서 시행

② TAH with BSO : ovarian preservation 필요 없을 때

③ Endomerial biopsy : premenopausal women이 uterus conservation 원할 경우

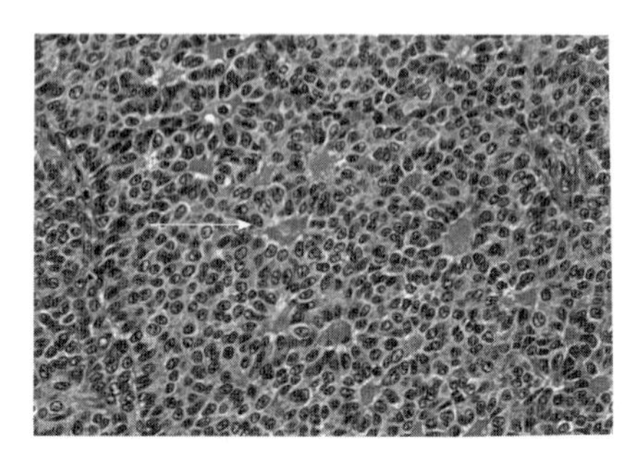

▶ Granulosa cell tumor 병리학적 소견 : 전형적인 minimal stromal component를 가지는 Call-Exner body 가 보임 (화살표)

(2) Radiation therapy

- Metastatic or Recurrent인 경우 사용

(3) Chemotherapy

① No consistently effective regimen

Adjuvant Chemotherapy - 재발방지의 evidence 없음

② Metastatic or Recurrent인 경우 사용(combination chemotherapy)

③ BEP or carboplatin and paclitaxel

5) 예후

① Late relapse (∵ Low grade malignancy with Long doubling time)

② 예후 인자

Ⓐ Residual tumor의 presence(가장 중요)

Ⓑ DNA ploidy of tumor

Ⓒ residual tumor(-) & DNA diploid tumors → 10년 생존률 96%

2. Thecoma-Fibroma group of tumors(난포막종-섬유종)

- Primarily benign tumors
- 기원 - Ovarian stroma (Theca)에서 유래
- Collagen-producing Fibroblasts (Fibroma)

Steroid-producing Theca cells(Thecoma)

• granulosa or Sertoli cell elements는 없다.

1) Thecoma(난포막종)

(1) 특징

① Essentially Benign tumor, Low-grade malignancy

② Usually Unilateral

③ 호발 연령 - 50~60대

(2) 임상 증상

① Hormonally active → Abnormal or Postmenopausal bleeding

② Abdominal pain

③ Pelvic or abdominal mass

(3) 치료

• Surgery

2) Fibroma(섬유종)

• 일반적으로 Solid tumor, 때로는 Cystic degeneration

(1) 임상 증상

① No symptom (small)~Pain and Heaviness (Large)

② Menstruation에 특징적인 effect는 없다.

(but, Menorrhagia and Dysmenorrhea가 발생할 수도 있다)

(2) 치료

① Surgery

② Meigs' syndrome ★

Ⓐ Benign ovarian tumor

Ⓑ Pleural effusion

Ⓒ Ascites

3. Sertoli-Leydig cell tumor (Andro-, Arrhenoblastoma)

1) 특징

① 호발 연령 : 30~40대(75%가 40세 이전)

② 난소암의 < 0.2%

③ low-grade malignancy

2) 임상적 특징

(1) Clinical course (Two phase)

① Stage of Defeminization(여성성징 결여증)

Ⓐ Amenorrhea (1st symptom)

Ⓑ Atrophy of the breasts

Ⓒ Loss of Subcutaneous fatty deposits

② Stage of Masculinization(남성화작용) - 70~85%

Ⓐ Hypertrophy of the clitoris

Ⓑ Hirsutism

Ⓒ Deepening of the voice

(2) Hormonal studies

① Androgens 생성

② Testosterone ↑, Androstenedion ↑, DHEAS ↑

3) 치료

(1) Surgery

① Unilateral Salpingo-oophorectomy with Contralateral ovarian biopsy

- 가임기 여성에서 시행

② TAH & BSO - 고령의 경우

(2) Combination chemotherapy (VAC) or Pelvic radiation

- 잔여 종괴가 큰 경우

• 치료 효과

① Tumor 제거 후 비정상적인 남성화의 소실

② 여성화로 돌아오는 첫 징후는 월경 회복

③ 일반적으로 증상이 발현된 순서대로 소실된다.

4) 예후

• 5년 생존율 - 70~90%

III. Metastatic Ovarian Tumors

- 빈도 - Ovarian tumor의 5~6%
- primary site - Female genital tract, breast, gastrointestinal tract
- Metastasis route

① Retrograde lymphatic(m/c)

② Hematogenous

③ Direct and Contact implantation

1) Gynecologic

① Tubal carcinoma의 13%

② Cervical cancer의 경우는 매우 드물다(1% 미만).

③ Endometrial cancer의 5%

2) Nongynecologic

① Breast cancer의 20~30%(이 중 60%가 양측성)

② Gastrointestinal (especially, Colon)

3) Krukenberg Tumors

(1) 특징

① 전이성 난소 종양 중 m/c tumor(30~40%)

② 대개 양측성

(2) Primary site(위장관 계통이 흔함)

① Stomach (80%, especially Pylorus)

② Colon, Rectum

③ Breast

④ Biliary tract

(3) 병리학적 소견

① 육안적으로 Kidney 모양

② Mucin-filled, Signet-ring cell이 나타남

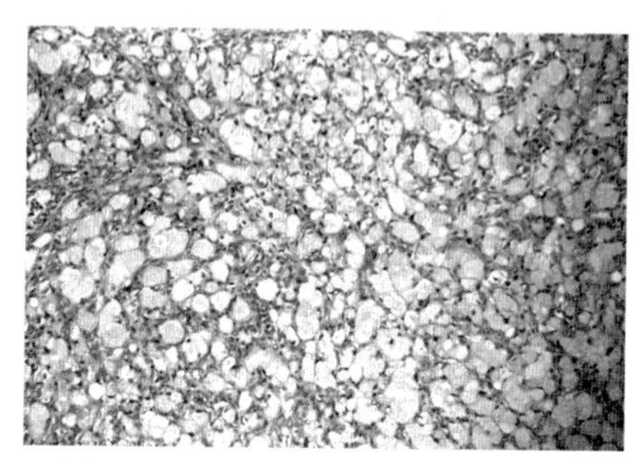

▶ Krukenberg tumor의 병리학적 소견: mucin laden, signet-ring cells within ovrian stroma를 볼 수 있음

28 난관, 부난소 및 자궁인대 종양

Power Gynecology

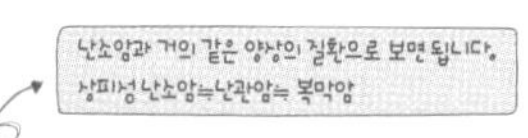

난소암과 거의 같은 양상의 질환으로 보면 됩니다.
상피성 난소암≒난관암≒ 복막암

I. 난관암(Carcinoma of Fallopian tube)

1. 특징

1) 발생 빈도

모든 female genital tract cancer의 0.3%

2) 호발 연령

대부분 폐경기 이후, 50~60대(평균 연령 55~60세)

3) 80~90%는 전이성

4) High risk factor: Germline mutations in BRCA1 and BRCA2

2. 증상

- Vaginal discharges or bleeding: m/c
- Triad of symptoms and signs (15%)
  - ① Prominent watery vaginal discharge (Hydrops tubae profluens)
  - ② Pelvic pain
  - ③ Pelvic mass

3. Spread Pattern

- principally transcoelomic
- common in lymphatics: para-aortic and pelvic LN

4. 병리학적 소견

• Papillary adenocarcinoma가 m/c

5. Surgical staging

2014 FIGO 난소, 난관, 복막암 병기 체계	
Stage Ⅰ 난소(난관)에만 국한	
Stage Ⅰa	한쪽 난소(난관)에만. 피막 깨끗. 무복수. 난소(난관) 표면에 종양(−)
Stage Ⅰb	양쪽 난소(난관)에만. 무복수. 난소(난관) 표면에 종양 (−). 피막. 깨끗
Stage Ⅰc	Ⅰa or Ⅰb이면서 한쪽 or 두쪽 난소(난관) 표면에 종양 (+), 피막 피열 or 악성 세포가 있는 복수 or 복강 세척에서 악성세포 (+) Ⅰc1 수술 중 피막파열 Ⅰc2 수술 이전 피막파열 or 난소/난관 표면에 종양 Ⅰc3 복수 or 복강 세척에서 악성세포 (+)
Stage Ⅱ 골반 내 파급을 동반한 한쪽 or 양쪽 난소(난관)에 국한 또는 복막암	
Stage Ⅱa	자궁 혹은 난관(난소)으로 파급(or 전이)
Stage Ⅱb	다른 골반 조직으로 파급
Stage Ⅲ 한쪽 or 양쪽 난소(난관) 또는 복막에 종양 (+)이고 골반을 넘어 복강내 전이가 있고/있거나 후복막 림프절 (+)	
Stage Ⅲa	후복막 림프절(+) 그리고/또는 골반바깥 복강에 현미경적 파종(+) Ⅲa1 후복막 림프절 ONLY (+) Ⅲa1(i) 전이 종양 ≤ 1cm Ⅲa1(ii) 전이 종양 > 1cm Ⅲa2 골반바깥 복막강 현미경파종 (+) 그리고/또는 후복막 림프절 (+)
Stage Ⅲb	골반바깥 복막에 육안적 전이, 종양 ≤ 2cm 그리고/또는 후복막 림프절 (+). Ⅲb는 간/지라의 피막에 파급 포함(실질에 전이되면 Ⅳb).
Stage Ⅲc	골반바깥 복막에 육안적 전이, 종양 > 2cm 그리고/또는 후복막 림프절 (+).
Stage Ⅳ 원격전이를 동반한 한쪽 또는 양쪽 난소(난관) 종양	
Stage Ⅳa	흉강삼출액 (+)
Stage Ⅳb	복강 바깥 장기(샅림프절과 복강 바깥의 림프절 포함) 전이와 간 그리고/또는 지라의 실질에 전이

Notes:
1. Includes extension of tumor to capsule of liver and spleen without parenchymal involvement of either organ.
2. Parenchymal metastases are Stage Ⅳ B.

6. 치료

• Epithelial ovarian cancer와 같다.

1) Surgery

① TAH & BSO

② Lymph node dissection and biopsy

2) Chemotherapy

① Platinum and taxane-based chemotherapy : Carboplatin+Paclitaxel
Cisplatin+Paclitaxel

7. 예후

• overall 5-year survival: 40%

① Stage I(65%)

② Stage II(50~60%)

③ Stage III, IV(10~20%)

II. 부난소 낭종(Parovarian cyst)

1. 부난소(Parovarium)

① Organ of rosenmüller로서 난관과 난소 사이에 위치

② Wolffian body의 Sexual portion에 일치한 흔적 기관

③ Gartner's duct - 부난소의 주된 관
남성에서의 정관(Seminiferous tubule)과 상동체

2. 부난소 낭종의 기원

① Vestigal wolffian structures

② Tubal epithelium

③ Peritoneal inclusions(68%)

3. 감별 진단

Paratubal cyst(Hydatids of Morgagni)

• Paramesonephric duct에서 유래

4. 증상

Ovarian cysts 때와 유사

III. Tumors of Uterine ligament(자궁 인대 종양)

1. Round ligament(원인대) 종양

① Leiomyomas(m/c, due to smooth muscle)

② Endometriosis

③ Sarcoma(rare)

2. Broad ligament(광인대) 종양

① Intraligamentous myomas - m/c

② Cysts(Gartner's duct cyst)

3. Uterosacral ligament(자궁천골인대) 종양

① Endometriosis(m/c)

② Myomas

29 임신성 융모성 질환

Power Gynecology

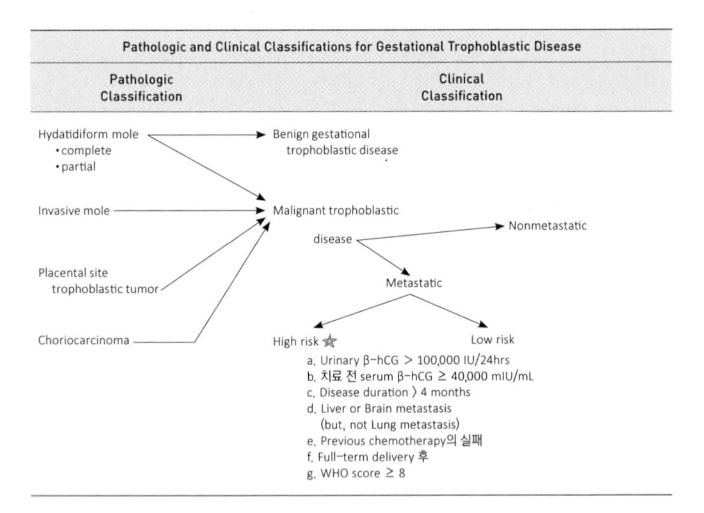

I. Hydatidiform mole

1. 빈도

① 1.6명/1,000명(최근 감소 추세)

② 아시아 > 구미 지역, 동양인 > 백인

③ 융모 상피암의 50~60%가 H-mole에서 발생하므로 임상적으로 중요

2. 위험 인자 ★

1) Complete mole

(1) 영양 결핍(carotene, Vit. A, animal fat 부족), 사회경제적 상태가 낮은 지역

(2) 임신 시 연령이 높은 경우(35세 이상)

2) Partial mole

(1) Oral contraceptives 사용

(2) History of irregular mensturation

① 부성 연령이 높은 경우(45세 이상)

② 자연 유산의 횟수가 많은 경우

③ 인종(Outside North America)

④ 기타 : 과거 임신 분만력, 출산력, Estrogen 농도

3. 분류

항목	Complete H-mole	Incomplete H-mole
1. 동의어	True, Classic	Partial
2. Villi	All edematous	Some edematous
3. Capillary	Few ; No fetal RBC	Many ; Fetal RBC
4. Trophoblastic hyperplasia	Diffuse	Focal
5. Embryo, Fetus	(-)	(+)
6. Gestational age	8~16 weeks	10~26 weeks
7. HCG titer	High	Low to High
8. Karyotype	46,XX(96%) / XY(4%) Paternal origin	Triploid (86%) (69XXX or XXY or XYY) Paternal & Maternal
9. 융모의 Scalloping	(-)	(+)
10. 기질 영양배엽세포의 Inclusion	(-)	(+)
11. 자궁 크기	임신 주수보다 크다	임신 주수보다 작다
12. Malignant potential	15~20%	5% 이하

4. 내분비학적 특징 ★

1) hCG의 분비

2) 융모성 갑상선자극호르몬 및 기태성 갑상선자극호르몬의 분비

• 드물게 갑상선기능항진증 유발

3) Human placental lactogen(hPL)

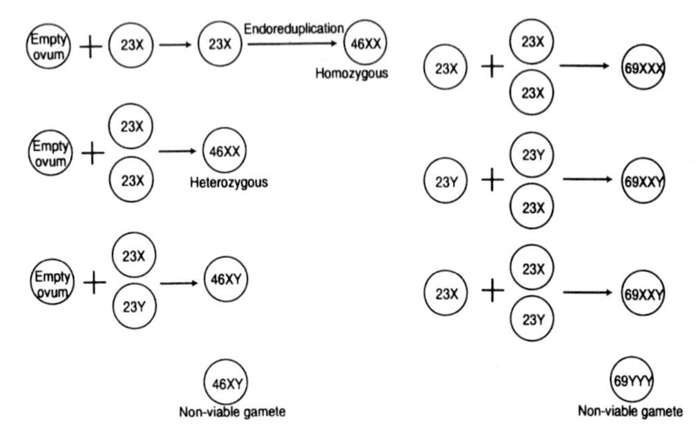

▶ Complete hydatidiform mole

: Empty ovum이 한 마리의 sperm(23x)을 만나 endoreproduction을 하거나, 두 마리의 sperm(23x)을 만나 46xx로 됨.

▶ Partial hydatidiform mole

: 핵이 있는 ovum이 서로 다른 두 마리의 정자와 수정.

4) Estrogen

① 포상기태에서는 임신 10주 이전에 태반작용은 마비됨.

② Urine내의 E_1, E_2, E_3가 같은 임신 주수의 정상 임신보다 현저히 낮다.

5) Progesterone

① 정상 임신 수준에서 높은 수준까지 다양

6) 임신 특이 태반 단백

① Pregnancy-specific β-glycoprotein(SP1)

② Placental protein 10 (PP10)

7) 기타 표지 물질

① Oncofetal protein

5. 임상 증상

1) Complete mole

(1) 질출혈(80%)

① m/c Sx

(2) 거대 자궁

① 자궁의 크기는 재태 연령보다 큰 편

② trophoblastic overgrowth가 원인(혈중 hCG 값과 비례)

(3) Preeclampsia (27%)

① 임신 초기에 임신 중독증상이 나타나면 의심

② 고혈압, 단백뇨, 반사 항진이 자주 연관되지만, 경련은 드물다.

(4) Hyperemesis gravidarum = **임신과다구토**(26%)

(5) Hyperthyroidism (7%)

① 의심시 β-blocker를 사용하여 thyroid storm 및 심혈관계 합병증을 예방하여야 한다.

(6) Trophoblastic embolization (2%) – **영양막세포의 폐색전증에 의한 호흡곤란증후군**

(7) Theca lutein ovarian cysts(**난포막황체낭종**)(50%)

기태만 제거하면 저절로 소실되므로 수술적 제거는 금지.

① 포상기태에서 가장 흔히 동반되는 난소 종양

② 높은 serum hCG level에 의한 ovarian hyperstimulation이 원인

③ 기태제거후 약 2~4개월 내 소실, 악성화는 거의 없다.

④ 치료 - 관찰, H-mole 치료만

2) Partial mole

① 특징적인 임상증상이 없다.

② 불완전 유산 또는 계류 유산처럼 보이는 증상 및 징후를 보이므로 소파술 후의 조직검사로 진단 가능.

③ 자궁 크기 - 67%에서 재태 연령보다 작다.

6. 합병증

1) Complete mole

① PGTT (Persistent Gestational Trophoblastic Tumors)로 진행(19%)

- invasive mole (15%)

- metastasis (4%)

② High risk : Ⓐ hCG level > 100,000 mIU/mL

Ⓑ excessive uterine enlargement

Ⓒ theca lutein cysts > 6 cm

(나이가 많은 경우도)

2) Partial mole

① PGTT(usually nonmetastatic)로 진행(2~4%), 관해 위해 chemotherapy 필요

7. 진단

Complete H-mole의 진단적 특징
1. 임신 12주까지 심하지 않은 갈색의 분비물이 계속적, 간헐적으로 있다. 2. 50%에서 임신 주수에 비해 자궁 크기 증가 3. 자궁 크기가 커져 있으나 태아심음이나 태아를 만질 수 없다. 4. 초음파 검사상 Snowstrom pattern (Honey-comb appearance) 5. 임신 주수보다 높은 β-hCG 6. 임신 24주 이전에 나타나는 Preeclampsia or Eclampsia 7. 심한 임신 오조

1) 임상 증상

2) Ultrasonography

① 포상 기태와 정상 임신의 구별에 가장 좋은 방법

② Complete mole: Snowstorm pattern(Honey-comb appearance) ★

← diffuse hydropic swelling

③ Partial mole: focal cystic spaces in the placental tissues, gestational sac의 가로지름 증가

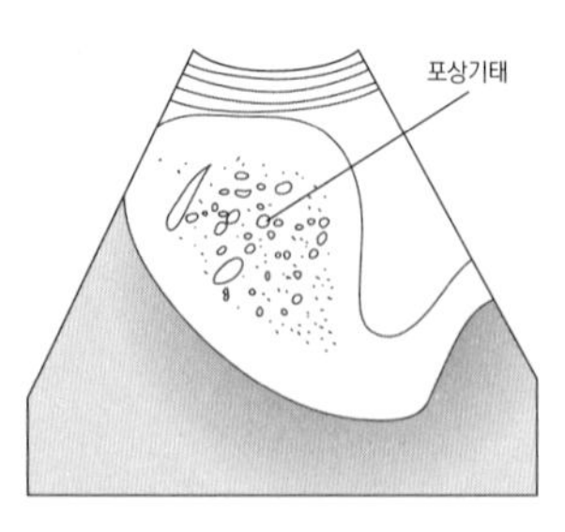

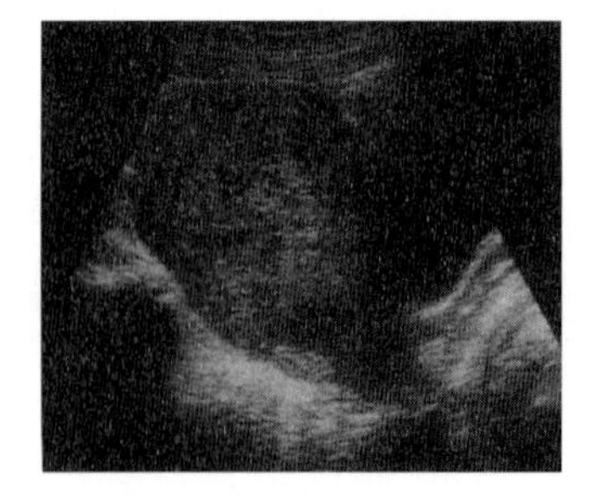

3) hCG 측정

① 진단에 보조적인 방법(정상 임신에서도 높게 나타나기도 하므로 확진 방법으로는 의미 없다)

② 포상기태 특유의 임상증상이 있고, US상 의심이 되는 경우 보조적으로 중요하게 이용

③ 상당수의 complete mole에서 > 100,000 mIU/mL

4) 양막 조영술

① 양막에 조영제를 주입하여 X-선 촬영 후 "벌집 모양" 관찰 시 진단

5) 골반 동맥 촬영

① 침윤성 기태 또는 융모 상피암의 진단

8. 치료

1) 흡입 소파술(Suction and Curettage) ★

① 자궁 크기에 관계없이 자녀를 원하는 경우 가장 안전하고 효과적

② evacuation 시 : Rh(-)환자에게는 Rh immune globulin 투여

2) Hysterectomy

① 더 이상 자녀를 원하지 않는 경우

② metastasis를 예방하지 못함 → hCG level의 지속적 F/U이 필요

3) Prophylactic chemotherapy ★

① 포상 기태 제거 전이나 제거 중에 Methotrexate나 Actinomycin D 사용

→ 수술 중 Trophoblastic cell의 전이 예방, 수술 후 국소 자궁 침윤 빈도 ↓

② 특히, hCG F/U이 어려운 high risk group에 유용

4) Hysterotomy

① 최근에는 잘 사용 안함

② 흡입 소파술에 비해 Gestational trophoblastic tumor 발생률이 높고, 출혈이 많고, 다음 임신 때 제왕절개술 필요

5) Medical induction of Labor – 합병증이 많다.

9. 추적 검사

포상 기태의 추적 관리
1. hCG의 연속적 측정 •3주 연속으로 정상화 될 때까지 매주 측정 •정상화 이후 6개월간 연속으로 매월 측정 2. 흉부 X-선 촬영, 골반 내진 등 •기태 제거 후 •hCG가 정상으로 감소하지 않을 시(대개 9주 이내 정상화) 3. 피임 •hCG F/U하는 전 기간 동안 •Oral contraceptives or barrier methods 사용 4. CSF의 hCG check •brain meta. 여부 알기 위해

10. 포상기태 제거 후 화학요법

•포상 기태 제거 후 경과

① 자연 회복(80%)

② Invasive mole (12∼15%)

③ Choriocarcinoma (5∼8%)

포상기태 제거 후 화학요법의 적응증
1. 비정상적인 혈청 hCG 값의 감소 •3주이상 연속으로 hCG 값의 감소가 없을 경우 •2주이상 연속으로 hCG 값이 증가할 경우 2. 다른 장기로의 전이가 되었을 경우(Lung, Vagina, Brain, Liver 등) 3. Biopy상 Choriocarcinoma로 진단된 경우 4. 혈청 hCG 값이 기태 제거후 12주까지 정상화되지 않을 경우 5. 혈청 hCG 값이 정상화 된 후 다시 상승할 경우 6. 기태제거후 4주째 혈청 β-hCG > 20,000 mIU/mL (30,000 IU이상/24 hrs urine)

11. 포상기태 제거 후 임신 ★

•추적 검사하는 전 기간 동안 피임을 해야 한다.

(임신시의 hCG 상승과 감별이 필요하므로)

•Oral contraceptives or barrier methods를 사용

•IUD는 자궁 천공의 위험이 높으므로 hCG 값이 정상화 될 때까지는 금지

1) 포상기태 제거 후 다음 임신 시의 대책

(1) 특징

① 정상 임신을 기대할 수 있다.

② 재발 위험도는 1∼1.5%로 증가한다.

(2) Management

① 1st trimester 때, pelvic US로 정상 발달 여부를 확인

② 임신이 끝난 후, 6주 간 hCG 측정으로 occult trophoblastic neoplasia를 배제

2) 완전 포상 기태 제거 후 임신의 결과

① 만삭 분만(70.1%)

② 1st trimester 시기의 자연 유산(12.1%)

③ 반복성 포상기태(2.3%)

④ 사산아 분만(1.5%)

⑤ 조산아 분만(1.5%)

⑥ 딴곳 임신(1.5%)

12. 예후

포상 기태의 불량한 예후 인자 = Persistent GTT로 될 High risk pts.

1. 기태 제거 전 hCG 값
   - 요중 hCG 〉 100,000 mIU/mL
   - 혈중 hCG 〉 40,000 mIU/mL
2. 자궁의 크기가 제태 연령보다 클 경우
3. 6cm 이상의 theca luteal cyst
4. Heterozygocity
5. 환자의 연령이 높은 경우(〉40세)
6. 기타

   ① 포상기태 또는 융모상피암의 기왕력

   ② 갑상선기능항진증

   ③ 임신 중독증

   ④ 융모 상피세포의 의한 Embolism

   ⑤ DIC

II. 지속성 임신성 융모 종양 (Persistent gestational trophoblastic tumor (PGTT, GTT))

• 선행원인

① Molar pregnancy - 50%

② Abortion - 25%

③ Normal pregnancy - 22.5%

④ Ectopic pregnancy - 2.5%

1. 분류

Pathological classification	Clinical classification
Invasive mole	Non-metastatic
Choriocarcinoma	Metastatic - Low risk High risk ★
Placental site trophoblastic tumor	

1) Pathological classification

(1) Invasive Mole

① 정의 ★

- Complete mole의 병리학적 소견을 보이며, 과다한 영양 배엽의 증식이 자궁근층을 깊이 침범하였거나, 여러 장기에 전이를 일으킨 경우

② Choriocarcinoma와의 차이점

- 조직소견상 융모막이 존재하고, 장기 전이가 흔하지 않다.

③ 합병증

Ⓐ 복강 내 출혈

- 자궁 근층을 뚫고 들어가 근육층을 파괴, 골반 내 혈관을 침범하여 발생
- 가장 위험하고 사망에 이르게 할 수 있다.

Ⓑ 장기 전이 - Choriocarcinoma 보다는 좋은 예후

Ⓒ 사망(10%)

④ 치료

- 모든 환자에 대해 Chemotherapy 시행

(2) **임신성 융모상피암** Gestational choriocarcinoma

① 발생 빈도

- 40,000 임신당 1명

② 임상·병리조직학적 특징

Ⓐ 동맥혈관을 침범하여 급속히 다른 장기로 전이

Ⓑ 심한 조직괴사 및 출혈성 종괴를 형성하여 심한 출혈 발생

Ⓒ 조직학적으로 영양 배엽의 근층 내의 무질서한 과대증식, 융모막 소실, 근 주위조직의 파괴, 응고성 괴사

(3) 태반부착부 융모성 종양(Placental site trophoblastic tumor, PSTT)

① 임상적 특징

Ⓐ 평균 연령 - 30세 정도

Ⓑ uncommon, 무월경과 비정상 자궁출혈이 가장 흔한 증상

Ⓒ Intermediate trophoblastic cell에 의해 형성된 종양 → 크기에 비해 적은 hCG와 hPL

Ⓓ 매우 적은 Syncytiotrophoblast → hCG보다 hPL 치가 높은 특징

(∴ hPL이 진단 및 추적 관찰에 이용)

Ⓔ 대개 자궁에 국한된 경향

② 치료

Ⓐ 자궁에 국한된 경우 Total hysterectomy 후 추적 관찰

Ⓑ 임신을 원하는 경우 소파술 후 추적 관찰

Ⓒ 전이된 경우 - Combination chemotherapy(대부분 반응하지 않음)

2) Clinical classification

(1) Non-metastatic GTT

① 빈도

: Complete mole 제거 후 약 15%

② 임상 증상

Ⓐ Irregular vaginal bleeding

Ⓑ Theca lutein cyst

Ⓒ Uterine subinvolution

Ⓓ Persistently elevated serum hCG levels

③ 조직학적 특징

Ⓐ molar 제거 후 : H-mole or Choriocarcinoma

Ⓑ 정상 임신 후 : 항상 Choriocarcinoma

(2) Metastatic GTT

① 정의

: Invasive mole 또는 Choriocarcinoma의 증상이 있으면서 병소가 자궁체부를 넘어서 존재하는 경우

② 빈도

: Complete mole 제거 후 약 4%

③ 전이 장소 ★

- 전이는 choriocarcinoma와 같은 경향이다.
- 전이성 종양은 출혈성 경향이 있다.

Ⓐ Lung(80%)

Ⓑ Vagina & Vulva(30%)

Ⓒ Pelvis(20%)

Ⓓ Brain(10%)

Ⓔ Liver(10%)

④ 임상 증상

Ⓐ 폐전이

- 흉통, 기침, 객혈, 호흡곤란, 무증상 병변 등
- 흉부 X-ray 소견

㉠ An alveolar or “snowstorm” pattern

㉡ Dicrete rounded densities

㉢ Pleural effusion

㉣ An embolic pattern caused by pulmonary arterial occlusion

Ⓑ 질 전이

㉠ 요도 주위 전이가 가장 흔하다.

㉡ 고약한 냄새가 나는 초콜릿 색깔의 분비물

2. GTT의 예후 인자

1) 예후가 좋지 않은 경우 = high risk pts ★

★ ① serum β-hCG level이 >40,000 mIU/mL 인 경우 (> 100,000 U/24hrs urine)

★ ② 종양 연령- 선행 임신 후 화학요법 치료까지의 기간이 긴 경우(>4 mon)

★ ③ 선행임신의 상태 - 정상분만(term pregnancy)일 경우 가장 예후가 나쁨

다음이 유산, 포상기태 순

임신 기간과 예후 사이에는 상관 관계가 없다.

★ ④ Brain or Liver 전이

★ ⑤ 부적절한 선행 화학요법(Unsuccessful prior chemotherapy)

★ ⑥ WHO score ≥ 7

⑦ 연령 > 40세

⑧ 종양의 크기 - 3 cm 이상인 경우

⑨ ABO 혈액형

- 부부의 ABO 혈액형이 부적합 교접(A×O)인 경우

  환자의 혈액형이 B형 또는 AB형인 경우

⑩ 조직학적 림프구 침윤 여부

- 조직소견상 단핵세포 침윤이 많거나, 종양과 숙주조직 사이에 섬유침착이 많으면 예후가 좋다.

⑪ 유전적 요인

⑫ HLA antigen에 대한 면역반응

2) 진단 지연에 따른 초기 위험 인자

① 출혈

② 암세포의 전이

③ Pulmonary embolism

3) 부적절한 진료에 따른 후기 위험 인자

① 항암제에 저항성을 보이는 암세포군의 생성

② 수술로 인한 항암제 치료의 지연

③ 항암제 선택의 오류

3. 임상 분류

1) 예후 점수제 분류 ☆

Gestational trophoblastic tumor의 예후 점수제				
Factor	Score			
	0	1	2	4
1. Age(years)	≤ 39	〉39		
2. Antecedent pregnancy	H-mole	Abortion	Term	
3. 선행임신 종결로부터 화학요법 시작까지의 기간(months)	〈4	4~6	7~12	〉12
4. hCG (IU/L)	〈 10^3	10^3~10^4	10^4~10^5	〉 10^5
5. ABO groups		O or A	B or AB	
6. Largest tumor, including uterus(cm)	〈3	3~5	〈5	
7. Site of Metastasis		Spleen,Kidney	GI tract,	Brain, Liver
8. Number of metastasis		1~4	5~8	〉8
9. Prior chemotherapy			1 drug	≥ 2 drugs

●Total score : 〈 7, Low risk : ≥ 7, High risk

✚ POINT!

주의!

lung, pelvis, vagina metastasis의 경우, 전이 부위 숫자에 포함되지 않음.

2) 병기 분류 ☆

Staging of Gestational Trophoblastic Tumors	
Stage Ⅰ	Disease confined to uterus
Stage Ⅱ	GTN extending outside uterus but limited to genital structures(adnexa, vagina, broad ligament)
Stage Ⅲ	GTN extending to lungs with or without known genital tract involvement
Stage Ⅳ	All other metastatic sites

4. 진단 방법과 치료전 평가

Gestational trophoblastic tumor의 치료전 평가
A. 기본 검사(Standard work-up) 1. Complete history • 월경력(Menstrual history) • 산과력(Obstetric history) • 선행 임신(Antecedent pregnancy) • 치료 종류와 내용(Treatment history) - 자궁소파술, 복강경, 시험적 수술 • 항암화학 요법제(Chemotherapy agents) 2. Physical examination 3. serum hCG level 4. Function test • Liver, Kidney, Lung, Thyroid • Coagulation test 5. Hematologic test • WBC, RBC, Platelet, ABO typing, Rh typing 6. Stool occult blood (3회) B. 전이 여부 검사 1. Physical & Pelvic examination ★ 2. Chest X-ray , CT scan ★ 3. UGS or CT scan으로 복강과 골반 검사 4. CT or MRI scan으로 뇌 검사 5. CSF hCG level ★ • 다른 곳 전이가 있으면서 Brain CT scan은 음성일 경우 6. 복부나 골반 장기 (Liver, Kidney, Uterus 등)에 대한 Selective angiography를 필요와 적응에 따라 시행

5. 각 병기와 위험도에 따른 치료 및 추적 관찰

각 병기에 따른 임신성 융모상피종양 환자의 치료지침

1. Stage Ⅰ
   ① Initial
   - Single-agent chemotherapy or Hysterectomy + Adjuvant chemotherapy

   ② resistant
   - Combination chemotherapy
   - Hysterectomy + Adjuvant chemotherapy
   - Local resection
   - Pelvic infusion

2. Stage Ⅱ & Ⅲ
   A. Low risk
   ① Initial
   - Single-agent chemotherapy

   ② Resistant
   - Combination chemotherapy

   B. High risk
   ① Initial
   - Combination chemotherapy

   ② Resistant
   - Second-line combination chemotherapy

3. Stage Ⅳ
   ① Initial
   - Combination chemotherapy
   - Brain - Whole-heat irradiation (3,000cGy) Craniotomy to manage complication
   - Liver - Resection to manage complication

   ② Resistant
   - Second-line combination chemotherapy
   - Hepatic arterial infusion

4. Follow up
   1. Stage Ⅰ~Ⅲ
   ① hCG : 3주 연속 정상값을 보일 때까지 매주 측정. 그 후, 12개월 연속 정상값을 보일 때까지 매달 측정
   ② 피임 : hCG 추적 검사기간 동안 실시
   2. Stage Ⅳ
   ① hCG : 3주 연속 정상값을 보일 때까지 매주 측정. 그 후, 24개월 연속 정상값을 보일 때까지 매달 측정
   ② 피임 : hCG 추적 검사기간 동안 실시

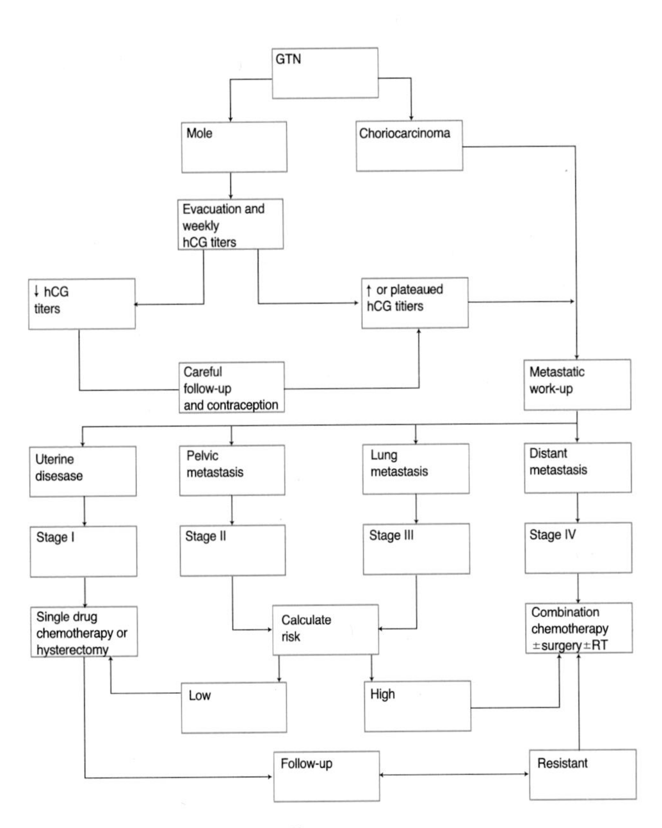

▶ Persistent gestational trophoblastic tumor의 Management

6. 항암화학요법

1) Single-Agent chemotherapy

① Nonmetastatic, low-risk metastatic GTN

② 종류 : Actinomycin D

MTX (methotrexate)

MTX-FA (folinic acid=leucovorin, MTX의 anttidote) → primary choice

2) Combination chemotherapy

① Resistant to Single-Agent chemotherapy, high-risk metastatic GTN

② 종류 : EMA-CO (Ectoposide+MTX + Actinomycin D + Cyclophosphamide + Vincristine)

EMA-EP

• 약제 교체의 적응증

① 치료 반응이 부적절한 경우

② 약제에 내성을 보이는 경우

③ 새로운 Metastatic lesion이 있거나 기존 병변의 크기가 증가할 때

④ 생명을 위협하는 심한 약제 독성이 발생할 때

7. 보조적 자궁 적출술

1) 정의 및 목적

• 화학요법 치료가 장기간 소요되는 경우 경쾌 전에 안전하고 빨리 치유시키기 위한 목적으로 자궁적출술을 시행하고, 수술 후로부터 완전 치유 수준에 이를 때까지 화학요법치료를 계속하는 것

• 전이를 예방하기 위해 시행하는 것은 아님

융모상피암 환자의 자궁적출술의 적응증 ☆

1. 자궁에 국한된 환자 중
   ① Old age(〉35세)
   ② 임신을 원하지 않는 환자
   ③ Drug resistance or toxicity
2. 합병증
   ① 과다한 자궁 출혈(Uterine perforation etc)
   ② Uncontrolled uterine infection
3. 태반부착부 융모상피성종양(Placental site trophoblastic tumor)

8. 다음 임신 시의 대책

- 성공적 치료 후에 정상 임신을 기대할 수 있다.
- 선천성 기형의 빈도는 증가하지 않는다.

Persistent Gestational Trophoblastic Neoplasia 뒤의 임신의 예후	
1. 66.9%	term live birth
2. 18.1%	1st and 2nd trimester 자연유산
3. 6.7%	preterm deliveries
4. 1.1%	ectopic pregnancies
5. 1.4%	stillbirths
6. 1.7%	repeat molar pregnancies
7. 2%	major and minor congenital anomaly 〈Berek & Novak's Gynecology 15판 p.1476〉

+ POINT!

PGT Neoplasia 뒤 임신시 필요한 검사
: Pelvic US(1st trimester), β-hCG(임신 종결 6주간)

30 외음부, 질의 침윤성 종양

Power Gynecology

Section A. Vulvar cancer

I. 외음부의 전암성 병변(Premalignant lesion of Vulva)

1. External genitalia의 premalignant lesion

1) Veneral disease

① granuloma inguinale

② LGV (lymphogranuloma venereum)

2) White lesion

① leukoplakia

② Lichen sclerosis

3) Benign tumor

① condyloma accuminatum

② Nevus

4) Carcinoma in situ

① Bowen's disease

② Paget's disease (breast도 침범)

③ Erythroplasia

2. Treatment

1) Solitary lesion : Wide local excision ★

2) Multicentric lesion : Simple vulvectomy

II. 외음부 상피내종양(Vulvar intraepithelial neoplasia or pre-malignant and related disease of the vulva)

1. 외음부 상피질환의 분류

1) 비종양성 상피질환(non-neoplastic epithelial disorders of skin and mucosa)

① 경피성(위축성) 태선(Lichen sclerosis et atrophicus)

② 편평상피 비후증(Squamous hypertrophy, formerly hypertrophic dystrophy)

③ 기타 피부질환

2) 상피 내종양(vulvar intraepithelial neoplasia)

(1) 편평상피성 종양(Squamous intraepithelial neoplasia) – HPV 감염이 관련됨

① VIN 1(mild dysplasia), 2(moderate dysplasia), 3(severe dysplasia or CIS)

② 소음순과 질입구(introitus)에 가장 흔히 발생 - VIN 3은 unifocal 또는 multifocal한 양상으로 나타나는데, multifocal VIN은 특징적으 로 대음순에 작은 착색 병변으로 나타남.

③ 기타 - 항문윤문(anal areolar), 항문강(anal cavity), 둔근열(intergluteal cleft)

(2) 비편평상피성 종양(Nonsquamous intraepithelial neoplasia)

① 파제트씨 병(Paget's disease)

Ⓐ 역학 및 증상

㉠ 폐경기 백인 여성에 호발, 주로 소양증 호소

㉡ 음모가 있는 부위에 eczematoid appearance가 보임

㉢ 대개 상피내암(Carcinoma in situ) - 일부에서 기저의 선암(adenocarcinoma) 있음.

Ⓑ 진단(punch biopsy) [DOC]

㉠ 조직 생검상 Paget 세포가 특징적

㉡ 표재성 흑색종(superficial melanoma)과 감별이 필요

© 치료

㉠ 광범위한 국소 절제술

㉡ 침윤이 있으면 광범위 외음부 절제술(radical vulvectomy) 및 림프절 절제술

② Tumor of Melanocytes, noninvasive

Classification of Epithelial Vulval Diseases
Nonneoplastic epithelial disorders of skin and mucosa
Lichen sclerosis (lichen sclerosis et atrophicus) Squamous hyperplasia (formerly hyperplastic dystrophy) Other dermatoses
Mixed nonneoplastic and neoplastic epithelial disorders
Intraepithelial neoplasia
Squamous intraepithelial neoplasia VIN 1 VIN 2 VIN 3(severe dysplasia or carcinoma in situ) Nonsqamous intraepithelial neoplasia Paget's disease Tumors of melanocytes, noninvasive
Invasive tumors

VIN, vulvar intraepithelial neoplasia
From Committee on Teminology, International Society for the Study of Vulval Disease.
New nomenclature for vuval disease. Int J Gynecol Pathol 1989;8;83, with permission

2. 임상증상 및 진단

1) 증상

① 가려움증이 공통적인 증상

위축성 태선인 경우 밤에 더 심하다.

② 이차적으로 성교 불쾌증(dyspareunia), 통증(soreness), 작열감(burning sensation)

③ 젊은 여성에서 자궁경부 및 질의 상피내암(CIN, VAIN)이 발견될 경우에는 반드시 외음부, 항문 주위의 면밀한 검사가 수반되어야 함.

외음부 상피내 종양의 연령별 특징		
	50세 이하	50세 이상
Mean age	39세	60세
Peak age	28세	57세
Multifocal	Mainly	Rarely
Multicentric	Mainly	Rarely

3. 치료

1) 비종양성 상피질환

- 원칙적으로 국소도포
- 비후성 위축증 시에는 외과적 절제

(1) 위축성 태선

① Testosterone propionate(0.5~3 %)를 국소도포

(2) 편평상피 비후증

① Corticosteroid 연고 국소도포

VIN 3은 특히 폐경 전에 많으므로 미용적인 면도 고려.

2) VIN

① VIN : VIN 3은 진행이 흔하지 않으므로 광범위 수술은 불필요(대안으로서, 단순 절제술, 레이저 파괴술, 표면적 외음절제술±허벅지나 엉덩이에서 부분층피부이식(spilt thickness skin graft)).

3) Paget's disease

거의 암으로 생각하고 치료.

① 절제면 음성이 될 때까지 완전 절제를 위한 수술 중 동결절편 수시 확인 필요.

② VIN 3과 달리 병변이 광범위하여 광범위 국소 절제술(wide local excision) 시행.

③ 기저의 Adenocarcinoma 동반 확인을 위하여 하부 진피도 제거하고, Adenocarcinoma 존재 시 동측의 서혜부 림프절절제술 시행.

④ 침습암은 squamous vulvar cancer에서와 같이 치료

III. 침윤성 외음부암(Invasive cancer of Vulva)

1. 빈도

- female genital tract의 malignancy의 4%
- 조직학적 유형에 따른 발생 빈도

① Squamous 92%

② Melanoma 2~4%

③ Basal cell 2~3%

④ Bartholin gland 1%

⑤ Metastatic 1%

⑥ Verrucous <1%

⑦ Sarcoma <1%

⑧ Appendage rare

2. 역학

(1) 호발 연령 – 고연령층(65~76세)

(2) 원인

• 역학적으로 cervical cancer의 위험 인자와 비슷하여 다발성 하부 생식기 신생물 병력, 면역억제 상태, 흡연 등이 포함된다.

① Basaloid or warty type : 주로 younger pt, multifocal한 경향, HPV infection, VIN, 흡연과 연관성

② Keratinizing type : 주로 older pt, unifocal한 경향, 경피성 태선, 편평상피 비후증과 연관성(HPV와는 무관)

3. Invasive squamous cell carcinoma

1) 평균 연령 – 65세

2) 증상

① 침윤성 외음부암의 90~92%

② 대부분 무증상

③ 외음부 소양감, 외음부 혹 또는 종괴가 흔함

④ 출혈, 궤양, 분비물, 통증, 배뇨곤란은 덜 흔함

⑤ 대음순과 소음순에 호발(60%)

3) 진단 – Punch biopsy

① 의심스러운 모든 부위에서 Wedge biopsy 시행

② 병변이 1 cm 이하이면 Excisional biopsy 시행이 바람직

4) 파급 경로(Routes of spread)

① Direct extension

② Lymphatic embolization to regional lymph nodes

③ Hematogenous spread

5) Staging

FIGO staging and TNM classification for Vulvar Cancer(2008)		
FIGO Stage	**TNM**	**Clinical/Pathological findings**
Stage ⅠA	$T_1N_0M_0$	Lesions ≤ 2cm in size, confined to the vulva or perineum and with stromal invasion ≤ 1mm,* no nodal metastasis
Stage ⅠB	$T_{1b}N_0M_0$	Lesions ≤ 2cm in size or with stromal invasion >1mm, confined to the vulva or perineum with negative nodes
Stage Ⅱ	$T_2N_0M_0$	Tumor of any size with extension to adjacent perineal structures (1/3 lower urethra, 1/3 lower vagina, anus)with positive inguino-femoral lymph nodes
Stage Ⅲ		Tumor of any size with or without extension to adjacent perineal structures (1/3 lower urethra, 1/3 lower vagina, anus)with positive inguinofemoral lymph nodes
ⅢA	$T_{1or\ 2}N_{1b}M_0$ $T_{1or\ 2}N_{1a}M_0$	(i) with 1 lymph node metastasis (≥5 mm) or (ii) 1-2 lymph node metastasis(es) (〈5 mm)
ⅢB	$T_{1or\ 2}N_{2b}M_0$ $T_{1or\ 2}N_{2a}M_0$	(i) with 2 or more lymph node metastasis (≥5 mm) or (ii) 3 or more lymph node metastases (〈5 mm)
ⅢC	$T_{1or\ 2}N_{2c}M_0$	with positive nodes with extracapsular spread
Stage Ⅳ		
ⅣA	$T_3N_{any}M_0$	Tumor invades any of the following: (i) upper urethral and/or vaginal mucosa, bladder mucosa, rectal mucosa, or fixed to pelvic bone or (ii) fixed or ulcerated inguino-femoral lymph nodes
ⅣB		Any distant metastasis including pelvic lymph nodes

FIGO, International Federation of Gynecology and Obstetrics, TNM, tumor/node/metastasis
aTNM Classification:

T: Primary tumor
Tx: Primary tumor cannot be assessed
T_0: No evidence of primary tumor
Tis: Carcinoma in situ (preinvasive carcinoma)
T_{1a}: Lesions ≤ 2 cm in size, confinded to the vulva or perineum and with stromal invasion ≤ 1 mm
T_{1b}: Lesions ≤ 2 cm in size or any size with stromal invasion 〉 1 mm, confined to the vulva or perineum
T_2: Tumor of any size with extension to adjacent perineal structures(lower 1/3 of urethra, lower of 1/3 vagina, anal involvement
T_3: Tumor of any size with extension to any of the following : upper 2/3 of urethra, upper 2/3 of vagina, bladder mucosa, rectal mucosa, or fixed to pelvic bone

N: Regional lymph nodes (femoral and inguinal nodes)
Nx: Regional lymph nodes cannot be assessed
N_0: No regional lymph node metastases
N_1: One or two regional lymph node metastases with the following features:
N_{1a}: One or two lymph node metastases each 〈 5 mm
N_{1b}: One lymph node metastasis ≥ 5 mm
N_2: Regional lymph node metastases with the following features
N_{2a}: ≥ 3 lymph node metastases each 〈 5 mm in diameter
N_{2c}: lymph node metastases with extracapsular spread
N_3: Fixed or ulcerated regional lymph node metastasis
M: distant metastasis
M_0: No distant metastasis
M_1: Distant metastasis (including pelvic lymph node metastasis)

* The depth of stromal invasion is measured from the epithelial-stromal junction of the adjacent most superficial dermal papilla to the deepest point of invasion.
FIGO Committee on Gynecologic Oncology. Revised FIGO staging for carcinoma of the vulva, cervix and endometrium. Int J Gynecol Obstet 2009; 105:103-104(31).
American Joint Committee on Cancer. AJCC Cancer Staging Manual. 7th ed. Chicago, illinois: Springer New York, Inc,.2010

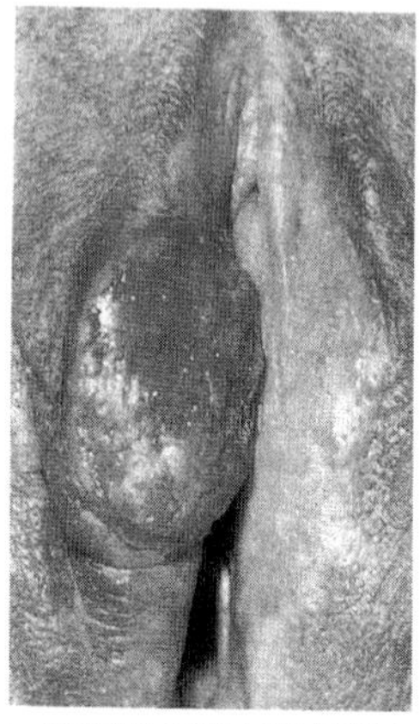
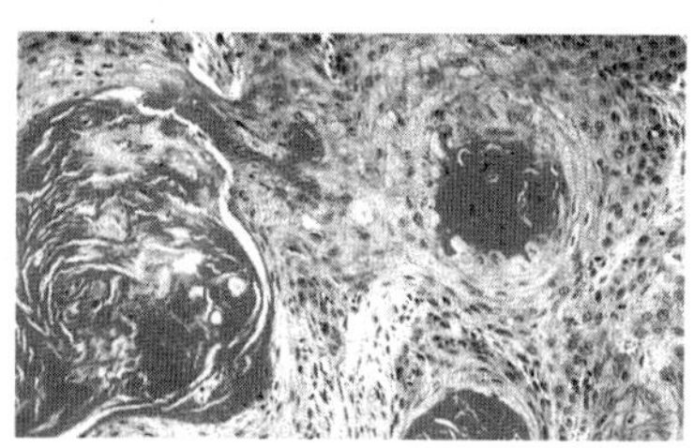

▶ 외음부암의 육안적 소견과 현미경적 소견

6) 치료

(1)Early vulvar cancer (T1-2)

① Primary lesion의 치료

Ⓐ wide local excision ★ : stroma를 1 mm 미만 침범하면서 2 cm 이하 크기인 microinvasive cancer일 때

Ⓑ wide local excision : 1 cm 안전경계를 두고 절제

Ⓒ 젊은 여성에서는 가능한 한 많은 외음부 부위를 보존하는 것이 바람직(특히 외음부 측면 또는 후면의 병변은 wide local excision이 가장 적합 → Clitoris 보존)

Ⓓ Clitoris 주변을 침범하는 병변 - 일차 병변 치료 + RT

② 서혜 림프절의 치료

Ⓐ Stromal invasion <1 mm - 림프절 절제 생략 가능

(∵ Stromal invasion이 1 mm 미만인 경우는 Lymph node metastasis의 위험이 없다.

Ⓑ Stromal invasion ≥1 mm

→ 반드시 Inguinal-Femoral lymphadnectomy 시행 ★

(∵ 서혜 림프절을 절제하지 않고 재발한 경우는 Mortality가 매우 높다.)

(2) Invasive vulvar cancer

① 치료 방법

- Radical vulvectomy & Bilateral inguinal-femoral lymphadenectomy ★

② 수술 후 합병증

Ⓐ 초기 합병증

㉠ 서혜부 창상감염, 괴사, 수술부위 벌어짐(85%)

㉡ 요로감염, Seroma in femoral triangle, Deep venous thrombosis, Pulmonary embolism, MI, Hemorrhage

Ⓑ 후기 합병증

㉠ Chronic lymphadema가 주요 합병증(30%)

㉡ Recurrent lymphangitis, Cellulitis

㉢ Stress incontinence, Genital prolapse

(3) Advanced disease – Large T2 or T3 primary tumor

- 치료 방법

① Pelvic exenteration with radical vulvectomy and inguinal-femoral lymphadectomy

② Preoperative radiation with or without concurrent chemotherapy + radical vulvectommy and bilat. groin dissection.

(4) Advanced disease – Bulky positive groin nodes

- Management

① enlarged node 확인하기 위해 pelvic에 대한 CT, US 시행

② enlarged node는 separate-incision 방법으로 제거하여 frozen-section diagnosis 시행

- frozen-section diagnosis에서 전이가 없으면 Full groin dissection 시행

③ CT, US에서 커져있는 모든 골반 림프절은 복막외 방법으로 제거

④ 서혜 절개가 치유되는 대로 가능한 한 빨리 골반과 서혜부 방사선 조사 시행

7) 예후

(1) 5년 생존율 : 수술 가능한 경우 약 70%

림프절 전이 없는 경우 약 90%

(2) 예후 인자 ★

① 림프절의 전이 여부 - 가장 중요한 단일 예후 인자

② Tumor ploidy

③ Tumor size

4. Malignant melanoma

1) 특징

① Vulva cancer 중 두 번째로 흔함(4~10%)

② 폐경 후의 백인 여성에서 호발

③ 호발 부위 - 소음순, 음핵

2) 치료

① 침윤 깊이가 1mm 미만인 경우

- Radical local excision alone

② 침윤 깊이가 1mm 이상인 경우

- Radical local excision with groin node dissection

5. Bartholin gland carcinoma

1) 특징

① 외음부암의 2~7%

② 다양한 조직학적 형태의 암이 발생 가능 ← 종양이 gland or duct에서 발생

2) 치료

① Hemivulvectomy or radical local excision

② Postoperative radiation - 국소적 재발 감소

6. Basa cell Cancer

1) 특징

① 대음순에 흔히 발생

② Basosquamous carcinoma-Malignant squamous component가 혼합된 형태

→ Squamous cell carcinoma에 준한 치료

2) 치료

• Radical local excision

Section B. Vaginal cancer

I. 질상피 내 종양(Vaginal intraepithelial neoplasia, VAIN)

1. 임상 고찰

- HPV 감염과 연관
- 자궁경부 상피 내 종양(CIN)과 동시에 또는 그 후에 발견되는 경우가 많다.(∵ HPV)

2. 증상

- 외음부 사마귀나 사마귀로부터 냄새나는 질분비물을 호소

3. 선별 검사

- 대부분 자궁경부 상피 내 종양을 동반 → Pap 검사에 양성

4. 진단

- 질확대경 검사 & 질확대경 조준화 조직검사- 진단에 m/i
- Classification

  ① VAIN 1 : 심한 koilocytosis

  ② VAIN 2 : 두터운 acetowhite 상피, 요도흡수(iodine uptake)가 잘 안됨

  ③ VAIN 3 : 표면은 유두상 돌기(papillar), 적점반(punctation)과 mosaicism의 혈관상

5. 치료

① VAIN 1 : 관찰(대부분 자연 소멸)

② VAIN 2 : 레이저 박리요법(Laser ablative therapy)

③ VAIN 3 : Laser therapy, Upper vaginectomy, Total vaginectomy(+ 질성형술)

- 수술적 치료

  ※ 냉동치료(cryotherapy)는 vagina에서 금기(손상의 깊이조절 어려움과 방광 및 직장 손상 가능)

  - 질확대경 하에 전기수술 공소작술(ball cautery)로 표면방전요법(superficial fulguration)
  - 국소절제술 : 질 점막 제거. 질 절제술(부분 혹은 질 전체의 점막 제거)

- 절제술은 특히 상부 질 병변의 작은 영역일 때 매우 효과적

• 비수술적 치료

- 5-FU : 넓거나 다발성 병변
- 방사선 근접치료 : 합병증 때문에 일차 치료 실패 시 고려

※ 악성화의 잠재성은 CIN > VAIN

II. 침윤성 질암(Invasive cancer of Vagina)

1. 역학

1) 호발 연령

• 폐경 이후의 고령에 호발

2) 조직학적 유형

• Squamous cell carcinoma가 대부분(80~90%)

3) 발생 부위

(1) 질 상부⅓ – 50% 이상(m/c)

①Posterior wall을 가장 많이 침범

②Lymphatic spread

Anterior wall : → Pericervical & Vesical lymphatics → Internal & External iliac LN

Posterior wall : → Obturator & pararectal & aortic LN

(2) 질 중간부 – 19%

(3) 질 하부 1/3 – 30%

2. 증상

(1) Painless vaginal Bleeding & Discharge(m/c)

(2) Urinary retention, Bladder spasm, Hematuria, Frequent urination

(3) Rectal symptom – Posterior vaginal wall 침범시

3. 진단

(1) Abnormal Pap test로 의심

(2) Targeted biopsy – 확진

(3) Partial vaginectomy to determine invasion

4. Pattern of Spread

(1) Direct extension(m/c)

(2) Lymphatic metastasis

(3) Hematogenous dissemination

5. Staging

FIGO staging of Vaginal cancer	
Stage Ⅰ	Limited to the Vaginal wall
Stage Ⅱ	Involve the Subvaginal tissue, but has Not extended to the Pelvic wall
Stage Ⅲ	extended to the Pelvic wall
Stage Ⅳ	extended beyond the true pelvis or Involved the mucosa of the bladder or rectum
Stage ⅣA	invade bladder and/or rectal mucosa and/or direct extension beyoun the true pelvis
Stage Ⅳb	spread to distant organs

6. 치료

1) Radiation therapy

① surgery가 필요한 경우를 제외하고 나머지 환자에서 treatment of choice

② intracavitary radiation or teletherapy + intracavitary and interstitial radiation

2) Surgery

① upper post. vagina 포함하는 stage Ⅰ : radical vaginectomy+pelvic lymphadectomy

② rectovaginal or vesicovaginal fistula가 있는 stage Ⅳ : pelvic exenteration

③ radiation therapy 후 central recurrence 시 : pelvic exenteration

3) Stage III, IVa

• 모든 환자에서 ERT를 시행하고 가능하면 Radiation therapy 병행

7. 예후 및 추적 검사

- 평균 5년 생존율 - 42%
- 첫번째 치료후 재발율 - 40%

1) 추적 검사

① 질세포진 검사를 포함한 내진을 치료 1년 후까지 매월 시행

② 이후 2년은 2개월마다 시행

③ 그 이후로 매 6개월마다 정기 검진

④ 매년 IVP 및 Chest X-ray 검사

Primary Vaginal Carcinoma: 5-year Survival			
Stage	No. of Patients	No. Surviving 5 Years	Percentage
I	172	118	68.6
II	236	108	45.8
III	203	62	30.5
IV	114	20	17.5
Total	725	308	42.5

8. 포도육종(sarcoma botryoides)

① 5세 이하 소아에 호발하고 대개 치명적인 코스를 가진다.

② 부위 : 상부질

③ 육안적 소견 : 질로부터 돌출하는 분홍색의 포도같은 부종성 폴립

④ 치료 : 전질절제술과 근치자궁절제술

31 유방 질환

Power Gynecology

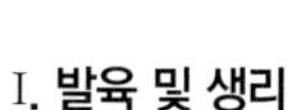

I. 발육 및 생리

1. 발육

• Breast: 외분비 기관

1) 태아기 : 여러개의 milk streak

2) 임신 3개월 : 제 5늑골 중앙부(pectoral portion)의 1개만 남고 나머지는 퇴화

3) 사춘기 : estrogen & progesterone에 의해 유선관의 증식과 선포가 생기면서 유방 발육

(1) 유방 발육에 영향을 미치는 hormones

① Estrogen

② progesterone

③ 부신 및 뇌하수체 호르몬

④ 인슐린

⑤ 갑상선 호르몬

2. 생리

1) 월경 전

소엽 내(intralobular) 부종 → 팽창, 결절(nodularity), 유방통

2) 월경 시

유선관의 위축

3) 월경 후

유선관의 증식 및 확장, 유선관 주위조직의 증식 → breast가 커지고 단단해짐

4) 임신 시

(1) 임신 초기~중기

- 난소호르몬의 혈중농도가 높게 유지
  → 섬유성 간질(stroma)의 양이 감소, 단위선엽체(lobular unit)의 증식
  → 많은 새로운 선포(acini)와 선엽체가 생김
  → 임신중 유선증(adenosis)

(2) 임신 후기

- prolactin 농도가 증가, estrogen과 progesterone의 농도는 감소

(3) 분만 직후

- 여성호르몬의 혈중농도가 급격히 감소
  → prolactin농도가 상대적으로 증가
  → 모유분비

(4) 수유기

- 유두자극
  → Oxytocin 작용
  → 유선관 주위의 근상피세포의 수축작용
  → 모유의 분출을 도움

5) 폐경 후

- 난소호르몬의 분비가 중단
  → 유방 퇴화(유선관 상피세포 수 감소, 지방침착증가, 간질조직 감소, 유선엽 소실)

II. Anatomy of the breast

1. Development

① Skin & glands of ectodermal origin

2. Boundary

① upper — second rib

② lower — sixth rib

③ medial — sternal edge

④ lateral — mid-axillary line

3. Average diameter and thickness

① diameter : 10~12 cm

② thickness : 5~7 cm

4. Contour

① conical configuration : nulliparous

② pendulous configuration : parous

5. Composition

1) Skin

(1) Hair follicles, sebaceous glands, eccrine glands

(2) Nipple

① 위치 : fourth intercostal space

② no hair follicles and sweat glands

③ sebaceous glands (+), hair follicle (−)

(3) Areola

① 모발, 한선, 피지선, 부유방선

② Morgagni's tubercles(sebaceous glands)

③ Montgomery's tubercles(accessory areolar gland)

2) Subcutaneous tissue

① fat, connective tissue, blood vessels, nerves and lymphatics를 함유

3) Breast tissue

① parenchyma(실질) > stroma(간질)

② acini → lobule → duct → milk sinus → opening

• Cooper's ligament : 결체조직의 섬유성 밴드로 유방을 흉벽에 고정, 유지시키는 역할

6. Vascular supply

① Axillary A & V → lateral thoracic a(유방 외측), internal mammary a(유방 내측)

② Intercostal A & V ← descending thoracic aorta

③ Internal mammary A & V ← subclavian a

7. Lymphatic drainage

• 암세포의 전이에 중요한 역할, 액와부로 림프의 97% 유출

① Level I – 소흉근(pectoralis minor)의 바깥쪽에 위치

② Level II – 소흉근의 아래쪽

③ Level III – 소흉근의 안쪽

III. Breast Symptom

• 유방질환의 3대 증상(병원을 찾게 되는 이유)

① 유방종괴

② 통증

③ 유두분비물

1. 유방 종괴

① 폐경 전후 여성들의 m/c Sx

② 유방진찰시기 → 월경 후 5일 이후

• 양성종괴 vs 악성종괴

양성 종괴	악성 종괴
① 표면이 매끄럽다. ② 잘 움직임 ③ 종괴의 경계가 명확	① 종괴가 단단 ② 평면이 매끄럽지 못하다. ③ 주위조직과의 경계가 불확실 ④ 무통성 종괴 ⑤ 피부나 흉벽등에 고정되어 잘 움직이지 않음

2. 유방통(Mastalgia)

- 폐경 전 여성에서 흔히 보는 증상
- 대개 생리적 변화에 의한 것
- 만약 30~50대 여성에서 종괴촉지와 함께 통증시 정밀검사요함

1) 원인

① 주기성 유방통(cyclic mastalgia)

Ⓐ 전체 유방통의 70%

Ⓑ 주로 30, 40대에서 나타나며 양측성

Ⓒ 월경주기가 되면 유방은 팽팽해지면서 유방전체에 걸쳐 둔한 통증

② 비주기성 유방통(noncyclic mastalgia)

Ⓐ 주로 40, 50대에서 나타나며 대개 일측성, 국한성, 심한 통증을 수반

Ⓑ 대표적으로 유선관 확장증(ductal ectasia)

Ⓒ 지속적이며 비교적 얇은 부위에 걸쳐 장기간 통증

→ Sclerosing adenosis

2) 치료

① 유방암의 의심이 없으면 경과 관찰

② 증상이 심하면 진통제 사용(7~10일)

③ 조금이라도 유방암을 의심할 수 있는 소견 → 세심한 검사 시행

3. 유두분비물(Nipple discharge)

1) 유두분비물의 원인별 유형

(1) 생리적 유두분비물(physiologic nipple discharge)

① 양상 : 맑거나 우유빛깔, 양측성

② 원인 : 반복자극, 성적 자극, 임신, 호르몬 치료, prolactinoma, chloropromazine, 피임약

(2) 병적 유두분비물(pathologic nipple discharge)

① 양상 : 혈액상 또는 엷은 장액-혈액상(sero-sanginous)

때로 맑거나 녹색, 회색, 갈색

② 붉은 색상 : intraductal papilloma

Type of Nipple Discharge			
Spontaneous		Provoked	
Physiologic	Pathologic	Physiologic	Pathologic
1. Pregnancy 2. Lactation 3. Galactorrhea 4. Ductal ectasia	1. Benign neoplasm 2. Malignant neoplasm 3. Galactorrhea 4. prolactin ↑	1. Postovulatory 2. Stimulation Sexual Aerobics Jogging Breast self exam 3. Ductal ectasia	1. Breast self exam 2. postmenopausal

2) 진단

① 병력 및 유방 촉진

② 유방영상촬영술

③ 세포검사(cytology)

④ 유선관경(Ductoscope)

IV. Diagnosis

1. History

2. Sign & Symptom

① 통증, 압통, 열

② nipple discharge(유두분비), skin dimpling(피부함몰)

③ palpable mass(종괴촉지)

3. Physical examination

• by Self or Physician

1) Components of the clinical evaluation of breast cancer by P/Ex

(1) Breast mass

① size (measured)

② location (clock position, distance from areola)

③ consistency

④ fixation to skin, pectoral muscle, chest wall

(2) Skin changes

① erythema

② edema

③ dimpling

④ satellite nodules

⑤ ulceration

(3) Nipple changes

① retraction

② discoloration

③ erosion

④ discharge : color, location

(4) Nodes

① axillary : size, number, fixation

② supraclavicular

③ subclavicular

2) 검사시기 및 준비자세

(1) 시기 : 월경 후 3~5일경(월경시작일로부터 7~10일경)

(2) Confirm 안될 시 repeat exam : 1 month later or after next menstrual period

(3) Sitting and supine position

(4) Arm : hanging, hands over head, hands on her hips

3) Inspection with sitting or standing

(1) Relaxed arms

• 관찰사항

① symmetry

② contour

③ skin appearance

: erythema, edema, skin dimpling, nipple retraction, nipple discharge

(2) Arms above head and hands on hips

• 관찰사항 : pectoralis contraction, Coopers ligament distortion

→ Skin dimpling, nipple retraction

4) Self examination

(1) 최적시기 : 20세 이상, 월경 후 3~5일경 ★

(2) 방법

- 어깨 밑에다 베개를 댄 상태로 nipple에서 margin 쪽으로

5) Palpation

(1) 시기 - 월경 후 5~7일 사이

(2) 만일 월경주위기에 환자가 왔을 경우 1~2주 후 재진찰 요함

(3) Tenderness, Nodularity

(4) Cancer : nontender, firm & fixed mass, unclear margins 등이 있을 때 의심

(5) Techniques

• 반드시 환자가 relaxed된 상태에서, 밝은 조명아래서 시행

① Supine position이 가장 효과적

② medial half 검사 시에는 팔을 내리고, lateral half 검사 시에는 팔을 듦

③ Gentle palpation with finger flat (no finger tip) & quadrant by quadrant

④ Skin temperature, turgor, thickness도 check

⑤ smooth, movable, firm, separable from tissue → benign lesion

⑥ cancer와 cystic change는 upper lateral quadrant에 m/c 발생

⑦ Axillary Lymph node palpation: 보조자가 환자의 팔을 들고 palpation

4. Mammography

Nonpalpable breast cancer의 detection에 사용

• One cell (doubling time: 100일) : 8년 → 1 cm

• mammogram-detectable but nonpalpable size : 2년 → palpable sized

1) Indication ★

① To screen, at regular intervals, women at high risk for developing breast ca.

② To evaluate a questionable or ill-defined breast mass or other suspicious change in the breast

detected by clinical breast exam

③ To establish a baseline breast mammogram and reevaluate patients to diagnose a potentially curable breast ca. before it has been diagnosed clinically

④ To search for occult breast ca. in a patient with metastatic dz. from an unknown primary origin

⑤ To screen for unsuspected ca. before cosmetic op. or biopsy of a mass

⑥ To monitor breast ca. patients who have been treated with a breast-conserving surgery and radiation

2) 12 Cardinal Signs ★

① Direct signs : probability of malignancy

Ⓐ identification of clustered microcalcifications

- irregular, branching, uneven

Ⓑ presence of a mass lesion (radiodense area)

Ⓒ asymmetric diffuse density

Ⓓ segmental parenchymal rigidity

Ⓔ focal or segmental parenchymal retraction

② indirect signs

Ⓐ neoangiogenesis

Ⓑ peritumoral lipogenesis

Ⓒ intramammary fibrosis or desmoplasia

Ⓓ volumetric asymmetry of breast parenchyma

Ⓔ skin thickening

Ⓕ intramammary lymph node metastasis

Ⓖ axillary lymph node metastasis

3) Benign

① false positive rate in benign breast lesion: 15~20%

(특히 Young women, dense little fat breast인 경우↑)

② 양상

Ⓐ smooth contours(예외, medullary & colloid carcinoma)

Ⓑ homogenous density

Ⓒ variable, smooth, smudged, rounded calcification

③ calcification of benign etiology

Ⓐ coarse calcification of degenerating fibroadenoma

Ⓑ tubular calcification of benign secretory disease

Ⓒ vascular calcification

4) Accuracy

① Sensitivity : 75%

② Specificity : 30~40% for nonpalpable mass

85~90% for clinically evident malignancies

③ Mammogram이 Biopsy의 역할을 대체할 수는 없으며, Mammogram의 역할을 US, MRI가 대신할 수 없다.

④ Mammography로 Cancer를 진단 못하는 경우

Ⓐ radiographically dense breast tissue

Ⓑ abundant cystic changes

Ⓒ implanted prosthesis

5. Ultrasonography

1) More expensive than Needle aspiration or Biopsy

2) cystic or solid mass의 감별에 유용

3) Useful in nonclacified mass of dense breast (routine screening 사용되지는 않음)

4) Indication

① Characterization : palpable abnormality, ambiguous mammographic findings, silicone leak, mass in woman younger than 30 years, lactating, or pregnant

② Guidance for interventional procedures

③ Possible role for additional imaging in high-risk individuals

6. MRI

• highly sensitive but not very specific

• Role

[① Focal asymmetric area-scar or Recurrent cancer
② Identification of silicon in Ruptured breast implants

7. Screening

1) Triad ★

① Breast Self-Examination (BSE)

② Routine Physical Examination

③ Diagnostic Imaging (mammogram)

2) ACS Effective Screening Program of Breast Cancer

① Breast Self-Examination (BSE)

Ⓐ 20세 여성에서는 유방자가검사를 가르쳐야 되고 또 규칙적으로 시행되어야 한다.

Ⓑ Beginning menarche or 20 years

Ⓒ The week after menses: less tender and engorged, easier to examinaton

② Routine Physical Examination

Ⓐ 35세 이후부터는 매년 실시하고 완전한 검사이어야 한다.

③ Mammographic Screening(유방조영술적 선별검사)

Ⓐ Initial (baseline) study : 35~39세

Ⓑ Examination every 1 or 2 yrs : 40~49세

Ⓒ Annual examination : 50세 이상

8. Biopsy

• Mammogram상 cancer를 의심한 lesions의 30%가 양성, 양성으로 생각한 15%가 악성

• 모든 dominant masses or suspicious nonpalpable mammographic findings는 Biopsy 필요

• 2단계 접근 : conventional techinques 후 OPD Bx 결과에 따라 definitive surgery

1) Needle Bx (Fine needle aspiration cytology)

① highly accurative (1.7% false positive),

② 7.1% false negative rate

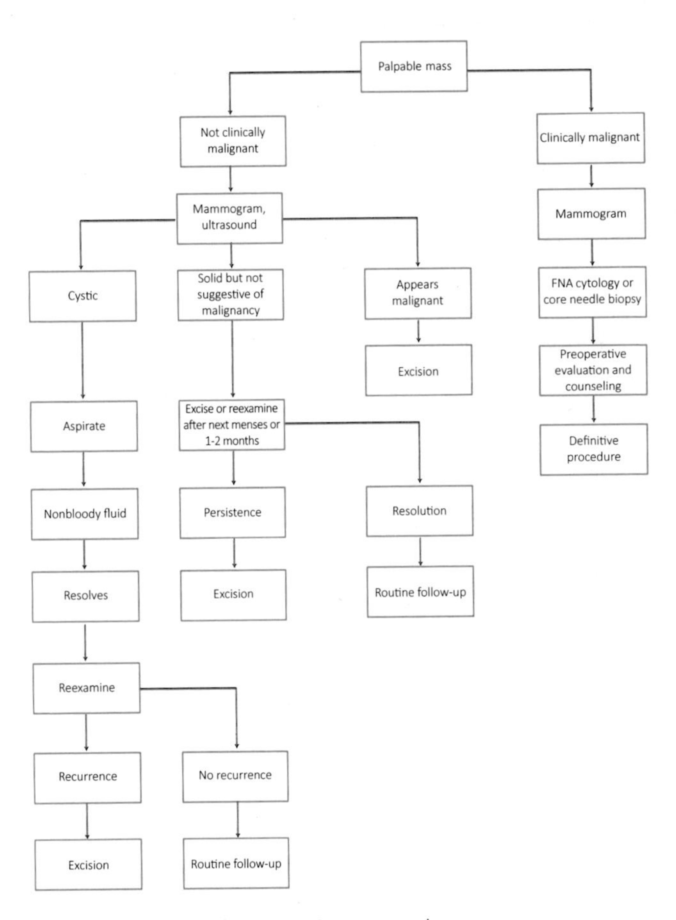

▶ Algorithm for management of breast masses in premenopausal women

2) Core needle biopsy

3) Open biopsy

V. 유방의 양성질환

1. Acute mastitis due to bacterial infection

1) 시기

: within 1st few weeks of lactation(m/c)

2) 원인균

① Staphylococci(m/c) → Abscess formation

- 치료: fluctuation 있으면 drainage

② Streptococcus : Diffuse cellulitis with systemic toxic 증상

- 치료 : 수유 중단, local heat, 항생제

③ Chronic mastitis는 주로 결핵이 원인

3) 증상

① erythema of the overlying skin, pain and tenderness to palpation

② induration of the skin and underlying breast parenchyma

4) 치료

① redness 심하면 ice-pack, redness 없으면 local heating

② sucking, breast massage해주어야 abscess 막을 수 있음

③ local rest, 수유중단

④ Abscess생기면 Irrigation & drainage

⑤ Methicillin 등의 antibiotics를 massive하게 처치

5) Differential diagnosis with Inflammatory cancer

- Inflammatory cancer :

① Lactation, Pregnancy때에 잘 발생, 가장 나쁜 예후

② 생리적인 임신 시의 breast engorgement나 mastitis와 감별이 어렵다.

2. Fibrocystic change(섬유낭성변화, mammary dysplasia)

1) m/c breast lesions

2) 호발연령 : 폐경 전 여성(35~55years)

3) m/c Sx : cyclic breast pain

4) 형태 : 양측성, multiple lesions, fluctuation in size, 월경 전후로 급격히 나타났다가 사라짐

5) Final Diagnosis : Biopsy

6) Management

① Observation (∵ Little clinical significance)

② Breast cancer의 high risk-women에서 hyperplasia나 atypia가 동반된 경우
: screening techniques를 통한 주의 깊은 관찰 필요

③ Pain control : Protection by Brassiere

④ Danazol - limited use

⑤ Coffee, tea, chocolate제한

3. Fibroadenoma(섬유선종)

1) 여성 유방질환 중 2nd m/c, 유방의 양성 종괴 중 m/c

2) Well-defined, smooth, movable mass, 월경주기 말이나 임신 중 크기 증가

3) 호발연령 : 젊은 여성(20~35세)

4) 증식성 상피조직과 결합조직이 혼합

5) 치료

① monthly Observation

② 2~3 ↑ cm diameter: Biopsy 후 removal

4. Phylloides tumor(엽상종양, benign cystosarcoma phylloides)

1) 호발연령 : 40~50대

2) 임상소견

① 무통성 유방종괴(m/i)

② Sudden increase in size

③ 피부함몰이나 피부비후등은 나타나지 않음(악성유방암과 감별점)

④ 국소재발이 많음(→ 국소절제시 2 cm 정도 정상 절제면 확보)

3) Treatment : Wide local excision without Radiotherapy

5. Intraductal Papilloma(유관내 유두종)

1) benign epithelium으로 덮인 papillary structure & branching fibrovascular structure

2) mass under areola

3) bloody discharge → 침윤암과 유사 혼동가능

6. Duct ectasia(유관 확장증)

1) 유두부위의 유선관 주위 염증으로 시작하여 응괴물질로 채워짐

2) 후천적 유두내번증의 가장흔한 양성원인임

7. Radical Scar(방사형 반흔) and Sclerosing adenosis(경화성 선증)

1) No known premalignant significance & pathogenesis

2) 암과 감별이 필요

8. Atypical Epithelial Hyperplasia(비정형상피증식)

1) 다소성(multifocal)보다는 일원성(unitary pattern)

2) 전체의 크기 : 1 mm 이하로 규칙적

3) 양성유방질환 생검의 4~5%에서 발견됨

① Atypical lobular hyperplasia

- 소엽상피내암(lobular CIS)과 비슷하지만 광범위침범은 없음

② Atypical ductal hyperplasia

- Ductal CIS(관상피내암)와 유사하나 경직형성(rigid formation)은 없음

VI. Breast Cancer

1. 발생빈도

- 최근 증가추세
- 우리나라 여성암 중 2위

2. Epidermiology

1) Age

① 30세 이후(99%) - Age-specific incidence(나이가 들수록 증가)

② Peak age(44~55세)

유방암의 위험인자 ☆	
Major risk factor	**Minor risk factor**
1. Gender (male/female) 2. Age 3. Family history (mother, sister, daughter) 4. Contralateral breast cancer 5. Noninvasive carcinoma (DCIS, LCIS) 6. Benign prolifeative changes with atypia	1. Early menarche 2. Late menopause 3. Obesity 4. Lower dose radiation

2) Place of residence

① High incidence(북미, 서구)

② Low incidence(아시아, 남미, 아프리카)

③ Migration effect : diet & obesity

3) Reproductive factors: longer reproductive phase

① ┌ Young age at menarche
　 └ Older age at menopause

② ┌ 35세 이후 첫 분만 때 증가
　 ├ 미산부 : 증가
　 └ 20세 이전 첫아이 분만 감소

③ E_3 : Anti-carcinogenic effect

→ 임신 & 수유 시 E_3 증가

→ 임신, 수유가 많을수록 유방암 발생빈도 감소

4) Hormonal theories

① Estrogen Replacement Therapy < 5 years : not increase risk

Estrogen Replacement Therapy > 10~15 years : 50% increased

5) Oral contraceptives (Exogenous estrogens)

① 2~4배 높다(ERT보다 oral contraceptive에서 estrogen농도가 훨씬 많다).

6) Alcohol

① suggest increasing risk, but controversial

7) Prior History of cancer : Strongest single risk factor

8) Exposure to ionizing Radiation

9) Family history of breast disease : Major risk factor

10) Histological Pattern of breast Biopsy : atypical hyperplasia인 경우

- Lactation은 빈도와 관련없음

3. 진단

1) 유방질환의 진단방법과 동일하다.

2) 3대 screenings

① Breast Self-Examination (BSE)

② Routine Physical Examination

③ Diagnostic Imaging (mammogram)

3) 3대 진단적 수기

① Routine Physical Examination

② mammogram

③ Fine-needle aspiration cytology

4. 병리조직학적 분류(Pathological classification)

1) Epithelial tumor

(1) Non-invasive cancer (In situ carcinomas)

① Ductal CIS(관상피내암)

Ⓐ 대개 postmenopausal women

Ⓑ 절제 생검(excisional biopsy)만 하면 30~50%가 침윤성으로 진행

Ⓒ Treatment : segmental mastectomy with or without Radiotherapy

Solid or Comedo type(면포성 상피내암)	Noncomedo type
• Putty-like material • Necrotic material linear calcification • No stromal invasion • 유방조영술상 석회화병변이 보임	• cribriform과 micropapillary patterns을 보임 • 면포성보다 종괴촉지가 흔치 않음 • 침윤암으로의 진화도 흔치않음 • 유방조영술상 석회화 병변이 가끔 보임

② Lobular CIS(소엽상피내암)

Ⓐ 대개 premenopausal women

Ⓑ Multifocality(80%)와 bilaterality(50%)이 흔함

Ⓒ 30%로까지 침윤성으로 진행

Ⓓ treatment

㉠ excisional Bx 후 주의깊은 추적관찰

㉡ bilat. prophylactic mastectomy or chemoprevention (tamoxifen)

(2) Invasive Cancer

① Infiltrating ductal carcinoma(침윤성 관암)

Ⓐ m/c malignant tumor (70~80%)

Ⓑ 주로 mass로 발견

Ⓒ mammography - density lesion, microcalcification

② Infiltrating lobular carcinoma(침윤성 소엽암)

Ⓐ Diffusely infiltrating 되는 경향이 있고

Ⓑ Determinant palpable mass가 없을 수가 있기 때문에

Ⓒ 유방조영술상 진단이 어렵거나 불가능

(흔히 비대칭성, 건축, 염좌등의 방사선적 평가기준에 의해 진단)

③ Medullary carcinoma(수질성 암)

④ Mucinous (mucoid or colloid) carcinomas(점액성 암)

⑤ Tubular carcinoma(관상암)

(3) Paget's disease

① 유두의 Paget씨 병은 유방암의 중요한 임상적 지침

② treatment : Total mastectomy and LN dissection

(4) 기타

① Inflammatory carcinoma(염증성 암)

Ⓐ erythema, edema, thickness

Ⓑ Poorest prognosis

Ⓒ Treatment : chemotherapy & Radiotherapy

② Locally advanced breast cancer

2) Non-epithelial tumor

(1) Malignant phyllodes tumor (Malignant cytosarcoma phyllodes)

(2) angiosarcoma

5. Therapeutic considerations

(1) Most important general factor

① menopausal and nodal status

② tumor type

③ hormone receptor status

④ positive lymph node metastasis or not

(2) Therapeutic modalities

① Operation

Ⓐ radical mastectomy

Ⓑ modified radical mastectomy : 대흉근 보존, 가장 많이 시행됨

Ⓒ extended radical mastectomy

Ⓓ wide local excision and radiation therapy

Ⓔ quadrantectomy and radiation therapy

② Radiation therapy

③ Adjuvant chemotherapy

Ⓐ adjuvant : CMF (cytoxan, MTX, 5-FU) or AC (adriamycin, cytoxan)

Ⓑ neoadjuvant : AC or AT (adriamycin, taxane)

④ Adjuvant hormonal therapy

Ⓐ Tamoxifen (esp, ER(+) 경우, metastatic)

Ⓑ Prophylactic oophorectomy

6. Prognosis

• Prognostic factor

Prognostic Factors in Node-Negative Breast Cancers	
Factor	**Increased Risk of Recurrence**
01. Size	T_3, T_2
02. Hormone receptors	Negative
03. DNA flow cytometry	Aneuploid tumors
04. Histologic grade	High
05. Tumor labeling indes	Low (《 3%)
06. S phase fraction	High (〉 5%)
07. Lymphatic/vascular invasion	Present
08. Cathepsin D	High
09. HER-2/neu oncogene	High
10. Epidermal growth factor receptor	High

7. Breast cancer in pregnancy

1) <u>Poor prognosis</u>, but similar prognosis when compared by stage of disease

2) <u>의심 시 즉각 진단하는 것이 중요</u>

3) <u>임신중 유방암이 발견되면 적극적이고 개별적인 치료계획 수립이 필요</u>

4) Treatment Recommand : age, 출산희망여부, risk factors 등 고려하여 결정

① during the 1st or 2nd trimester

- Modified radical mastectomy를 하고 1st trimester 후에 adjuvant chemotherapy

② localized tumors during the 3rd trimester

- 3rd trimester 초기에 tumor excision under local anesthesia
- 분만 직후 standard Treatment

③ Lactation 중 : lactation 억제하고 바로 definitive Treatment

④ Advanced incurable carcinoma의 경우 : palliative therapy하고 임신지속여부는 산모의 결정에 따름

• Breast cancer로 치료 후 임신한 경우 그 생존율의 차이는 아직 확실치 않으나 재발이 대개 2~3년 내에 오므로 그 기간은 임신을 유보하도록 함이 바람직하다.

32 유전 질환

Power Gynecology

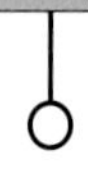

I. 단일유전자 질환(Single-gene Disorder)

- 멘델유전의 형태는 가계도 분석으로 알 수 있으며 가족력을 주의깊게 물어보는 것이 이 질환을 알아낼 수 있는 가장 좋은 방법임

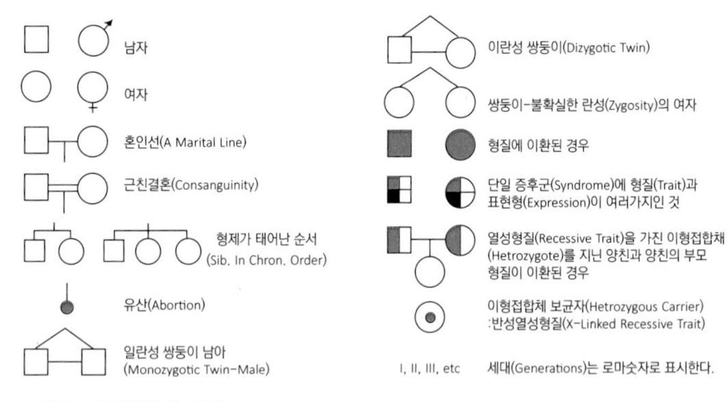

▶ 가계도 구성에 사용되는 기호

1. 상염색체 유전방식

1) 상염색체 우성 유전

(1) 투과도(Penetrance)

- 정의 : 우성 유전자를 가지고 있는 모든 사람에게서 뚜렷한 표현형의 변화를 보일 때 100% 투과도라고 말함. 즉, 80%의 투과도를 가지고 있는 유전자는 그 유전자를 가지고 있는 사람 중 80%에서만 표현형의 변화를 나타냄

(2) 날인법(Imprinting)

- 정의 : 특정 질환의 표현이 그 돌연변이 유전자가 아버지로부터 온 것인지 혹은 어머니로부터 온 것인지에 따라 달라지는 경우

(3) 표현도(Expressivity)

- 정의 : 동일한 유전자가 표현되는 정도

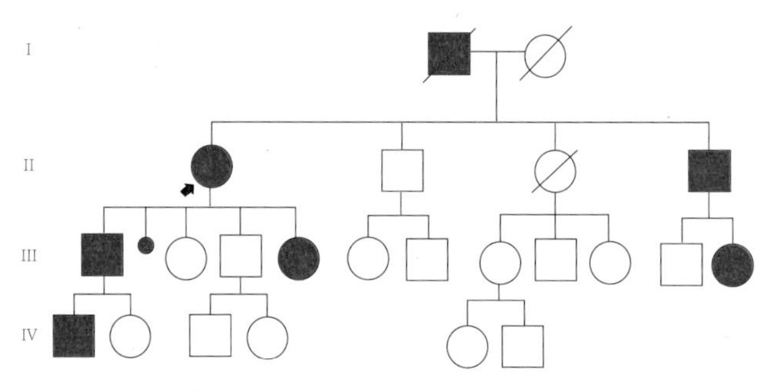

▶ 상염색체 우성유전을 나타내는 가계도

상염색체 우성 유전 질환	
Achondroplasia	Myotonic dystrophy
Adult-onset polycystic kidney disease	Neurofibromatosis
Agonia	Noonan's syndrome
Amenorrhea-galactorrhea	Osteogenesis imperfecta (type I and IV)
Holt-Oram syndrome	Polyposis coli
Huntington's disease	Robinow's syndrome
Isosexual precocious puberty	Stein-Leventhal syndrome
Kallman's syndrome	Tuberous sclerosis
Marfan's syndrome	Von Willebrand's disease
Multiple exostosis	Waardenburg's syndrome
Mllerian aplasia	

2) 상염색체 열성 유전

• 정의 : 돌연변이 유전자를 가진 염색체가 두개 모두 있어야(각각 하나씩 부모로부터 유전됨) 표현되는 질환

상염색체 열성 유전 질환	
Absent radii and the presence of thrombocytopenia	Kallmann's syndrome
Albinism	17-Ketosteroid reductase deficiency
Ataxia telangiectasia	Laurence-Moon syndrome
Bardet-Biedl syndrome	McKusick-Kaufman syndrome
Congenital adrenal hyperplasia types Ⅰ~Ⅳ	Meckel-Gruber syndrome
Cryptophthalmus syndrome	Phenylketonuria
Cystic fibrosis	Pseudovaginal perineoscrotal hypospadias
Ellis-van Creveld syndrome	5α-reductase deficiency
Familial hypogonadotropic eunuchoidism	Rokitansky-Kster-Hauser syndrome
Fanconi's pancytopenia	Smith-Lemli-Opitz syndrome
Galactosemia	Tay-Sachs disease
Gonadal dysgenesis XY	Testicular feminization (incomplete)
	Werdnig-Hoffmann disease

(1) 한 부모의 이체성(uniparental disomy)

• 정의 : 두 개의 짝을 이룬 염색체가 모두 부모 중 한 사람으로부터 유전되었을 때

(2) 혈족(consanguinity)

• 혈족간의 결혼 : 상염색체 열성 유전질환의 발생빈도 증가

(3) 선천성 대사이상 질환(inborn errors of metabolism)

① 페닐케톤뇨증(phenylketonuria) : Phenylalanine hydroxylase의 결핍

② 선천성 남성화 부신증식증(congenital virilizing adrenal hyperplasia)

Ⓐ 21-hydroxylase결핍에 의한 경우가 m/c

Ⓑ 산전진단 : 양수 내의 17α-hydroxyprogestrone을 측정하거나 DNA 분석

Ⓒ 예방 : 임신부에게 Dexamethasone을 투여(이환된 여자 태아의 남성화를 예방)

③ 생식기의 선천성 기형

Ⓐ 질자궁 수종(hydrometrocolpos)

Ⓑ Mllerian duct agenesis (Rokitansky disease)

Ⓒ 횡중격질(transverse vaginal septum)

④ 5α-reductase 결핍증후군

Ⓐ 5α-reductase 결핍으로 테스토스테론이 dihydrotestosterone으로 전이되지 못해 요생식동(urogenital sinus)의 부전 초래

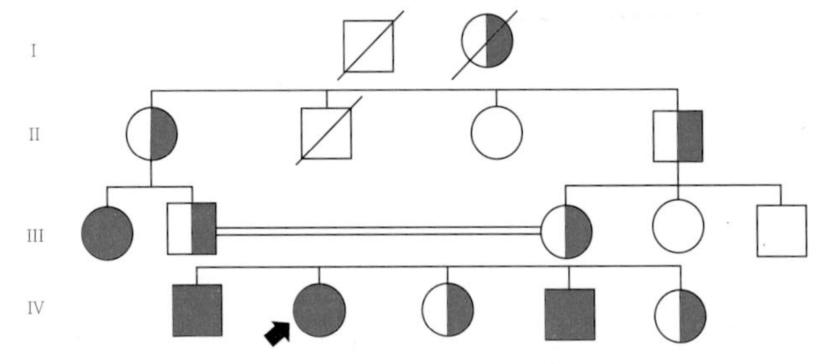

▶ 상염색체 열성 유전을 나타내는 가계도

상염색체 우성 유전과 상염색체 열성유전의 비교	
상염색체 우성 유전	**상염색체 열성 유전**
1. 이형접합체에서 표현 2. 자손에게 전파될 확률은 50% 3. 세대를 건너뛰지 않고 모든 세대에서 나타남 4. 남녀 모두에게 나타남 5. 다양한 표현형 6. 수직 가계도 유형 7. 부모의 나이가 변이에 영향을 줌 8. 첫 번째 예는 sponataneous mutation으로	1. 동형 접합체에서 표현 2. 자손에게 전파될 확률은 25% 3. 한세대를 건너뛰어 나타남 4. 남녀 모두에게 나타남 5. 가계에 따라 일정한 표현형 6. 수평가계도 유형 7. 근친결혼시 발생빈도 증가

2. 반성(X-linked) 유전방식

1) X-연관 우성 인자에 의한 유전질환

• 특징

① 여성이 남성보다 많이 이환되어 있음

② 증상은 남자가 더 심함

③ 이환된 남성의 딸은 모두 이환, 아들은 모두 정상

④ 질환에 이환된 여성의 자손중 1/2이 이환

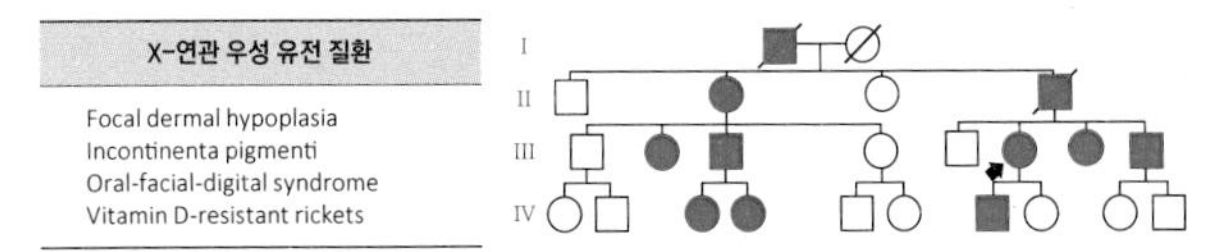

X-연관 우성 유전 질환
Focal dermal hypoplasia Incontinenta pigmenti Oral-facial-digital syndrome Vitamin D-resistant rickets

▶ X-연관 우성 유전을 나타내는 가계도

2) X-연관 열성 인자에 의한 유전질환

• 특징

① 남성만 질환에 이환

② 보인자인 어머니로부터 돌연변이 유전자가 유전

③ 이환된 남성의 딸은 모두 보인자가 되고, 아들은 모두 정상

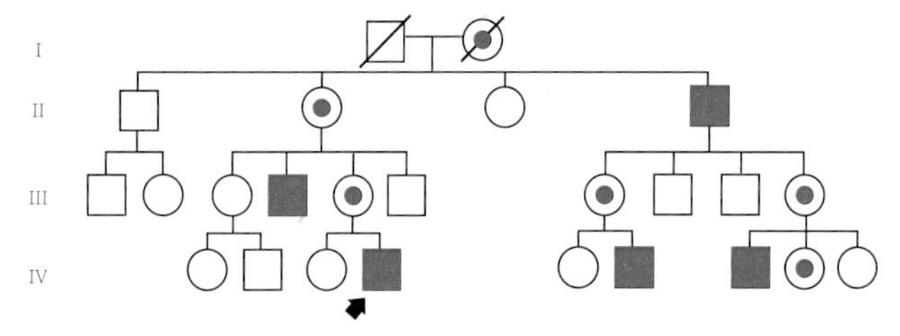

▶ X-연관 열성 유전을 나타내는 가계도

X-연관 열성 유전질환	
Becker's muscular dystrophy	Lesch-nyhan syndrome
17,20-desmolase deficiency	Nephrogenic diabetes inspidus
Duchenne's muscular dystrophy	Ocular albinism
Fabry's disease	Oculocerebrorenal syndrome
G6PD deficiency	Reifenstein's syndrome
Gonadal dysgenesis XY	Testicular feminization
Gonadotropin unresponsiveness	Complete / Incomplete
Hemophilia A and B	Wiskott-Aldrich syndrome
Hypohidrotic ectodermal dysplasia	
Kallmann's syndrome	

3. 다인자성 유전질환(multifactorial inheritance)

1) 신경관 결손증

① 무뇌증

② 이분척추(spina bifida) 및 수막척수류(meningomyelocele)

2) 선천성 심질환(congenital heart disease)

3) 정형외과적인 기형(orthopedic anomalies)

① 내번족(club foot)

② 선천성 고관절 탈구(congenital hip dislocation)

③ 구순열 및 구개열(cleft lip, palate)

④ 유문협착증(pyloric stenosis)

II. 염색체 이상(Chromosomal disorders)

• <u>염색체 관찰의 시기 - 세포분열 중기(Metaphase)에 Giemsa stain법으로 관찰</u>

1. 수적 이상

(1) Euploidy(배수성)

(2) Aneuploidy(이수성)

(3) Mosaicism

2. 구조적 이상

(1) 등완 염색체(isochromosome)

(2) 윤상 염색체(ring chromosome)

(3) 간질성과 종단성 결실(interstitial and terminal deletion)

(4) 중복(duplication)

(5) 전도(inversion)

(6) 전위(translocation) - m/c 구조적 이상

① 상호전위(reciprocal translocation)

② Robertsonian 전위 또는 중심융합 전위(centric fusion translocation)

(7) 삽입(insertion 혹은 shift)

3. 염색체 이상에 의한 임상증후군

1) 상염색체 이상(autosomal abnormalities) ★

(1) 수적이상

① Down 증후군(몽고증, 21 trisomy)

② Edward 증후군(47,XX(XY), +18)

③ Patau 증후군(47,XX(XY), +13)

④ Cat-eye 증후군(47,XX(XY), +22)

(2) 염색체 결실 증후군

① 묘성 증후군(Cri du chat syndrome, Cat cry syndrome, 5p-증후군, 46,XX(XY), 5p-)

② Wolf-Hirschhorn 증후군(4p-증후군, 46,XX(XY), 4p-)

③ DeGrouchy 증후군(18q-증후군, 46,XX(XY), 18q-)

2) 성염색체 이상(sex chromosomal abnormalities)

(1) Turner 증후군

① 정의

Ⓐ Karyotype에 관계없이 streak gonad이며 short stature (145 cm 이하)

② 해부학적 소견

Ⓐ 백색 or 황색의 streak gonad(삭상성선)

Ⓑ 성선의 현미경 소견 - 기질만 보이거나 기질과 Leydig cell 관찰됨

Ⓒ uterus & tube - 정상적으로 위치, 그러나 미성숙.

③ 원인

Ⓐ 45,XO의 경우 성염색체의 nondisjunction

Ⓑ 임신부의 나이와 무관하다(Klinefelter와의 차이점).

Ⓒ 없어진 X 염색체는 아버지로부터 오는 것이 많다.

④ 임상증상

Ⓐ Female

Ⓑ Short stature

Ⓒ Normal intelligence (Klinefelter와의 차이점)

Ⓓ Ovarian agenesis(나머지 삭상성선 즉 자궁, 나팔관, 질 등 모든 뮐러관의 발생은 정상)

Ⓔ Neck webbing, Cubitus valgus

Ⓕ Broad chest, Wide spaced nipple

Ⓖ Pigmented nevi

Ⓗ Coarctation of aorta

Ⓘ Renal anomalies: horseshoe kidney

⑤ X선상 특징

Ⓐ 넷째 중수골(metacarpal) 혹은 중족골(metatarsal bone)의 저형성이나 짧은 것이 특징

⑥ 동반기형

Ⓐ CoA (coarctation of aorta), AS, ASD

Ⓑ single kidney

⑦ 검사실 소견

Ⓐ Gonadotropin↑

Ⓑ Chromatin은 음성

Ⓒ Karyotype
- 45,XO 55%
- 45,XO / 46,XX, 46,XY, 47,XXX 25%
- 46,Xi (Xq) 15%
- 46,X, XP- 2~3%
- 46,X, r (X) 2~3%

• 45,X / 46,XY mosaicism 핵형을 가진 Turner 증후군

① 15~20%에서 성선모세포종(gonadoblastoma)이나 미분화세포종(dysgerminoma) 발생

② 보통 세포유전학 검사에서 Y염색체의 발견이 어려움

③ 세포유전학 검사에서 Y염색체가 있으면

→ 성선절제술(gonadectomy) 시행(앞의 종양들이 있을 가능성이 있으므로)

⑧ 치료

Ⓐ Estrogen Treatment

- 유방발육, 질의 각질화, 월경유도 가능, 임신은 불가능

- 1~25일간 premarin 0.625~1.25 mg
- 19~25일째 progesterone
- 2차 성징 발현 후에는 estrogen 용량 줄임

Ⓑ Gonadectomy- karyotyping상 Y-chromosome 존재 시

(성선 종양 발생 가능성 있으므로)

Ⓒ Epiphysial closure전에는 소량의 estrogen을 장기간

- 최대 신장 발육 유도

Ⓓ Axillary & Pubic hair- androgen 치료해야 함

Ⓔ CoA, webbed neck 교정

Ⓕ 정신과적 치료

(2) Klinefelter 증후군(47,XXY)

- 남성 성선기능 저하증의 m/c 원인 중 하나
- 지능박약아의 1% 에서 관련성
- 임신부의 연령 증가와 관계가 있음

① 임상증상

Ⓐ 환관증형(eunuchoid)

Ⓑ 적은 고환과 무정자증

Ⓒ 큰 키(tall stature)

Ⓓ 사춘기시 여성형 유방(50~80%)

Ⓔ 가벼운 지능저하(15%)

Ⓕ 불임증

Ⓖ 성욕감퇴

Ⓗ Radio-ulnar dysostosis

② 합병증

Ⓐ 폐질환

Ⓑ 정맥류

Ⓑ 유방암 등의 종양

Ⓓ 종격동과 뇌에 생식세포종양(germ cell tumor)의 발생빈도 증가

③ 검사소견

Ⓐ 요중 17-ketosteroid 배설 중증도 감소

Ⓑ 고환 생검시 생식세포(germ cell)의 결여 및 섬유화

Ⓒ Sertoli세포의 소실

Ⓓ 세정관의 초자화(hyalinization)

Ⓔ 잘 보존된 Leydig 세포

(3) Fragile X 증후군

- 지능저하 아이들 중에 Down 증후군 다음으로 흔한 염색체 이상
- 취약부위(fragile site) : X 염색체의 장완(Xq27.3)

①임상증상

Ⓐ 자폐적 행동

Ⓑ 큰 턱을 가진 좁은 얼굴

Ⓒ 언어장애

Ⓓ 거대고환증(macrochidism)- 사춘기 이후 남아

Ⓔ 활동항진(hyperactivity)

Ⓕ 집중력 저하

Ⓖ 경련

III. 유전 상담(Genetic Counseling)

1. Genetic Counseling의 적응증

1.	Older parental age	Mother ≥ 35세 Father ≥ 45세
2.	초음파상 발견된 fetal anomalies	
3.	Abnormal triple screen / α-fetoprotein	
4.	Teratogen에 노출	• Drugs • Radiation • Infection
5.	Family history of	• Genetic dz. • Birth defects • Mental retardation • Cancer, Heart dz, HTN, DM (esp. early onset 시)
6.	특정 유전질환이 흔한 ethnic group에서 적절한 screening과 prenatal Dx가 가능한 질환	• Sickle cell anemia • Tay - Sachs dz. • Thalassemia • Cystic fibrosis
7.	Consanguinity	
8.	Reproductive failure	• Infertility, 원발성 무월경 • 반복되는 자연유산 • 사산, 신생아 사망
9.	Infant, Child, Adult with	• Dysmorphic features • Developmental / growth delay • Mental / Physical retardation • Ambiguous genitalia / abnormal sexual development

2. Chromosomal Analysis의 적응증

Primary	Primary amenorrhea Amniocentesis candidate - advanced maternal age - single 사산 / perinatal death - single 자연유산과 사산 / perinatal death - 2번 이상의 자연유산 Fragile X syndrome의 F.Hx. recurrent abortion이나 chromosomal anomaly의 F.Hx Missed abortion / blighted ovum Molar pregnancy Monozygotic twins of opposite (46,XY and 45,X) 다양한 염색체의 수적이상의 phenotypic appearance Premature menopause Previous chromosome analysis performed before advent of banding Significant gynecomastia Spontaneously aborted fetal tissue Ambiguous genitalia를 지닌 testicular tissue Phenotypic female에서 testicular tissue
Secondary	Anovulation (no withdrawal bleeding on progestin, high serum FSH) Delayed sexual development without 1st order stigmas Hirsutism in female Isolated mental retardation Oligomenorrhea Sperm count < 20 million/mL

33 사춘기의 발달

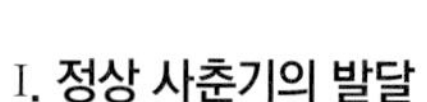

I. 정상 사춘기의 발달

• 사춘기란?

① 소아가 생식 능력을 갖게되는 성적 성숙기

② Hypothalamic-Pituitary-Ovarian (HPO) axis를 중심으로 역학적인 변화가 일어나 성장 촉진, 2차 성징 발달 및 월경이 시작되는 시기

1. 태아의 내분비

1) 태아 난소의 발달

① 임신 4~5주 : Primordial germ cell → Urogenital ridge로 이동

8~10주 : Genital ridge 형성(난소가 생기게 될 부위)

11~12주 : Meiosis 시작(FSH, LH 출현 → 원시 난포 형성)

20~25주 : FSH, LH peak & 400만개의 Oogonia

2) 태아 호르몬 분비

① GnRH, TRH : 임신 8주경 hypothalamus에 출현

→ 태아기 동안 pituitary의 gonadotopin 합성·분비 조절

→ 임신 중·후기에 gonad발달에 pituitary가 필수적임을 의미

② Gonadotropin (FSH, LH) : 12주경이 되어야 일정하게 증가 시작

③ hCG (3rd gonadotropin) : 10~12주에 peak

12주경부터 감소하기 시작

→ Male fetus testis의 Leydig cell에서 Testosterone 분비를 일으킴

④ 여아에서 E_2가 남자보다 높거나 같고, FSH 또한 남자보다 높다.

Ⓐ Estrogen에 의해 pituitary가 억제되지 않는다.

Ⓑ 증가된 FSH가 여아 태아의 난소 분화를 유발한다.

⑤ 태아 성선의 기능

Ⓐ 태아 고환 : Müllerian inhibitory factor (Sertoli cell) & Testosterone (Leydig cell) 생성에 필수적

Ⓑ 태아 난소 : 내분비 기능은 불분명 → 여성 표현형 발달에 꼭 필요치 않는 것 같다.

[효소, 전구물질, Gonadotropin 부족으로 estrogen 합성 저조
그러나, 여성 태아 혈청 및 양수내 E_2는 남성 태아보다 높다.

⑥ HPO axis의 Negative feedback 기전의 성숙 시기

Ⓐ 20주경 : ㉠ 뇌하수체 및 혈중 gonadotropin 감소와 일치

㉡ E_1, E_2, E_3 치가 혈중에서 증가

(→ 이러한 것은 HPO axis의 negative feedback기전의 성숙을 의미)

Ⓑ 임신 중기 : FSH, LH가 최고치에 도달

→ 이후 높은 혈중 태반 Estrogen에 의해 Hypothalamus 억제

→ FSH, LH 감소

⑦ 임신 7개월경부터 난소 발달 활발 → Graffian follicle 형성

Ⓐ 출생시 Primary oocyte 200만개

Ⓑ 사춘기 〃 30만개

⑧ 출생 직후 E_2 감소 → FSH 증가(menopause level)

→ 난포 발육, E_2 증가

→ 경도의 유방 발달

2. 초기 소아의 내분비

① 출생 직후 : FSH 상당히 증가, 그러나 LH는 비교적 낮은 상태

② 2개월 : E_2가 최고치(Hypothalamic-pituitary center가 Negative feedback에 무감각함을 의미)

③ 4세 : FSH 최저치

④ 4~8세 : LH & FSH가 낮게 유지되고, 주기적인 Gonadotropin 분비와 E_2 생성 증가

⑤ 7세 : Adrenal androgen 분비장소 성숙 →"Adrenarche"

수면 중 LH의 증가 & 점진적인 FSH 증가 → 서서히 사춘기 발달이 시작됨을 의미

3. 사춘기 시작의 이론

1) 임계 체중과 체구와의 관계

① 체중 및 인체 지방이 정상 사춘기 발달에 관계있다.

② 비만, 영양 부족도 영향을 준다.

2) Gonadostat resetting theory

① 사춘기 전 : CNS or Gonad가 HPO axis 활성화 억제

② Adrenal androgen stimulating hormone (AASH)이 부신의 활성화 및 사춘기 자극을 위해 분비될 가능성이 있다.

③ 순서

Ⓐ 유아기~사춘기 전

• HPO axis의 Negative feedback은 매우 예민(Estrogen이 극히 낮은데도 gonadotropin이 낮다)

Ⓑ 사춘기 무렵

• Negative feedback의 sensitivity가 감소

→ Gonadotropin↑ → Ovary에서 E_2↑ → 2차 성징, 사춘기

Ⓒ 사춘기 이후

• Estrogen에 의한 positive feedback도 성숙 → 배란 유도

3) Adrenal andogen 활성의 시작

① DHEA, EHEA-S 상승(Adrenarche)

→ But, Adrenarche가 HPO axis의 성숙(Gonadarche)을 반드시 선행하지는 않는다.

4) Prolactin의 관여

① 인간에서는 사춘기 발달과 무관

5) 수면 중 Hormone의 변화

① 수면 중 증가하는 Hormone - GH, Prolactin, TSH, LH

② LH → 사춘기로 갈수록 수면중 현저히 증가 → 신체 발달 단계와 연관

③ E_2 → LH 증가로 인해 Early afternoon 때 증가

6) 중추 신경계의 신체적 성숙

① 소아기 동안에는 Gonadotropin이 매우 낮은 수준으로 억제된 상태

Gonadotropin이 증가되면 sex hormone도 증가하여 사춘기 유발됨.

② Gonadotropin에 영향을 주는 물질

Ⓐ 증가시키는 물질 - Naloxone

Ⓑ 감소시키는 물질 - Enkephalin, Endorphin, Dopamine

7) 그 외 exposure to light, psychologic state, geographic location, general health도 사춘기 시작에 관여한다.

	Earlier onset	Delayed onset
영양 상태	obesity	malnutrition
geographic	도시	시골
	적도에 가까운 곳	적도에서 떨어진 곳
	lower altitude	high altitude
시력	blind	sighted
질병	obesity	with DM
		intense exercise

4. 사춘기의 신체적 변화

1) 순서

① Breast budding (Thelarche)

- 사춘기의 첫 신체변화
- Estrogen에 의해 유발

② Pubic hair (Pubarche)

- Adrenal androgen에 의해 유발

③ 최고성장속도 도달(Growth spurt)

④ Menstruation (Menarche)

⑤ 기타 변화(Axillary hair)

• 동반되어서 Reproductive system 발달, 지방축적, 피부변화(여드름 등)

2) 사춘기 발달 단계

① Tanner stage ★

	유방	음모
1기 (Prepubertal)	유두만 돌출	No pubic hair
2기 (breast budding)	유방 및 유두의 상승 유륜의 직경 증가 Primary mound of areola 9.8세	주로 대음순 주위가 길고, 착색된 pubic hair가 드물게 보임 10.5세
3기	유방과 유륜이 단일윤곽으로 계속 증대(single contour) 11.2세	검고, 거칠고, 곱슬모양의 치모가 드문드문 mons까지 확대 11.4세
4기	Secondary mound of areola papilla above the breast 12.1세	성인형 치모로 양이 증가하나, mons에 국한 12.0세
5기	유방과 유륜이 다시 단일윤곽 형성 14.6세	성인형 치모가 외음부 전역에 확산 13.7세

- B2 → PH2 → PHV → B3 → PH3 → PH4 → B4 → Menarche → PH5 → B5

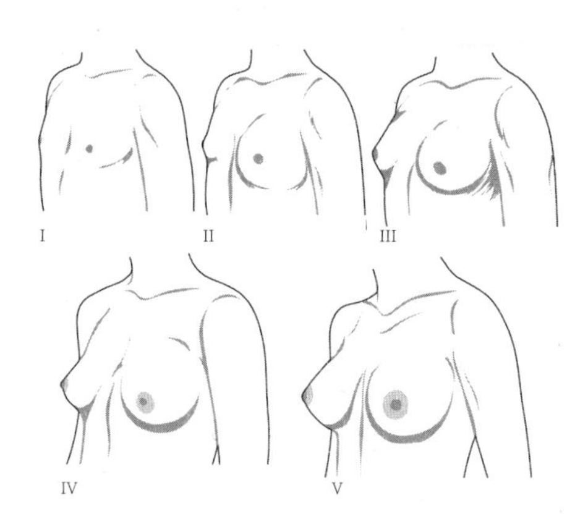

▶ 사춘기 여성에서의 Tanner breast stages

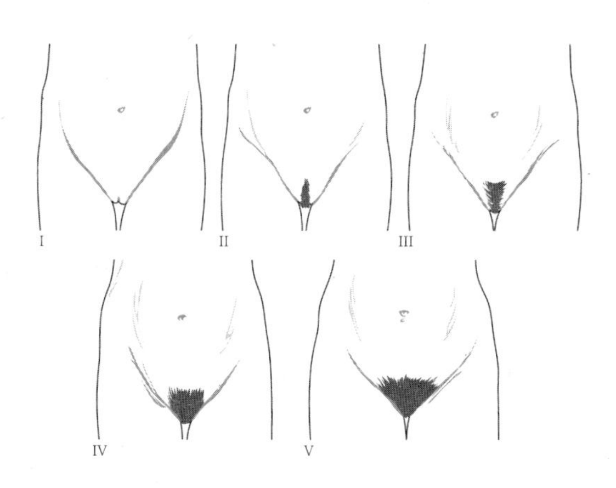

▶ 사춘기 여성에서의 Pubic hair stages

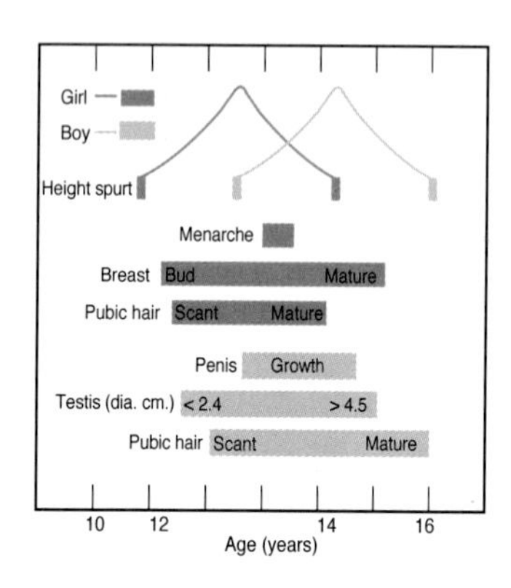

▶ Schematic sequence of events at Puberty

② Growth spurt의 3단계

Ⓐ 최소 성장속도(Minimum growth velocity)

Ⓑ 최대 성장속도(Peak height velocity): 유방발달 1년 후, 초경 1.5년 전

Ⓒ 성장 감속 및 중지기

③ Bone age는 생리적 성숙의 지표

- 2차 성징 발달시기의 결정에 Chronological age보다 유용

5. 사춘기 Hormone의 변화

1) GnRH

① gonadotropin의 분비와 동일한 양상

2) FSH, LH

① FSH가 먼저 증가한 후 LH 증가

② 사춘기의 검사상 첫 징후

Ⓐ REM sleep과 관련된 LH 증가

Ⓑ Norepinephrine의 증가

③ 사춘기 후기 이후에는 Pulsatile secretion

3) Estrogen

① Estradiol이 꾸준히 증가(Tanner stage IV에 성인 수준, 오후 2시에 최고치)

4) Androgen

① Testosterone은 서서히 증가

5) Progesterone

① 사춘기 여성에서 매우 낮고, LH surge 후에도 증가하지 않는다.

② 보통 초경은 Anovulatory menstruation

(→ 약 1년간은 황체 발육부전) → progesterone감소

6) Adrenal androgen

① DHEA, DHEAS: 8~15세까지 서서히 증가

② Adrenarche (Pubic & Axillary hair growth)의 유발과 분명한 관계있다.

7) Prolactin

① 사춘기 시작과는 무관

② 사춘기동안 서서히 증가하며 전 연령층에서 수면 중 증가

8) 사춘기의 행동발달

① 신체 및 정서적 성숙

② 성적 충동의 변화, 자아추구, 지적 성취욕 증가

II. 사춘기 지연 발달(Delayed pubertal development)

1. 정의

① 16세까지 초경이 없을 때

② 13세까지 2차 성징 발현이 없을 때

③ 2차 성징 발현 개시 후 5년 이상이 경과하여도 초경이 없을 때

2. 원인

사춘기 지연 발달의 원인

1. Genital outflow tract의 해부학적 이상
   (1) Müllerian dysgenesis (Rokitansky-Küter-Hauser syndrome)
   (2) Distal genital tract obstruction
      a. Imperforate hymen
      b. Transverse vaginal septum
2. Hypergonadotropic (FSH>30 mIU/mL) hypogonadism
   (1) Gonadal dysgenesis with stigmata of Turner's syndrome
   (2) Pure gonadal dysgenesis
      a. 46XX b. 46XY
   (3) Early gonadal" Failure"with apparent normal ovarian development
3. Hypogonadotropic (FSH<10 mIU/mL) hypogonadism
   (1) Constitutional delay
   (2) Isolated gonadotropin deficiency
      a. Associated with midline defects (Kallmann's syndrome)
      b. Independent of associated disorders
      c. Prader-Labhardt-Willi syndrome
      d. Laurence-Moon-Bardet-Biedl syndrome
      e. Many other rare syndrome
   (3) Associated with multiple hormone deficiencies
   (4) Neoplasms of the hypothalamic-pituitary area
      a. Craniopharyngiomas
      b. Pituitary adenomas
      c. Other
   (5) Infiltrative processes (Langerhans-cell type histiocytosis)
   (6) After irradiation of the CNS
   (7) Severe chronic illness with malnutrition
   (8) Anorexia nervosa and related disorders
   (9) Severe hypothalamic amenorrhea (rare)
   (10) Antidopaminergic and GnRH inhibiting drugs (esp. psychotropic agents, opiates)
   (11) Primary hypothyroidism
   (12) Cushing's syndrome
   (13) Use of chemotherapeutic (esp. alkylating) agents

3. 평가

사춘기 지연 발달에서의 평가 항목	
1. 병력 조사 • 영양 상태 • 운동량 2. 신체 검사 3. 성장 도표 4. 골연령 검사	5. 갑상선 기능 검사 6. 혈중 FSH, LH 측정 7. 혈중 Prolactin 측정 8. GnRH 자극 검사

1) 병력 조사

2) Physical examination

3) Laboratory study

① Hormonal assay - Gonadotropin

② GnRH 역동 검사 - GnRH에 대한 뇌하수체의 반응도 검사

③ Karyotype

④ X-ray - Bone age study, Sella turcica study

III. 성조숙증(Precocious puberty) ☆

1. 정의

① 8세 이하의 여아에서 성적인 발달과 월경이 나타나는 경우

② 월경이 없이 2차성징(유방 발육, 음모 발생)만 나타나는 경우

- 골격계의 급속한 조발 성숙과 epiphyseal closure를 동반하여 신장 발달↓

2. 분류

성조숙증의 원인

1. Central (True) Precocious puberty
   (1) Constitutional (Idiopathic) precocious puberty
   (2) Hypothalamic neoplasms (most commonly Hamartoma)
   (3) Congenital malformation
   (4) Infiltrative process (Langerhans-cell-type histiocytosis)
   (5) After irradiation
   (6) Trauma
   (7) Infection
2. Precocious puberty of peripheral origin (Precocious pseudopuberty)
   (1) Autonomous gonadal hypersecretion
      a. Cyst
      b. McCune-Albright syndrome
   (2) Congenital adrenal hyperplasia
      a. 21-hydroxylase (p450c21) deficiency
      b. 11β-hydroxylase (p450c11) deficiency
      c. 3β-Hydroxysteroid dehydrogenase deficiency
   (3) Iatrogenic ingestion/absorption of estrogens of androgens
   (4) Hypothyroidism
   (5) Gonadotropin-secreting neoplasms
      a. hCG-secreting
         Ectopic germinomas (Pinealoma)
         Choriocarcinomas
         Teratomas
         Hepatoblastomas
      b. LH-secreting (Pituitary adenomas)
   (6) Gonadal neoplasms
      a. Estrogen-secreting
         Granulosa-theca cell tumor
         Sex-cord tumors
      b. Androgen-secreting
         Sertoli-Levdig cell tumors (Arrhenoblastomas)
         Teratomas
   (7) Adrenal neoplasms
      a. Adenomas
      b. Carcinomas

1) 완전(중추성) 사춘기 조발증

(1) 동의어 : GnRH 의존성, 진성 사춘기 조발증

(2) 정의

- 만 8세 이전에 육체적, 내분비적 성숙(배란 유발됨)
- 여아에서는 사춘기 조발증의 대부분은 중추성

(3) 원인

① 특발성(체질적) - 90%

② Brain lesion- 종양, 감염, 발육 결손

③ 유년기의 Primary hypothyroidism

T_3, T_4↓ → TRH↑ → TSH↑ → Estrogen↑

2) 불완전(말초성) 사춘기 조발증

(1) 동의어

- GnRH 비의존성, 가성 사춘기 조발증

(2) 원인

- 성선 호르몬, 성선자극 호르몬↑ (HPO axis와 무관)
- 주로 Ovarian or Adrenal tumor → Estrogen↑, Androgen↑

(3) 무배란성 월경

(4) 때로 조기 유방 발육이나 조기 음모 발생만 있는 경우도 있다.

3. 진단

1) 유의 사항

① 치명적인 Brain, Ovary, Adrenal lesion 유무 확인

② 사춘기 변화가 진행되는가 그대로 있는가의 확인

성조숙증에서의 평가 항목	
1. 병력 조사 • 외인성 hormone 노출 2. 가족력 조사 3. 신체검사 4. 성장도표 5. 골연령 검사 6. 골반 초음파 검사	7. 두개 방사선검사, CNS MRI 8. FSH, LH 측정 9. hCG 측정 10. 갑상선 기능 검사 11. 혈중 Estradiol 측정 12. GnRH 자극 검사 13. 질 성숙지수(여성호르몬 효과)

2) GnRH 자극 검사

• 중추성/말초성의 감별

① 중추성 - 정상과 같이 LH 반응 증가

② 말초성 - LH는 약간 분비, FSH 분비 증가

4. 치료

1) 목적

① 월경 및 배란 억제 → 임신 예방

② 성장 장애 방지

2) 치료의 적응증

① 몸집의 증대

② 조기 사춘기 발달

③ 비현실적인 성인 취급으로 인한 심리 사회적 문제

④ 소아기의 큰 키와 성장기의 단축으로 인한 성인형의 심한 작은 키로 인한 정상 성장궤도 이탈 예방

⑤ 조발 사춘기 발달로 인한 성적학대 위험의 예방이 필요한 경우

3) 약제 ★

① Medroxyprogesterone acetate (MPA)

② Cyproterone acetate (CPA)

③ Danazol (17-isoxazol-testosterone)

④ GnRH agonist

IV. 기타 사춘기 발달 이상

A. Asynchronous puberty

(1) Complete androgen insensitivity syndrome (Testicular feminization)
(2) Incomplete androgen insensitivity syndrome

B. Heterosexual pubertal development

(1) Polycystic ovary
(2) Nonclassic forms of congenital adrenal hyperplasia
(3) Idiopathic hirsuitism
(4) Mixed gonadal dysgenesis
(5) Rare form of male pseudohermaphroditism
Reifenstein syndrome
5α-reductase deficiency
(6) Cushing's syndrome (rare)
(7) Androgen-secreting neoplasm (rare)

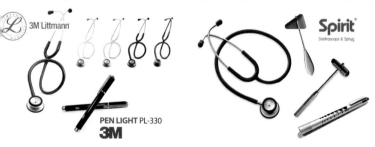

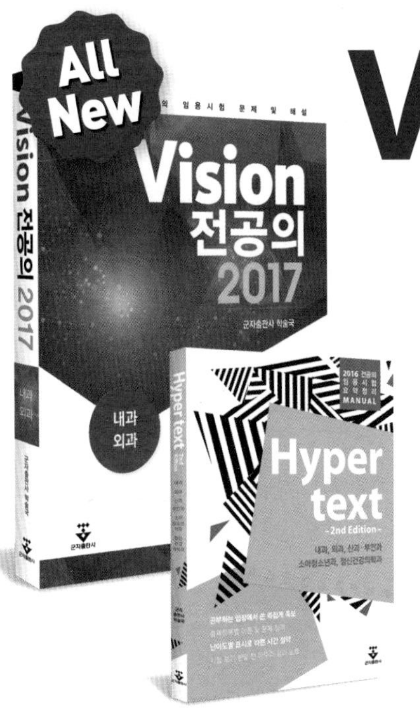

Vision 전공의

(업계유일 기출문제 복원집)

&

Hyper text

(질환별 족집게 족보집)

“전공의 시험은 VISION과 HYPER-TEXT로 끝

06년부터 매년 최신기출문제 완벽복원(업계 유일무이)
+전 DATA 최신 가이드라인 전면적용

- 매년 전공의시험문제를 분석해 온 각 분과 전문의 선생님들의 족집게 해설
- 가독성을 위해 더욱 깔끔해진 편집과 이해하기 쉬운 의학 일러스트
- Harrison 19e, Sabiston 19e, Williams OB 24e, Nelson 20e 최신 가이드라인 적용, 기출문제 전체 업데이트

| 구입안내 | 군자출판사 교재1과 김도성 과장 010-4919-2806

POWER 부인과(핸드북) 13th ed.

첫째판 1쇄 발행 | 1998년 08월 29일
다섯째판 1쇄 발행 | 2002년 09월 06일
여섯째판 1쇄 발행 | 2003년 03월 19일
여섯째판 2쇄 발행 | 2003년 06월 15일
일곱째판 1쇄 발행 | 2004년 03월 20일
여덟째판 1쇄 발행 | 2005년 06월 30일
여덟째판 2쇄 발행 | 2005년 10월 07일
아홉째판 1쇄 발행 | 2006년 07월 30일
열째판 1쇄 발행 | 2007년 10월 25일
정정판 1쇄 발행 | 2009년 03월 18일
열한번째판 1쇄 발행 | 2010년 07월 02일
열두번째판 1쇄 발행 | 2013년 07월 12일
열세번째판 1쇄 발행 | 2017년 02월 12일

지 은 이 전북대학교 의학전문대학원 학술편찬위원회
감 수 이우석, 안지현
발 행 인 장주연
출 판 기 획 김도성
표지디자인 이상희
편집디자인 이슬희
발 행 처 군자출판사
등록 제 4-139호(1991. 6. 24)
본사 (10881) **파주출판단지** 경기도 파주시 회동길 338(서패동 474-1)
전화 (031) 943-1888 팩스 (031) 955-9545
www.koonja.co.kr

ISBN 979-11-5955-131-4
ISBN 979-11-5955-129-1(세트)

정가 30,000원(2권 세트)